人文学のレッスン

編者
小森謙一郎
戸塚学
北村紗衣

人文学のレッスン

文学・芸術・歴史

水声社

はじめに

本書は、人文学を学びたい、あるいは人文学について知りたい、という方に向けられています。

人文学はなぜ重要なのでしょうか？

一言で答えるなら、真理ではなく意味を追求するからだ、ということになります。そして、あらゆる人生に真理はなく、ただ意味だけがあるからだ、と。

真理と意味

真理というのは、不変でなければなりません。いつでも、どこでも、誰にでも、通用するのが真理です。したがって、真理はつねに一つでなければならず、たえず同じでなければなりません。

他方、意味というのは多様です。同じ物事が異なる複数の意味を持ちえます。たとえば第二次世界大戦がほとんどの人々にとって非常にネガティヴな意味をもったことは疑いようがありません。人類史上最悪と言えるほどです。しかし、国家機構や法制度の見直し、人権に関する新たな意識、植民地主義や戦争そのものへの懐疑など、それまで放置されがちだった事柄について、後からポジティヴな意味がもたらされたこともたしかでしょう（だからといって戦争を正当化できるわけではまったくありません）。同様に、当時の若者に目標として教え込まれた「お国のために死ぬ」という発想が、今日では批判的に捉えられていることも、意味の多様性を示す事柄です。

このように、意味には少なくとも良い意味と悪い意味がある――そしてそのグラデーションは無限にある――わけですが、真理は良くも悪くもなく、どこの国のいかなる立場の人にとっても、ただ一つでなければならないのです。

とはいえ、誰にとっても同じ不変の真理というのも、もちろん不可欠です。核爆弾の構造はどのようなものなのか、これと原子力発電はどう違うのか。人口に比して電力はどれくらい必要で、原子炉にはどれほどの耐用期間があるのか。放射性廃棄物とは何か、ほかの有害でない発電方法はないのか。こうした問いには確定可能な「正解」があります。その「正解」こそが真理です。そして唯一の正解、変わることのない真理を追究するのは、自然科学の役割です（ついでながら「正解」に基づかない政策は、すべて非科学的です）。

自然科学の対象は、自然です。近代科学が発達する以前、自然を対象とする学問は自然学と呼ばれていました。古代ギリシア語では自然は phusis、英語の physics の語源です。physics は物理学と訳されますが、物理学の「物」とは自然物、自然界の「物」を指します。そうした「物」の「理」、つまり真理を探究するのが、もともと自然学だった物理学です。知が深まるにつれて対象となる自然物もどんどん広がっていったため、自然学もそれに応じて物理学や化学や生物学などに分かれて展開していったわけです。しかし、今日「理系」と総称されるこれら自然科学の諸分野は、基本的には自然を対象とし、真理を追究していることに変わりはありません。

こうしてみると、人間を対象とし、意味を追求する人文学との違いがよくわかります。人間を自然界の「物」と同一視することはできませんし（人体を「物」のようにみなすことはできますが、それによって発達したのは自然科学の一部としての医学です）、人文学はもっぱら唯一の真理を目指しているわけではないからです。

前提された対象

ところで、「文系」と総称される学問分野には、社会科学と呼ばれるカテゴリーもあります。法学や経済学や社会学がこれに含まれます。社会科学の対象は、もちろん社会です。対象とは前提でもあります。つまり、法学にとっての憲法や法律、経済学にとっての貨幣経済や資本主義、社会学にとっての具体的な人間集団や人間社会は、それぞれ対象であると同時に前提でもあるということです。前提となっているものをみずからの対象として措定した上で、研究を進めるのが科学です。この点では、自然科学も社会科学も同じです（後述のように、人文学もそうしないわけではありません）。

　こうした科学的所作の難点は、対象とした前提の存在そのものを疑いにくい点にあります。太陽が地球の周りを回っているのか、それとも地球が太陽の周りを回っているのか。これはすでに自然科学的な問いです。しかし、そもそも太陽がなかったらと考えるとしたら、別の道を歩み始めることになるでしょう。「もし太陽がなかったら」という発想そのものが、自然科学の通常の道程を超え出ています。同様に、今ある憲法や法律、現行の貨幣経済や資本主義、既存の人間集団や人間社会などについて、その存立を根本から疑う法学者や経済学者や社会学者は、一般的な社会科学的考察からは外れることになります。あえてそうする学者がいるとしても、その勇気やインスピレーションは自然科学的でも社会科学的でもありません。

　したがって、こう言うことができるかもしれません。科学が尽きるところで人文学が始まる、と。自然や社会といった眼の前にある対象を、そのまま自明なものとして受け取らなくなるとき、人文学が始まる。自然の事物や社会制度をいわば斜めから眺め、前提となる対象の所与性自体に疑いを抱くとき、人文学が始まる。「我思う故に我在り」さえ懐疑的に捉え、人間存在の真理というより、その意味を考えるとき、本当の人文学が始まる、と。

かじること

　本書は、人文学のレッスンです。
　目次にある通り、第一部は文学、第二部は芸術、第三部は歴史に割かれています。各部がどのような観点から書かれているのかについては、それぞれの最初の頁——扉裏——を参照してください。今ここでは、なぜ文学、芸術、歴史なのか、簡単に説明しておきます。

まずもって言っておかなければならないのは、これら三つは完璧に独立しているわけではないということです。つまり文学、芸術、歴史というのは、絶対的な区分ではありません。むしろ相互に絡み合っています。物理学、化学、生物学は対象に従って区別されますが、それと同じ仕方で文学、芸術、歴史を厳密に区別することはできません。

また文学、芸術、歴史だけで、人文学そのものを把握することは不可能です。ほかにも分野がある——哲学、宗教、倫理などがある——からというのではなく、人文学そのものを知ることは誰にもできないからです。それはたとえば、音楽そのものを聴くことは誰にもできないのと同じです。つまり耳にできるのはバッハやベートーヴェンの個々の曲だけで、どれほど聴いてもクラシック音楽そのものを聴いたことにはならないということです（もちろんロックやジャズについても同様です）。

こうした場合、逆にできるのは、かじることです。すべてを把握することができなくても、かじることで重要な何かに触れることができます。フランスパンを、まさに「かじる」としましょう。この場合、フランス料理そのものに及ばないのは当然ですが、それでもフランス料理にとって非常に大切な何か——それなしではフランス料理が成立しない基礎中の基礎——を味わったことになるはずです。同様に、文学、芸術、歴史をかじることで、人文学の根幹に近づくことができます。

「開かれ」について

なぜなら、文学、芸術、歴史は、人文学のいわば代表曲であり、代表料理だからです。「もし太陽がなかったら」という仮定が、自然科学の通常の道程から外れることは先に述べました。前提となっている対象の存在を疑い、目の前にある客観的な事実とは異なる仮定を試みた先にあるのは、一種の虚構、フィクションです。現にあるのとは別の世界が、そこには広がっているはずです。そうした虚構ないしフィクションを許容する制度こそ、文学であり芸術にほかなりません。文学もまた芸術の一部でありますが、もっぱら言葉を使用する点で、絵画や音楽からは遠ざかることになります。逆に、演劇や芝居など、言葉を多く使用する芸術は、それだけ文学に近いことになります。本書では、こうした多様性を味わいながら、両方をかじることになります。

とはいえ、文学や芸術の意義は、あらかじめ明確にしておきたいと思います。すなわち、目の前の世界とは異なる別の世界を開示すること、またそれによって現実世界を別の光のもとで見えるようにすることです。文学や芸術は娯楽とか余興と捉えられがちですが、それだけではないのです。もし文学や芸術がなかったとしたら、どうなるでしょうか？　一部の人々にとって趣味の世界が失われるだけではありません。あらゆる人々にとって現実世界を捉え直す機会がまるごと失われるのです。全体主義的な政治が文学や芸術を抑圧しようとする理由も、ここにあります。支配者にとっては、現実世界に疑いを差し挟む人々がいない方が好都合だからです。

同様に、全体主義的な政治は、歴史も嫌います。あるいはみずからの都合にあわせて改竄し、修正します。そのようにして改竄され修正された歴史が無意味であることは明らかでしょう。正確な事実に基づいていないからです。この点で、歴史学者のアプローチは、文学や芸術におけるのとは逆に、科学者のアプローチに近づくように思われます。つねに不変で同一の事実——つまり真実——を確定することが、最初の仕事になるからです。

しかし、個々の事実そのものは、まだ歴史ではありません。もろもろの事実を時系列に沿って報告するだけなら、どれほど正確であろうとも、単なる事実確認にとどまります。そうではなく、事実と事実のあいだの関係を考察し、複数の事実から一つの知られざる事象を導き出して示すこと。そのようにして、すでに知られた現実世界のうちに別の解釈の可能性を開くこと。これが歴史学の社会的役割です。その実践的性格は、文学や芸術に通じています。結局のところ、眼前の対象を自明視せず、現実世界を過去にも未来にも開かれたものにすることが、文学、芸術、歴史の共通点だと言えるかもしれません。

そして、そのような「開かれ」こそが、とりもなおさず人文学そのものを特徴づけるのです。それは「今ここ」を別の時間と別の空間に接続することにほかなりません。自然科学や社会科学では、みずからの対象が目の前にあることを前提とするがゆえに、「今ここ」に規定されることになります。いつでもどこでも通用する真理は、どんな任意の時点でも確認可能でなければならず、そうである以上、まさに「今ここ」で確認できるのでなければなりません。しかし人文学では、目の前にある対象そのものを疑うがゆえに、必ずしも「今ここ」に縛られなくてもよいことになります。人間が生きる時間は、不可避的に流れ去る物理的な時間軸には還元されません。そうした別の時間があらかじめ導入されているからこそ、目に見える現実世界とは異なる視野が開かれるのです（なお「開かれ」という表現は、ジョルジョ・アガンベンという哲学者の著書を踏まえたものです）。

レッスンの意味

だからといって、誤解してはなりませんが、科学と人文学は対立しているのではありません。むしろ両者は補い合う関係にあるのです。科学者にとっても、閃きは不可欠です。閃きとは、「今ここ」に何かが参入してくる経験です。逆に言えば、別の時間と別の空間に「今ここ」が接続されるわけです。この電光石火の「開かれ」は、人文学的な次元に根ざしています。他方、人文学にとっても、眼前の対象を考察する際に、科学的な思考様式が有用であることは言うまでもありません。本書自体、その意味で十分に科学的——分析的《アナリティック》で認識論的《エピステモロジック》——です。このように科学と人文学は互いに互いを必要としており、一方なくして他方はないのです。

　したがって、科学が重要だからこそ人文学もまた重要だ、ということになります。唯一不変の真理を追究する科学なくして、今日の生活を考えることはできません。同様に、多様な意味を追求する人文学なくして、私たちの人生を考えることはできません。

　本書は、そうした人文学のレッスンだと言いました。レッスンというのは、ラテン語の lectio「読むこと」、さらに lego「私は読む」に由来します（lego には「私は集める、選ぶ」という意味もあります)。文学、芸術、歴史をかじるというのは、「読む」ことを学ぶことにほかなりません。そしてかじることのうちには、味わうことも含まれます。意味や吟味のためには、よく味わうことが不可欠です。文学や芸術や歴史をたんなる趣味にとどめないためには、ただ味わうのではなく、よく味わうこと、よく「読む」ことが必要なのです。

そのために、まずはひとつひとつの章を、ゆっくりかじることをおすすめします。場合によっては、読み返したり、読み直したりすることも、よく味わうためには重要です。その上で、四つの章から構成される文学、芸術、歴史のそれぞれについて、どんな味がしたかを考えてみてください。つまり文学とは何か、芸術とは何か、歴史とは何か、それらそのものについて振り返るということです。その際、各部の先頭の頁——扉裏——にある文章がヒントになるでしょう。こうして、だんだんと「読む」ことがわかってきます(ただし、前述の通り「正解」はありません)。

さらに、各章の終わりには「読書案内」があります。こちらは人文学をより深く味わうための案内です。各執筆者が手に取ってみてほしいと考える本が紹介されていますので、面白いと感じた章や関心を持った事柄をもとに調べてみてください。なかには図書館にしかない本もありますが、探索の楽しみも味わってもらえればと思います(これによって lego の別の意味「私は集める、選ぶ」も成就されます)。

また末尾にある「質問箱」は、本書や人文学全体に関わるQ&Aになっています。いわば取扱説明書のような内容も含まれていますので、場合によっては、こちらを最初に確認するといいかもしれません。明日への道筋については「おわりに」も大切です。

最後に、ここでもう一度、「もし文学や芸術や歴史がなかったら」と考えてみてください。「もし太陽がなかったら」という仮定と同じく、「真っ暗闇」という帰結になるのは、もはや言うまでもないことでしょう。

だとすれば、人文学とは私たちにとって太陽のようなものであり、意味とは太陽が育む無数の命——有為転変に充ちた地上の生——であることになります。実際のところ、〈複数の人間性〉Humanities こそが、まさに人文学なのです。

したがって、本書もまた異なる無数の意味、地球の上での偶然の出会いに基づく複数性と多様性に開かれています。その複雑で豊かな味わいは、新型コロナ禍下の味覚障害も、全体主義的な政治も、決して奪うことができません。

そして付言するなら、そこにはまた根本的な自由の萌芽があるはずです。

小森謙一郎

人文学のレッスン　◉目次◉

第一部　ことばを読む

第一部は「ことばを読む」と題し、文学に関する四つの「レッスン」を収めています。言葉を読むことは人文学に包含される学問において広く共通の基盤となる行為です。ですが、文学研究で読まれるのは小説や詩、あるいは戯曲というフィクションの言葉だという点が他の学問の場合と大きく異なります。

これら文学作品を織りなす言葉は、私たちが情報を伝えるために用いる日常言語とは異なった特色を持ちます。それは、現実から離れたもう一つの世界を作り出す働きを持つことです。そのような、日常の言語と異なる性質を持つ言葉を読むにはどうすればよいのかを、ここでは具体的な作品を対象として論じていきます。

また、研究においては作品の言葉をそれ自体単独で読むことはあまりありません。作品の背後に広がる周辺のテクスト、たとえば作家が残した手稿や日記、同時代の言説などと併せて読み進めることになります。そうすることで、作品とその背景との関係や、作品が書かれた時代が浮かび上がってきます。

このセクションでは、そのように文学の言葉を読むことで何がどう見えてくるのか、なるべく多様なアプローチによって示したいと思います。

1　言葉の形を読む——横光利一『蠅』の形式と文体

戸塚学

ゆっくりと読む

文学作品を読むとは、どのような行為なのでしょうか。まずは、次に引く小説の一節を手がかりに、このことについて少し考えておきたいと思います。

「御米、近来《きんらい》の近《きん》の字はどう書いたつけね」と尋ねた。細君は別に呆れた様子もなく、若い女に特有なけたゝましい笑声も立てず、

「近江《おほみ》のおほの字ぢやなくつて」と答へた。

「其近江のおほの字が分らないんだ」(……)

「何《ど》うも字と云ふものは不思議だよ」と始めて細君の顔を見た。

「何故」

「何故つて、幾何容易《いくらやさし》い字でも、こりや変だと思つて疑ぐり出すと分らなくなる。此間も今日《こんにち》の今《こん》の字で大変迷つた。紙の上へちやんと書いて見て、ぢつと眺めてゐると、何だか違つた様な気がする。仕舞《しまい》には見れば見る程今らしくなくなつて来る。――御前そんな事を経験した事はないかい」

（夏目漱石『門』）


私たちは、日々の生活の中で、主に楽しみのために作品を読みます。この時、私たち読者の心を捉えるのは物語です。紙のページをめくり、架空の世界の人々の上に起こる出来事を読みとり、その動向に心を動かされ、「それから？」とその先を知りたくなる。右の引用は、夏目漱石の長篇小説『門』の冒頭に近い場面ですが、私たちは、夫と妻の間で交わされている話の内容を読むとともに、会話の後の夫婦についても、漠とした予期を抱きます。「字と云ふもの」の「不思議」について会話を交わす夫婦は、この後どうなっていくのか。こうした未来への期待に導かれ、物語《ストーリー》の糸を先へたぐっていくことに、読むという行為の楽しみがあるとひとまずはいえます。

ストーリーを先へ先へとたどるのは、与えられる情報をそのまま受け入れるような読み方です。記された文字の順序に沿って立ち上がる意味を、その流れにさからわないように受けとる。場面と場面、出来事と出来事とがつながりを生み出し、そのために高まる期待によってページをくる速度が速くなっていく。こうして、物語を跳ぶように追って読む時、小説の世界を立ち上げる文字はいわば透明な媒体となっていきます。意味へと変換された瞬間に、それを伝えた文字それ自体は忘れ去られる。
しかし、人文学において小説を読むという場合、こうした楽しみのための普段の読書とは少し異なった読み方を指すことがあります。そのためにはまず、物語をただ受け入れる姿勢を、いったん中断してみる必要があります。すると、ちょっと奇妙な瞬間が訪れます。ちょうど『門』の主人公宗助がいうように、「こりゃ変だと思つて疑ぐり出すと分らなくなる」、そんな瞬間です。物語を受け入れるとは、小説をわかろうとして読むことです。ですが、考えてみれば小説の中にはわかること以上に、わからないこともたくさんあります。ひとたびわからないことの側に注意を向けると、様々な疑問が頭に浮かんできます。

たとえば、語られていることの背後に、実は語られていない空白があるのではないか。作中に繰り返し出てくるモチーフは何を意味しているのか。語り手はなぜ過去を懐かしそうな姿勢で振り返るのか、あるいは随所で未来に起こる出来事について示唆するのか。『門』の右の一節を例にとれば、私にはこんな疑問が浮かびます。夫婦はなぜ相手の言葉を引き取るように、鸚鵡《おうむ》返しに話しているのか。文字をめぐる不安というこの会話のテーマは、この後の小説の展開と関係するのか。そもそも、一篇の小説の冒頭に置かれる会話として、この夫婦のやりとりはあまりに地味ではないだろうか……。

こんな風に問いを立て始めると、私たちの目は文字の上を行きつ戻りつし、ページをくる手はゆるやかになっていく。あるいはページをさかのぼり、すでに読んだ部分と今読んでいる部分とを比べ始めることにもなる。

こうした読み方のことを、ある文芸批評家は次のように表現しています。「テクストのなかに存在する如何なるものも見逃さない読者」となり、「前後関係に注意深く目を配り、踊るよりも歩く感じで、テクストにだまされないように、鍵となる一語一句で立ちどまる」（ヒリス・ミラー『文学の読み方』）。こうして、書かれている言葉をゆっくりと読んでいく時（ヒリス・ミラーはニーチェに倣い、これを音楽用語でいう「レント」と表現します）、ストーリーは背景に後退していきます。代わりに、それとは異なるものが私たちの意識の前面にせり出してくる。

見えてくるのは、言葉それ自体です。受動的に意味を受け入れることをやめるとき、文字という記号は、いわば不透明なものとして立ち現れる。そして、言葉の意味するところだけでなく、言葉の形が目につき始める。『門』の宗助にとって「近」や「今」という文字が突如見慣れぬものとなり、点や線の集合としての字形を主張し始めるようにです。

ここでいう言葉の形とは、狭い意味では特定の語句や表現の多用、文の長さや構文の特色といった、語句の選択や配列に基づく文章の形態的な特徴を指します。しばしば文体と呼ばれるものです。また、広い意味では小説の形式も、言葉の形であるといえるでしょう。小説の形式とは、端的にいえば語り方のことです。物語は、語られているのか日記や手紙に書かれているのか。それは、いつどのような語り手・書き手によって語られ、あるいは書かれているのか。作中の空間は、誰のどのような目で見られているのか。何が語られるかだけでなく、いかに語られるかに注目して読む。それは、語られた言葉の集成である小説の形、すなわち小説の形式を見つめることを意味します。

言葉の形の新しさ

日本の近代において、作品を織りなす言葉の形に注目した作家として挙げられるのが、横光利一です。横光は、言葉の形を意味の付属品とは考えず、時には形こそが、小説の世界を決定的に左右すると考えました。このような考え方は、日本の文壇内で論争を巻き起こしますが（後で触れる形式主義論争）、同時代の世界では広く共有された考え方でした。モダニズムと称された同時期の文学は、言葉の形に対して意識と関心を向け、新たな表現や形式を切り拓きました。横光の小説も、そうした時代の文脈の中に位置づけられます。

ここでは、横光がそのような姿勢を明確に打ち出した初期の短篇小説『蠅』（『文藝春秋』大十二・五）を取り上げ、言葉の形に着目して作品を読み解いていきます。その過程で、小説の言葉を「ぢっと眺め」、物語をただ受け入れるだけでなく問いを立てつつゆっくり読むという、人文学的な読みの一例を示してみようと思います。

横光のデビューした大正末期は、日本文学で新しさが重視された時期です。新人の作品には、常に新しさが求められるものですが、新しさが特に評価される時期があります。それは、社会の大きな変革期です。大正末期から昭和初期は、日本の文学にとって革新の時期であり、その大きなきっかけは都市空間の変容でした。空間の変化は新たな文化を生み出し、それが人々の意識や内面にも影響を及ぼす。そうした変化を新しい表現方法で描くことが求められ、横光もそれに応えていくわけです。なお、もう一つの大きな変化は、マルクス主義という思想の流入であり、こちらはプロレタリア文学という、社会そのものの変革を目指す文学を生み出しました。

横光が『蠅』と同じく大正十二（一九二三）年五月に発表した、『日輪』（『新小説』）という小説の一節を見てみましょう（以下、引用末尾の数字は章を示します）。


大兄は遣戸《やりど》の外へ出て行つた。卑弥呼は残つた管玉を引きたれた裳裾《もすそ》の端で掃き散らしながら、彼の方へ走り寄つた。

「大兄、我は高倉の傍で汝を待たう。」

「我はひとり月を待たう。今宵の月は満月である。」

「待て、大兄、我は汝に玉を与へやう。」

「汝の玉は、我に穢された汝のやうに穢れてゐる。」

大兄の哄笑は、忍竹を連ねた瑞籬《みづがき》の横で起ると、夕闇の微風に揺れてゐる柏の根の傍まで続いていつた。卑弥呼は染衣の袖を噛みながら、遠く松の茂み《ほこだち》の中へ消えて行く大兄の姿を見詰めてゐた。（一）

引用部は、小説の冒頭近く、主人公の卑弥呼と恋人の卑狗《ひこ》の大兄《おおえ》が逢い引きの約束をする場面です。ここに見られるのは、従来の小説に見られた写実的な文体とは異なる、読み手の意識に抵抗を引き起こす文体です。

地の文が口語であるのに対し、人物の発話は文語調です。そのために恋人同士が愛を囁き合っていても、どこか甘い感じを与えません。また、「大兄の哄笑は……」というように、無生物を主語にとる無生物主語構文、「我に穢された汝のやうに」のような耳慣れない種類の直喩、「瑞籬」、「根」のように現代読者には指示対象を想像しにくい古語の使用が見られます。『日輪』を読む上では、読み手はこの特殊な文体に意識を向けさせられることになります。

こうした独特の文体を、横光は翻訳文の日本語や（小田桐弘子「『日輪』論」を参照）、古代に関する文献の語彙をもとに作り上げました（中川成美「横光利一・その生成の構図（1）」を参照）。つまりこの時期の横光は、小説の言葉の形を日常的な言語のそれから意識的に遊離させようとしていました。

このような『日輪』とはまた異なる意味で、『蠅』もやはり新しい言葉の形を提示した小説だといえます。横光が『蠅』で取り入れたのは、新たなメディアである映画の方法です。大正期は、浅草などの盛り場をはじめ、各地に常設の映画館が多く建ち始めた時期です。こうして新たな娯楽として広く享受されるようになった映画は、新時代の機械文明のスピード感やその中で生きる人々の感覚を表現するのに最適なメディアでした。横光自身も映画をよく見ましたし、『狂つた一頁』（川端康成原作、衣笠貞之助監督、大十五）という実験映画の制作にも参加します。横光に限らず、この時代の作家は映画の表現技法を文学作品に積極的に取り入れています。

技術革新にともなって新しいメディアが生まれると、旧いメディアがそれにより活性化することがあります。新しいメディアの方法が旧いメディアの方法に取り入れられ、新たな表現方法を生み出すのです。たとえば、映画では人物の表情などを大写しにするクローズアップという技法が用いられますが、これを小説の描写において模倣する試みがなされました。詩の分野でも、シナリオの形式を模倣して断片的な詩句をカットをつなぐようにつなぎ合わせる「シネ・ポエム」という形式が考案されています。小説や詩の言葉の形を映画という新たなメディアが変化させたわけです。

次に引く横光の『蠅』の冒頭部は、カットとカットをつないで構成された映画のワンシーンのようです。いいかえれば、映画的な文体で書かれています。

Ⓐ真夏の宿場は空虚であつた。ただ眼の大きな一疋の蠅だけは、薄暗い厩の隅の蜘蛛の網にひつかかると、後肢で網を跳ねつゝ暫くぶらぶらと揺れてゐた。と、豆のやうにぽたりと落つた。そうして、馬糞の重みに斜めに突き立つてゐるⒷ藁の端から、裸体にされた馬の背中まで這ひ上つた。（一）

この情景描写は、舞台となる真夏の宿場の全体を俯瞰するロングショット、厩《うまや》の隅の蜘蛛の巣にかかった蠅のクローズアップ、さらに網から逃れた蠅が馬の背中に上っていく一連の動きを追うカットをつなぎ合わせるようにしてなされています。一文の単位で視点・視野や対象の動きが一つのまとまりをなし、次の文でそれが切り替わる。カメラの角度を切り替えながら撮影を行い、それらをつなぎ合わせて連続的な映像を作り上げる映画の方法が、言葉によってなぞられているかのようです。

なお、『蠅』と映画表現の関係については複数の先行研究があり、たとえば小森陽一『『蠅』の映画性」が「緊張と弛緩」という論点からこうした視覚イメージの問題を論じています。ですがここでは、映画表現との類似そのものを指摘するというより、それが言葉によってどのように代行されているかに注目したいと思います。つまり、映画表現の模倣という目的ではなく、その結果生み出された言葉の形にこそ注意してみたいわけです。

ちなみに、この場面で登場した蠅は、本作と映画との関わりをその身で体現するような存在です。蠅は、作中で映画を撮影するカメラのような役割を果たすのです。蠅には、「眼の大きな」という形容が冠され、見る機能を担っていることが示唆されます。小説末尾では、この蠅の目にだけ見えたはずのある印象的な光景が描かれる。いってみれば『蠅』という映画の中に、場面を撮影するカメラそのものが登場するかのようなのです。

馬の背にのぼった蠅が羽根を乾かしている間、宿場には乗合馬車の乗客たちが集まってきます。息子が危篤である老婆、駆け落ち中の男女二人、幼子を連れた母親、仲買で金儲けした田舎紳士が次々と広場に登場し、街へ行く乗合馬車の出発を待ちます。出発はいつかとやきもきしている乗客をよそに、御者は饅頭《まんじゆう》屋の饅頭が蒸し上がるのを待ってようやく出発します。蠅が背にとまった馬は馬車につなげられ、蠅は人々と同行することになります。道中、饅頭で腹がくちた御者は居眠りを始めますが、乗客はそのことに気づかない。馬は崖上で道を踏み外して馬車は谷底へ落下しますが、その瞬間に蠅は空に飛び立つ。

こうして、蠅は人々が宿場に集まってくるところから死に至る結末までの一部始終の傍らに存在し続け、全てを眼差しうる位置に置かれています。小説は、「眼の大きな蠅は、今や完全に休まつたその羽根に力を籠めて、ただひとり、悠々と青空の中を飛んでいった」（十）と閉じられますが、この一文は人々の死を蠅が高みから見下ろしているような印象を与えます。このような本作における蠅の位置は、物語の結末において人物が退場した後の光景を撮り続ける映画のカメラの位置と似ています。カメラとしての蠅が登場することで、読み手は小説世界に何が登場するかではなく、それがどのように眺められているかに注意を向けざるをえなくなります。

映画の方法に代わるもの

先行研究ですでに議論されているように、小説の語りの視点が蠅のそれと一致するわけではありません（たとえば濱川勝彦「初期作品と青年・横光利一」を参照）。部分的に蠅の視点がとられる箇所はありますが、基本的には蠅もまた、外側から見られる対象として描き出されます。また、蠅の視野から外れる場所の出来事も語られています。小説の末尾近く、「墜落して行く放埒な馬の腹が眼についた」（十）という箇所は、語りの視点が蠅と一致するように読み手に感じさせますが、ここでも光景を捉えた「眼」が蠅のものかどうかは明示されません。

にもかかわらず、出来事を一貫して見続ける蠅の目のようなものが小説世界の全体から感じとれることもたしかです。そのことには、やはり何か理由があると見るべきでしょう。注目すべきは、本作において人々の上に起こる出来事が、「た」を基調とする短文で終始突き放されたように語られることです。それは、出来事に対する蠅の態度と似ています。虫である蠅は、人々と直接の交流を持つことはなく、当然悲劇的な結末に共感することもありません。全ての出来事に無関心に、ただ純粋に見るだけの存在です。

そして、そのような蠅の目の冷静さと、出来事を突き放して語る語りの姿勢とは重なります。本作では特定の人物の視点に寄り添って、その人物の感情を当人に成り代わって同情的に語ることはありません。ただ様々な人に起こる出来事やその心の揺れ動きを、視点を次々と切り替えながら、外側から淡々と語っていく。つまり本作において冷静で客観的であるのは、人々の死をも物体の落下のように淡々と示してみせる、語りの言葉であるわけです。

本作の描写の特徴は、こうした視点の客観性にあると指摘したのが、英文学者の由良君美です。由良は、本作の描写に見られる映画性を「カメラ・アイ」という概念によって論じました（「「蠅」のカメラ・アイ」）。本作の描写の視点は、「私」の目でも全知の神の目でもない、「人称を越えたカメラ・アイ」なのだと由良は述べています。映画におけるカメラは、機械の目として全ての事象を客観的に捉えますが、本作にもそうした視点の客観性が導入されている。この小説は、出来事そのものよりも「カメラ・アイ」による「視座の劇」なのだというのが由良が提示した読解です。こうした由良の指摘は、本作における語りや視点の効果を的確にすくい上げています。

ですが、重要なのは、「カメラ・アイ」的な客観性が、冷静な語り口という言葉の機能に依拠しているという点です。視点の問題に限りません。本作では、種々の映画的な技法が言葉の働きによって代替されている。

たとえば、『蠅』は章割が細かくなされているのが特徴です。映画の一つのシーンと別のシーンのように、細かく分けられた部分と部分が継ぎ合わされるようにしてストーリーが進行します。たとえば「一」は先の引用のようにわずか四文で構成されています。そして「二」は、乗合馬車の御者の様子のみを描き出す。以下、短いスパンで視点を切り替えながら、宿場に集まってくるそれぞれの人物の様子が描かれていきます。

かくして小説は、全部で十の短い章を並べる形で進行していくのですが、特に注目したいのは章と章のつなぎ目の部分です。先に引いた「一」と、「二」および「三」の冒頭部を比べてみたいと思います。

馬は一條の枯草を奥歯にひつ掛けたまゝ、猫背の老いた御者の姿を捜してゐる。(二)

宿場の空虚な場庭へ一人の農婦が馳けつけた。(三)

「二」の冒頭の一文は、「一」の末尾に当たる傍線(B)から、「馬」という要素、「背」や「藁」という要素を引き継いでいます。既に敷かれた「藁」が馬の食糧である「枯草」という要素に引き継がれ、「馬」の「背」が、御者の猫「背」という要素に引き継がれています。「二」では、「馬」が眼差される対象から、眼差す主体に変わっています。その馬の視線の先に、馬とは異なる「背」のイメージが現れ、二つの「背」の対照が形づくられる。語句と語句とがしりとりのようにつながっていて、それが場面と場面の接着剤のような役割を果たしているのです。

これは、映画においてカットとカットを継ぎ合わせる技術を、言葉によって代行したものとして捉えられます。カットとカットをつなぎ合わせる時にも、前のカットの要素を後のカットに引き継ぐことがあります。たとえばあるカットの中央に恋人のことを想っている人物の顔を配して、次のカットの中央に今度は想われている側の人物の顔を配してつなぎ合わせることで、相愛の二人の心の通い合いを視覚的に表現する時のようにです。このように継ぎ目を工夫することでカットとカットの間で連続性や意外性が醸成されるのです。

「三」の冒頭の文は、「一」の引用の傍線（A）から「宿場」、「空虚」という要素を引き継いでいます。これによって、やはり「一」と「三」とが章をまたいでつなぎ合わされます。こちらは、ある章と別の章の同じ位置に来る文と文の間に、一種の既視感を生み出す言葉の継ぎ合わせ方です。すなわち、「一」の冒頭の一文は宿場の全体を遠目の視点で捉える働きを持ちます。場所を移して厩の中の馬の様子が描き出され、「二」で視点を転じて饅頭屋の店頭の御者を描き出した後、「三」で再び宿場の全体が遠目から捉えられるのです。この時、「三」の冒頭の文は、「一」の冒頭の文の部分的な反復となっています。つまり、「宿場」、「空虚」と同じ語句を用いることで、「一」の冒頭で示された視点と、「三」の冒頭で示される視点とが重ね合わされるのです。

これも、映画の方法の言葉による代行として捉えられます。たとえば、戸外のロングショットを提示し、いったん家の中の様子を映した後、再び先の戸外のロングショットと同一の視点に戻ることで、空間の同一性（とそこで起こる変化）を示す時のようにです。言葉でイメージを捉える小説では、映画のように同一のパースペクティヴを表現するのは困難ですが、語句に反復感をもたらすことで、その機能が代替されているといえます。

ちなみに、「五」の冒頭も、「宿場の場庭へ、母親に手を曳かれた男の子が指を銜へて這入つて来た」と始まります。ここでもやはり、「二」冒頭の一文から、「宿場」の「場庭」という語句を引き継ぐ形で、同じ空間がいわば同じ角度で描き出されます。こうして、「宿場」の「場庭」という空間が注目され、この場所への人々の集合と、そこからの出発への期待が徐々に高められていくのです。

つまり、『蠅』では、直前の場面や少し前の場面との視覚的なつながりが単語の呼応によって作り出されている。映画において、あるカットとカットをモチーフや視点の一致でつなぎ合わせるように、似たような語句や要素の配置によって、場面と場面の間に呼応関係が作り出されるのです。『蠅』の文章が、同一あるいは類似語句の頻用という特徴を持つ一つの要因は、この点に求められるでしょう。

言葉のつながりと運命のつながり

以上見てきたのは、言葉の持つ視覚的なイメージを利用した場面同士の接続ですが、視覚的イメージにはよらない接続もあります。ここから、『蠅』が映画的な方法から離れている部分を見ていくことになります。いってみれば、横光は映画の技法を借りていると同時に、映画的な技法を超越してみせるのです。

「出ますかな、街までは三時間もかゝりますかいな。三時間はたつぷりかゝりますやろ。倅が死にかけてゐますのぢやが、間に合せておくれかのう？」（三）

「をつと、待てよ。これは倅の下駄を買ふのを忘れたぞ。（……）」（六）

引用した「三」の末尾において、宿場に駆けつけた農婦は、馬車の御者に自身の「倅」の危篤について語り、街までの所要時間を尋ねます。この後、「六」の冒頭の場面では、右のように田舎紳士が「倅」との来たるべき再会について独語します。いずれの箇所でも、人物の発話の中に「倅」という語が配されています。この時、二箇所の文の間には、先ほど見たのと同じような言葉同士の響き合いが生じます。「六」の田舎紳士の発話は、「三」の農婦の発話から、「倅」という要素を引き継ぐのです。

「倅」という語は、「三」の章では二度繰り返し用いられています。「死にかけて」いるという状況と農婦の取り乱した様子とあいまって、農婦の「倅」の存在は読者に強く印象づけられます。そのため、「六」の章で田舎紳士と「倅」の再会の話題が持ち出されると、両者の呼応が意識されるとともに、両者の状況の対照が鮮明に浮かび上がります。一方は「倅」との死別を、他方は「倅」との再会を予期しているというように、農婦と田舎紳士の間に「倅」を媒介とするつながりが生じるわけです。

同じく人物の発話の中で提示される「倅」の一語は、こうして農婦と田舎紳士の間に共通点を作り出します。同一要素を引き継ぐことで視点の連続性や重なりが作り出されたように、ここでは同一要素の引き継ぎが、人物と人物の状況を対照し、関係を作り出しています。人物の発話の中の語句、つまり人と人との間に発された言葉が、文字通り人と人とを結びつける。それは、二人の人物の生きてきた時間そのものがわずかに重なる瞬間を作り出しているともいえます。「倅」を媒介に、田舎紳士と農婦という、互いに異なる時間軸を生きてきた二人の人物が、その生と生とを一瞬交錯させるわけです。

　さらに、「五」の冒頭は、「母親に手を曳かれた男の子……」と始まっています。「三」の農婦は、息子の死に目に会えないだろうとさめざめと涙を流すわけですが、そうして読み手に農婦の「倅」の「死」の予見が刷り込まれたところに、「母親」と「男の子」が登場してくる。「三」の農婦もかつて、「五」の母子のように「倅」の手を曳《ひ》いていたことがあったかもしれません。また、「四」では駆け落ちしてきた娘が「お母が泣いてるわ。きつと」と発言しています。娘が「お母」に思いを馳せて到着した宿場には、今まさに子のために泣く母が待ち受けています。かくして、「倅」という語はさらに「母」や「子」という語とも関連し、これと呼応して人物同士の結びつきは広がりを見せます。幼い息子を連れた母や、母に思いを馳せる娘の生の背後に、倅を失おうとしている農婦の生が二重写しになる。

『蠅』が「三」「四」「五」「六」で描き出すのは、年齢も境遇も離れ、通常であれば互いに関わりを持たないであろう人々です。ところが、そんな彼らが「宿場」の「場庭」に集まってきた時、「倅」／「子」をめぐって、微妙な引き合いのようなものが生じてくる。注意すべきは、この連関があくまでも言葉の上で作り出されたものだということです。登場人物自身がこうした共通点を認識している様子はありません。「三」で「倅」が「死にかけて」という語句を刷り込まれた上で、「五」に「母親に手を曳かれた男の子……」という一節が現れることで、文と文の間に関係が生まれる。人物同士の生の引き合いは、あくまでも文体的に作り出されたものです。

さらに「三」「四」「五」「六」で登場した四組の人物を、より明白な形で結び合わせるものがあります。それは、「馬」ないし「馬車」です（以下の【 】内は各場面の主な登場人物を指します）。

「馬車はまだかのう？」（……）「馬車はまだかのう？」（……）「馬車はまだかの？」（……）「出たかのう。馬車はもう出ましたかのう。（……）」【農婦】（三）

「馬車はもう出たかしら。」と娘は呟いた。（……）「馬車屋はもう直ぐそこぢや。」／二人は黙って了つた。【駆け落ちの男女】（四）

「お母ア、馬馬。」／「ああ、馬馬」（……）「お母ア、馬馬。」／「ああ、馬馬。」【母子】（五）

田舎紳士は宿場へ着いた。（……）農婦は場庭の床几から立ち上ると、彼の傍へよつて来た。／「馬車はいつ出るのでござんしやうな。（……）」（……）若者と娘は場庭の中へは入つて来た。農婦はまた二人の傍へ近寄つた。／「馬車に乗りなさるのかな。馬車は出ませんぞな。」／「出ませんか？」と若者は訊き返へした。／「出ませんの？」と娘は云つた。【田舎紳士】【農婦】【駆け落ちの男女】（六）

いずれの場面でも「馬」ないし「馬車」に人物が言及します。農婦は、「馬車」がいつ出るかについて気をもんでおり（三）、駆け落ち中で故郷から逃亡している男女は、「馬車」がすでに出たかどうかを気にかけます（四）。母子は、厩の「馬」について言葉を交わし（五）、田舎紳士と駆け落ち中の男女は、それぞれ「馬車」が出るかどうかについて農婦から話しかけられます（六）。ここでも、人と人との間に発せられた発話の中に、「馬車」や「馬」という語が登場します。こうして、個々の人物に関する文と文の間に、「馬車」や「馬」を媒介とするつながりが生じる。「倅」／「子」が人物同士の隠された共通点を浮かび上がらせるものであるとすれば、ここで示される人と人との結びつきは、より顕在的なものです。というのも、この後人々は「馬車」に同乗することになるからです。「馬」や「馬車」について人々が発話し、あるいは関心を向けると、それを後追いするように彼らは「馬車」という空間を共有することになる。そして、この狭い「馬車」の中で、人々は互いへの物理的な距離を縮めます。互いに異なる時間軸を生きてきた複数の人物たちは、こうして「馬車」という一点において接近する。このような「馬車」における人物の一体化が頂点に至るのが、次に引く小説の最終場面です。

人馬の悲鳴が高く一声発せられると、河原の上では、圧し重なつた人と馬と板片との塊りが、沈黙したまゝ動かなかつた。が、眼の大きな蠅は、今や完全に休まつたその羽根に力を籠めて、ただひとり、悠々と青空の中を飛んでいつた。（十）

注目したいのは、乗客と馬とが「人馬」、「圧し重なつた人と馬」と一括して指示されていることです。この場面では、人と馬とは身体を重ね合わせて死んでいます。「人と馬」、あるいは「人馬」という語句は、人と人、人と馬との物理的な距離の接近を、文字と文字の接近によって体現しています。かくして人々は、文字通り「馬車」においてその命運をともにする。そのことは、文字の密着という言葉の形によって端的に示されている。人々は最終的に、「人馬」という語句の中に、意味の上で一つになって包含されることになるわけです。そしてこの瞬間に、互いに縁もゆかりもなかった人々の運命は一つに束ね上げられる。

つまり、『蠅』という小説では、言葉によって作り出されたつながりが運命のつながりを作り出しています。この点が重要です。運命のつながりが言葉のつながりによってより強調されている、といった関係性ではありません。そうではなくて、言葉のつながりが、運命のつながりの必要条件であるかのようである。言葉の形の上でのことが、小説世界の内容に関与しているかのように、『蠅』という小説は作られているのです。

この最終場面には、一種のカタルシスが存在しています。比喩的にいえば、針の小さな穴になんとか糸を通すことに成功したような、何かを通り抜けたような感覚が生じている。偶発的な出来事が重なり、それが終局に向かって一挙に束ねられていく――偶然が必然へと転化する――そのような感覚です。だから生じる出来事は悲惨であっても、この小説の末尾には奇妙な爽快感がある。どういうことか。

『蠅』という小説には、設定の上で一つの特徴があります。それは中心的なものの不在です。たとえば『蠅』には、主人公に当たる中心人物がいません。御者は乗客の生死を左右する点では物語の進行上大きな機能を担いますが、特別視はされていません。むしろ、ドラマは馬車に集まる人々にこそあります。たとえば農婦は、近い未来に息子の死を受け止めることになる。駆け落ち中の男女も街で新生活を始めるつもりでしょう。田舎紳士は、ようやく手に入れたお金を元手に新しい何かをしようと考えています。親子は街で何をするつもりなのか不明ですが、子供はこれから成長していく存在です。つまり、乗合馬車に乗る人々はいずれも未来に関する期待や可能性を抱えている。そのどれか一つが特別扱いされることはない。そしていずれの未来も平等に、容赦なく断ち切られていく。

中心の不在は、宿場という空間、そして乗合馬車という空間にも当てはまります。『蠅』の舞台である宿場は、そこで持続的に生活する人々というより、そこを訪れる人によって生きられる空間です。したがって、特定の人々が送る生活の蓄積と空間との結びつき、土地としての求心性が希薄です。この宿場には日々異なる旅人が立ち寄ってすぐに去っていく。だからこの空間は「空虚」であることが繰り返し強調されている。乗合馬車はさらにわずかな時間だけ、乗客たちによって共有される空間です。つまり『蠅』は多様な過去と未来とを抱えた人々が、仮の共有空間に集まってくる話です。

『蠅』の物語が中心を持たず、断片的であるのはこれらのことと通じています。小説前半部、細かく区切られた章によって提示されるのは、中心を持たない物語の群れです。厩の中の馬と蠅のシークエンス、饅頭が蒸し上がるのを待ちつつ将棋を指す御者のシークエンス、倅の死に目に会えないと取り乱す農婦のシークエンス、駆け落ちの男女が不安そうに会話を交わすシークエンス、親子が会話を交わしながら宿場にやってくるシークエンス、田舎紳士が息子との再会に心を躍らせるシークエンス。

いずれのシークエンスもドラマの萌芽を孕んでいますが、それらが十分に展開されることはありません。仮の共有空間で、多様な人々のそれぞれの小さな物語が並行してつむがれている。人々の物語がつながりを持たず拡散している状況は、人同士の結びつきが希薄化しつつあった時代の様相とも響き合います。

このような、人物や空間、物語における中心の不在は、それゆえにバラバラなものを接続することによる驚きを生み出します。乗客たちが乗合馬車に同乗する「九」において、人物は集合し空間は共有され、物語は一つの時間軸の上を走り始める。そして最後に人々は互いに、そして馬とも身体を重ね合わせ、その生の時間は一斉に断ち切られる。最終場面にあるのは、バラバラなものの接合が一挙に実現される瞬間です。『蠅』は、多数の人物の複数の人生が交錯し、一本の糸に撚り合わされるように一つの運命を作り上げる物語と捉えられる。そして、それをつなぎ合わせるのは、言葉なのです。

言葉と向き合う

横光利一は、プロレタリア文学陣営との形式主義論争の火種となった「文芸時評」(『文藝春秋』昭三・十一)において、平林たい子のプロレタリア小説『殴る』を題材に、小説における「形式」と「内容」の関係について次のように述べています。

此の作〔平林たい子の小説『殴る』を指す〕の形式はフオルマリズムの好箇の典型となつて表はれてゐる。即ち、内容が形式を決定するには非ずして、形式が内容を決定すると云ふフオルマリズムの適例として。もし内容が形式を決定するものであるならば、かくのごとき平々凡々たる内容で、果してかくのごとくよく人を動かし得たであらうか。

横光はここで、『殴る』の文体の新しさを評価し、同作は「形式が内容を決定するフォルマリズム」の好例だと述べました。

この横光の主張は、蔵原惟人の「芸術作品の形式は新しき内容に決定されたる過去の形式の発展としてのみ発生する」（「芸術運動当面の緊急問題」、『戦旗』昭三・八）という主張への批判として提出されたものです。横光が批判しているのは、蔵原の芸術論が不徹底であるという点です。すなわち、下部構造（形式＝生産の総体）が上部構造（内容＝芸術や文化）を規定すると考えるマルクス主義の立場から見れば、むしろ形式あっての内容というべきだと反駁したわけです。

一連の論争における横光の議論には、時に飛躍があり、その論理的な瑕疵《かし》が批判されることも少なくありません（たとえば臼井吉見「形式主義文学論争」を参照）。たとえば横光は、「形式」を文字（＝記号表現）とほぼ同義というかなり広い意味で用いるとともに、その文字が「物体」であるというい方をしたため、多くの批判を浴びました。ですが、「形式が内容を決定する」という横光の主張は、「形式」を小説の形式や文体の意味で解釈するとすれば、それほど突飛なものではありません。

ここまで見てきたように、横光の小説において、小説世界の現実は言葉の形によって決定的に左右される。つまり横光のこの命題は、「形式」という語を横光の定義より広げて考えれば、横光自身の創作方法の的確な説明となっている。そして、こうした考え方は、人間を人間らしく描くとか、人間の真実を描くといった、内容主義的な従来の小説観を、たしかに塗り替えるものでした。形式主義論争は、他の多くの文学論争と同じく不毛な議論と評価されがちですが、具体的な技術論を超えて、小説の形式と内容の問題が正面から問われたことには、大きな意義がありました。

こうした横光の考え方は、同時代の世界文学の動向と合致していましたし、日本の中でも孤立したものではありませんでした。大正末期の日本の前衛詩人たちは、第一次大戦後のヨーロッパのアヴァンギャルド芸術の影響下に、言葉のフォルムが前面に出てくる実験的な詩を発表しました。横光が川端康成らと創刊した『文芸時代』誌上には、斬新な文体を持った小説が発表されました。横光以後の主に芸術派と呼ばれる小説家たちも、西洋のモダニズム文学の影響下に、新たな文体や小説形式を生み出していくことになります。

このような時代の文脈を踏まえると、ここまで行ってきた言葉の形に着目するという読み方は、特定の時代の作品――モダニズム期の作品――に特に相性のよい読み方だというべきかもしれません。ここまでの読解も、対象が横光の小説だからこそ成立するような読みを含んでいます。

ですが、広い意味では、言葉の形に注目する読み方は、普遍的な有効性を持っているということができます。西洋ではシュピッツァーやアウエルバッハといった文献学の泰斗が、まさに言葉の形に注目する批評の方法を採用しました。両者は広く古典から現代に至る文学作品を文体に着目して論じています。

時代の推移の中で、文学作品は言葉の形を大きく変化させていきます。たとえば日本では明治時代以降に限っても、言文一致に代表されるように、文学作品の言葉の形は大きく変化し続けてきました。さらに近代以前に遡れば、新しいジャンルの創出と同じ数だけ、いやそれ以上に新たな言葉の形が生み出されてきました。そうした変化には、それぞれの時代の人々の思考や制度が深く関与しています。言葉の形に注目することで、時代の流れの中で大きく変化していく人々の発想や、言葉の使用方法をめぐる習慣も見えてくるわけです。

重要なのは、物語の流れに身を任せるのではなく、言葉の前で立ち止まって問い直すという態度そのものです。本章の冒頭で引いた夏目漱石『門』の宗助は、文字というものが「紙の上へちやんと書いて見て、ぢつと眺めてゐると、何だか違つた様な気がする」といいましたが、人文学的な読みの出発点は、結局のところ意味や物語がいったん解体してしまうほどに言葉と向き合ってみること、その一点にあるように思われます。

〔参考文献〕

＊横光のテクストの引用は初出誌に拠り、表記は適宜通用字体に直した。また、ルビは適宜省略した。
臼井吉見「形式主義文学論争」『近代文学論争　上』筑摩書房、一九七五年。

小田桐弘子「『日輪』論」『横光利一――比較文学的研究』南窓社、一九八〇年。

蔵原惟人「芸術運動当面の緊急問題」『戦旗』（一九二八年八月）。

小森陽一「『蠅』の映画性」『構造としての語り』新曜社、一九八八年。

中川成美「横光利一・その生成の構図(1)――「日輪」の位置」『同志社女子大学日本語日本文学』一号、一九八九年。

夏目漱石『門』、『漱石全集』第六巻、岩波書店、一九九四年。

濱川勝彦「初期作品と青年・横光利一――「虚無」からの創造」『論攷横光利一』和泉書院、二〇〇一年。

ヒリス・ミラー『文学の読み方』馬場弘利訳、岩波書店、二〇〇八年。

由良君美「「蠅」のカメラ・アイ」、由良哲次（編）『横光利一の文学と生涯』桜楓社、一九七七年。

横光利一「蠅」、『文藝春秋』（一九二三年五月）。

横光利一『日輪』、『新小説』（一九二三年五月）。
横光利一「文芸時評」『文藝春秋』（一九二八年十一月）。

読書案内

小説の読み方について示唆を与えてくれる書物として、英文学者の阿部公彦の**『小説的思考のススメ』（東京大学出版会、二〇一二年）**があります。たとえば太宰治『斜陽』を取り上げつつ、語りの「丁寧さ」という具体的な切り口から問いを立てて読むといった、小説の「いかに」に着目した読みをわかりやすく実践している書物です。古典文学の研究者である土方洋一の**『物語のレッスン』（青簡舎、二〇一〇年）**は、小説の語り方に着目した読みに興味を抱いた人にお勧めします。物語論（ナラトロジー）と呼ばれる、テクストの語り方に関する文学理論に基づいて小説を読む方法を、芥川龍之介の短篇など身近な小説を素材に説いています。

文体に注目する読み方を実践した本として圧巻なのは、国語学者の渡辺実の**『平安朝文章史』（ちくま学芸文庫、二〇〇〇年）**です。様々なジャンルの古典文学がどのような必然性のもとにどのような文章で書かれているのか、そのことが作品としての特徴とどのように関わっているのか、大胆に自説を提示しながら日本文学の流れを追っていきます。近代文学を対象とするものとしては、原子朗の『**文体論考**』（**冬樹社、一九七五年**）、詩の分野では菅谷規矩雄『**詩的リズム——音数律に関するノート**』（**大和書房、一九七五年**）及び『**近代詩十章**』（**大和書房、一九八二年**）が秀逸です。本章で述べたような都市空間と文学の関係を論じたものとしては、海野弘『**モダン都市東京——日本の一九二〇年代**』（**中公文庫、二〇〇七年**）や前田愛『**都市空間のなかの文学**』（**ちくま学芸文庫、一九九二年**）が、空間の変容が表現の変化とどう関わっているかを鮮やかに分析しています。

少しハードですが、言葉の形を読むという問題意識から世界文学を論じたものとして、アウエルバッハ『**ミメーシス**』（**上下巻、ちくま学芸文庫、一九九四年**）とシュピッツァー『**言語学と文学史**』（**国際文献印刷社、二〇一二年**）も紹介しておきたいと思います。いずれも言葉と向き合って読むことのもたらす知的興奮とスリルを与えてくれる古典的な名著です。

2 日記と小説――ムージル「トンカ」にみる文学の射程

桂 元嗣

自伝的小説?

オーストリアの作家ローベルト・ムージル(Robert Musil, 1880-1942)は、二十世紀前半のドイツ語圏におけるモダニズム文学を代表する長篇小説《ロマーン》『特性のない男』(第一巻：一九三〇年/第二巻：未完)の作者として知られています。彼は一九二四年、登場人物の心理をめぐる知的な省察が多くを占めていた自らのそれまでの作風とは異なる、箴言《しんげん》をちりばめたような簡潔な語り口が印象的な短篇小説集『三人の女』を発表しました。そのうちの一篇が、一九二三年に雑誌『新小説』に先行掲載された「トンカ(Tonka)」です。本章ではこのおよそ今から百年前の文学テクストが現在でもなお読まれる意義、小説という文学ジャンルの広がりと可能性について考えてみたいと思います。

この小説では、自然科学者を目指す前途有望な若者と、彼が地方都市で出会った娘トンカとの身分違いの恋愛が描かれています。主人公はドイツの大都市にトンカとともに移り住み、研究生活に従事します。ところが、場末の商店で働いていたトンカはあるとき、彼の不在時に妊娠します。さらには性病と思しき「恐ろしい潜行性の病」にかかり、みるみる痩せこけていきます。主人公の母をはじめ、周囲は彼に対してトンカと手を切るよう何度も説得します。常識的にも医学的にもトンカが彼以外の男性と関係を持ったことはほぼまちがいない、にもかかわらず彼は嫉妬にさいなまれながらも何も語ろうとしない彼女を信じようとします。そうした彼の言動は、医者を前に処女懐胎の可能性に言及しだすなど、周囲を困惑させるほどになります。ついには彼自身が紡ぎ出した夢にも似た世界が、目の前の世界をも侵食しはじめ……というのがあらすじです。

ムージルをめぐる研究によると、この小説の素材の多くは、作者自身の伝記的事実に由来しています。ムージルは一年志願兵として従軍していた一九〇一年の秋ごろ、両親の家があった工業都市ブリュン（現チェコのブルノ）でトンカのモデルとされるヘルマ・ディーツに出会ったとされています。「ノート4」と呼ばれる当時の日記をひもとき、一九〇二年二月の記述を読むと、たとえばブリュンの友人たちとともにヘルマと橇《そり》遊びに興じている様子が描かれています。

二月二十日。四日前、ぼくたちはキリシュタインまで行って橇に乗った。ぼくの橇にはヘルマのほかにハウアーとハナク。帰り道はすばらしかった。明るい夜空に樅の木の枝——きしむ電線は歌声のよう。寒いからシナプスをたくさん飲む。ヘルマは眠くなってしまった。ハウアーは朗読しているが、紙片がちぎれているせいでところどころ何を言っているのかわからない――ヘルマとぼくは王女と王子だ。彼女は小さな子どものようにぼくの腕の中で丸まり、目を閉じている。
（『日記』ノート4）

この直後、ムージルは若きエンジニアとしてドイツにわたり、シュトゥットガルト工科大学の無給助手を務めながら、初めての本格的な長篇小説である『寄宿生テルレスの混乱』の執筆に着手しています。さらに一九〇三年以降は大学で哲学と実験心理学を学ぶためにベルリンに移り住み、小説を書き進めながらエルンスト・マッハについての博士論文に取り組んでいます。ムージルが専業作家として自立するまでのいわゆる下積み時代、どうやらヘルマはずっとムージルに付き添って住み慣れぬドイツの大都市を転々としながら、貧しい暮らしを送っていたようなのです。当時の日記を読むと、ムージルと思しきグラウアウゲ（灰色の目）なる男がヘルマとともに馬券を買い、もし当たればたとえ少額でもヘルマのために新しい服を買ってやれるし、不健康な屋根裏部屋からも解放できるだろう、といった想像をしています。しかし馬券はすべてはずれてしまいます。この馬券のエピソードや、それに続く「彼は自分に対して悪意を抱く、目には見えない力を感じ、敵意に取り囲まれているのを感じた」という一文は、のちの『トンカ』において、ほぼそのまままくりかえされています。小説というものは先行テクスト、すなわち作者の経験を記した日記のテクストから素材を得ることがしばしばありますが、ムージルの日記にはこうした小説の前段階とみなせるような描写がいくつも見出されるのです。

ヘルマが梅毒に感染したとされるのが一九〇六年春、つまり『テルレス』がようやく完成し、出版を待つばかりのころでした。「嫉妬心と、彼女を懲らしめたいという欲求と、見捨ててしまえ、といった感情に駆り立てられ、彼は彼女を病院に引き渡してしまう」という記述が日記に見られたのち、彼女の病状は急激に悪化し、一九〇七年秋に亡くなったとされています。ムージルの伝記作家カール・コリーノによると、ムージルは同じ年の夏に博士論文を提出したあと、まるで病身のヘルマを避けるかのようにあちこち旅行しています。オーストリアのチロルからブレンナー峠を越えてイタリアのヴェネツィアに、友人の結婚立会人としてドロミテ山脈の保養地に、その後アドリア海のシスティアーナに。両親のいるブリュンに滞在したのち、十一月初旬にベルリンに戻ってきたときには、ヘルマはすでに息をひきとり、屋根裏部屋で棺に収まっていたというのです。

「本当に、本当にかわいそうなお嬢さん」と彼女は何度も繰り返した。そして突然ローベルトの方を振り向くと、言った。「なにもあんなことまでする必要はなかったんだ、博士さま。こんなにひどい病気だったあわれな若い女性をさらに苦しめるなんて。この子はあなたさまのこと以外何も考えちゃいなかったんだ。でも、男なんてみんなそう。何か頭に浮かんだら最後、周りのことなんて何ひとつ思いやったりしないんだから。それで誰かを死なせることになろうともさ」

（『日記』ノート3）

この引用は、死の床に横たわるヘルマに対面したローベルトと、彼女の死に立ち会ったとされる下宿の主人とのやり取りを「ノート3」と呼ばれる日記に書き記したものといわれ、コリーノによれば「ムージルの筆によるもののなかでも最も忘れがたい描写のひとつ」です。人の道にもとる行動を強く非難する主人の言葉をあえて日記に書き入れるムージルの描写は、「自己検閲の犠牲を払っているだけに、よりいっそう心打たれるものである」――

ヘルマは実在するのか――テクスト生成の場としての日記

――と、ムージルの伝記的研究をふまえてここまで書きましたが、ひとつの重要な事実に注意をうながしたいと思います。実は、ヘルマ・ディーツが生きていたことを証明する資料はなにひとつ存在しないのです。たとえば役所には、彼女の出生証明書もなければ、死亡証明書もありません。当時のブリュンで暮らしていたディーツ姓をつぶさに調査しても、ヘルマという女性は見当たりません。手紙はおろか、写真一枚すら見つかったことはないのです。コリーノが主張するように、「社会階層が下になればなるほど、役所や文書館が注目して認知する機会が少なくなる」という点を差し引いたとしても、客観的な資料の不在は、そもそもヘルマ・ディーツなる人物がこの世に存在していたのかを疑わしくさせるほどです。

このことは別の言い方をすれば、彼女が生きていた痕跡はムージル自身のテクストにしか見出せないということです。とはいえ、ムージルが日記にヘルマのことを書き記したからといって、それがそのまま彼女の実在を証明したことになるわけではありません。たしかに「ノート4」からの引用にある「二月二十日」という日付や、「キリシュタイン」という地名、「ハウアーとハナク」といった具体的な人物名がちりばめられた記述を読めば、日記に書かれている内容が事実であることに疑いをはさむ余地はなさそうです。しかし、編集者のアドルフ・フリゼーによって「日記」と呼ばれているムージルのノートは、その日その日の出来事や、私的な心情を書き記す場であるだけにとどまらず、新聞や雑誌に掲載された数々のエッセイのもととなる理論的考察の場であり、また生成しつつある新たな小説の構想や具体的な場面をスケッチする場でもありました。とりわけムージルのライフワークである『特性のない男』は、ヘルマ・ディーツと出会ったとされる一九〇一年ごろにはすでに構想がはじまっていました。当時のノートにはフィクションであるはずの『特性のない男』の創作メモと、ムージルの日々の生活の様子を伝える自伝的な記述とが混在しているのです。

さらに悩ましいことに、「ヘルマ」という名は、ときには「トンカ」と言い換えられながら、ムージルの幼なじみであるグスタフ・ドーナトや彼の妻となるアリースとともに『特性のない男』の初期の構想に繰り返し登場します。つまり日記に登場するヘルマ・ディーツという女性は――もはやここでは「彼女が実在するならば」と仮定をほどこさなければなりませんが――彼女がムージルと出会い、亡くなったとされるまでの間に、すでにかなりの文学的な脚色がなされているのです。ムージル自身も日記の中では「ローベルト」、「グラウアウゲ」、「フーゴー」などと三人称のさまざまな名称で呼ばれており、自伝的な内容が記述されつつも虚構化が試みられていることがわかります。ヘルマの棺を前にローベルトが下宿の主人に非難される場面を描いた「ノート3」からの引用にしても、書き出しには「ラストシーン」とタイトルがつけられており、ノートに書かれたヘルマに関する一連の記述がいずれもムージルによるフィクションであるとみなすことは十分可能なのです。

何が本当で何が虚構であるかを判別しようとする試み自体をあざ笑うかのように、若きムージルは「ノート4」、すなわち二月二十日の橇遊びの記述の直前に「日記だって？ 時代の象徴だ。非常にたくさんの日記が公刊されている。この上なく気軽で、規律のない形式。まあいい。これからはおそらく日記ばかり書かれるようになるだろう。ほかのすべての形式が我慢のならないものだから。なぜわざわざ一般化するのか？」と記しています。つまり自ら書き記すテクストが、日記とはいかなるものか、あるいはそもそも何を本当とし、何を虚構とするか、といった「一般化」を拒む「この上なく気軽で、規律のない形式」であることを意識しつつ、ノートへの記述を行っていることがわかります。ここでの記述内容を考慮に入れると、直後に置かれたヘルマと橇で遠出する二月二十日の描写は、いかにも日記風の記述を装った創作であるかのように思われてくるのです。

このように、ヘルマが実在しないかもしれないという前提で日記のテクストを読み返すと、伝記的事実が厳として存在するという前提で日記の記述を読んでいたときとはまるで正反対の印象を帯びる、こうしたテクストの特性にムージルはきわめて自覚的でした。そしてその特性をふまえつつ、彼自身が表現したものの中にしか存在の根拠を見出しえないひとりの女性のイメージをいかに文学テクストとして織り上げるか、それこそがヘルマが亡くなったとされる一九〇七年からおよそ十五年もの歳月をかけて完成させた小説『トンカ』のテーマであったといえます。

頭にはびこる「茨の蔓」――記憶と現実

日記と小説。小説もまた日記・手紙・エッセイなどさまざまな文学ジャンルを取り込むことができるという点においては、日記と同様に「この上なく気軽で、規律のない形式」にほかなりません。しかしムージルはひとりの女性をめぐる記述を日記に残すだけではなく、あえて小説として「トンカ」を書くことにしたのでした。そこには小説という形式として構築するからこそ生み出しうるような何かがあるように思われます。それがいかなるものであるかを探ることは、おそらくこの文学テクストを読む意義にもつうじているのではないでしょうか。

以上のようなことを確認するために、実際に小説を読んでみましょう。まずは「トンカ」の冒頭場面を取り上げます。主人公である「彼」はトンカと出会ったときの記憶をたどっています。語り手は次のように叙述しています。

とある生け垣。一羽の鳥が鳴いた。気がつくと、太陽はすでに藪の向こうのどこかに消えていた。鳥は鳴きやんだ。夕方だった。百姓女たちが歌いながら野原を越えてきた。なんてばらばらで、こまごまとした描写！　けれどもそうしたひとつひとつが、まるでとげのついた雑草の実のようにひとりの人間にまとわりついて離れないとしたら、それはつまらないことだろうか？　それがトンカだった。無限というものは、ときにしずくとなってしたたり落ちるものである。

この描写に続いて、さらに柳の木につないでおいた葦毛の馬のことや、それが彼の兵役時代であったことが語られます。ただし、こうしたこまごまとしたイメージは、「しかしいったいそうだったのだろうか？　いや、これは彼がのちになってはじめてしかるべく考えたことだった」とすぐさま打ち消されてしまいます。それはすでに「メルヒェン」であり、彼にはもはや実際のことなのか、頭の中で紡ぎ出したフィクションなのか区別できなかったというわけです。そのように語られたのち、「本当はというと（**In Wahrheit**）」と、これまでとは異なる内容が叙述されます。

本当はというと、彼がトンカと知り合ったころ、彼女は叔母の家に住んでいた。ときおり、従姉《いとこ》のユーリエが訪ねてきた。そうだったのだ。

この従姉のユーリエが、声をかけられればその日のうちにどんな男の部屋にもついていくような女だったこと、叔母と言いつつも本当はトンカとずっと年の離れた従姉であること、さらにはその叔母の私生児や祖母の親類など、血のつながらない疑似家族と同じひとつの部屋に雑居しているような暮らしであったこと、部屋のカーテンの向こうにはとりもち女や売春婦が出入りし、灰色の囚人服を着た刑務所の女囚たちが洗濯の手伝いに来ていたことなどが語られます。いかにもトンカの育った環境がのちの彼女の身持ちの悪さを暗示しているかのような描写が続きますが、語り手によって「本当はというと」と説明があったにもかかわらず、これらの描写は語り手によって「こうした考えが一体どこへ行きつくというのか?」とまたしても否定され、語られた内容が本当らしさを装ったただの主人公の「考え」に過ぎないことが示されます。その後もトンカとの出会いをめぐる彼の記憶ははっきりせず、町に面した村はずれの小さな家の、開け放しの暗い戸口の前に、編み上げ靴と赤いストッキング姿でたたずんでいるトンカの姿を見ながら同僚のモルダンスキー男爵と話をしている場面が浮かび上がってきます。しかしそれも「思い出のように思われるべく自己主張してきたものは、またもやのちになって頭の中に生えてきた茨の蔓であった」と、彼がのちになって作りあげたトンカのイメージと絡み合い、当時のことなのかどうか見分けがつかなくなってしまうのです。

主人公とトンカとの出会いの場面について、最終的に語り手は、「本当はというと」という、一度自ら否定したはずの表現をふたたびもちいつつ、リングと呼ばれる石造りのアーケードのある大通りの場面を描写します。将校や政府の役人らが街角に立ち、学生や若い商人たちが行き来するなか、仕事を終えた娘たちとともに大通りを歩いているトンカの視線が、彼女とすれちがう彼の視線と交差します。そのときの彼女の顔について、語り手は次のように描写しています。

彼女の顔は整ってはいなかったが、はっきりとしたところ、確固としたところがあった。顔立ちが端正な場合にのみ感じられる、あの卑小さとか狡猾な女性らしさといったものはまったくなかった。口も鼻も眼も、ひとつひとつがくっきりと際立っており、それぞれ個別に観察されても恥ずかしくなかった。何よりも魅力だったのは、その率直さであり、全体にみなぎるみずみずしさだった。奇妙なのは、これほど朗らかなまなざしがまるで逆鉤《さかさかぎ》のついた矢のように顔に収まっていたことだった。彼女自身、そのことに苦しんできたようにみえた。

彼と視線が合ったときの彼女の無防備な顔が鮮明に彼の眼前に浮かび上がったとき、語り手はまるで霧が晴れたように「これはもうまちがいなかった」と結論づけます。そしてこの場面に引き続き、彼女が当時反物問屋に勤めていたこと、そして注文に当てはまる商品を手にするたびに布地の細やかな毛に刺激されるせいで、彼女の手がいつも湿り気を帯びていたといったエピソードが紹介されます。語り手は「これには夢のようなところはなかった」と念押しすることで、ここで語られる場面やエピソードが、夢や作り話とは異なる「現実」であることを強調しようとしています。とはいえこの冒頭の場面から、小説世界の現実なるものは、いつでも語り手自身によって「本当」であることを否定されかねないような危うい地平の上に成り立っていることがわかります。

「本当」と「本当らしさ」

はじめに紹介したように、トンカは主人公とともに大都市へ移り住んだのち、彼が留守の間に身ごもり、さらには性病と思しき潜行性の病気に感染します。その一方で、医者の診断によれば、彼自身は健康そのものでした。この事実を前に、主人公の母をはじめ周囲の多くはトンカが不貞を犯したと確信し、手切れ金を渡して彼女と別れるよう彼に迫ります。しかし彼は母親の要求をはねつけ、もともと口数が少ないうえに彼の疑念によりさらにかたくなに口を閉ざしてしまったトンカをそのまま受け入れようとします。とはいえそれは「処女懐胎」の可能性に足を踏み入れるようなものであり、医学的にはまずありえないことです。彼が身持ちの悪い女にたぶらかされていると確信している立場からすれば、彼は手の施しようのない愚か者とみなされても仕方のないところでしょう。主人公自身もまた「自分が女にだまされた男であるという九十九パーセントの確率に逆らってむりやりトンカを信じたいかどうかという問い」の前に立たされているように感じます。ただし、ムージルの「トンカ」で興味深いのは、こうした設定が主人公の愛の大きさであるとか、若さゆえの過ちであるといったことを示すためではなく、あくまで「現実を形成しているのは何か」という問いをめぐっているということです。主人公の置かれている立場が説明されている箇所を、もう少し踏み込んで考察してみましょう。

もちろん不貞を犯したという以外の自然な可能性もある――理論上の可能性だとか、こういってもよければ、プラトニックな可能性というものだ――しかし実際には、その確率はほとんどゼロといってもよかった。

処女懐胎のような可能性は「理論上」はありうる、しかし「実際には」その確率はほぼゼロである、と語り手が注意深く述べているとおり、主人公の母や世間がトンカの不貞を断定するのは、それが「本当（wahr）」だからだというわけではありません。あくまで主人公がトンカにだまされているという「九十九パーセントの確率」に従った方が「実際的」だからに過ぎないのです。ここで「確率」と日本語に訳されているドイツ語の **Wahrscheinlichkeit** という名詞は、英語の **probability** と同じくラテン語の形容詞 vērī similis を翻訳借用して成立した語で、直訳すれば「本当らしさ」という意味です。母や世間は、「おやおや、誰にだってわかることじゃないの、こんなお店に勤めているんだから」といった社会階層の低い女性につきまとう世間の根深い先入観にもとづき、トンカが信用ならない女であると証明しようとします。それは結局のところトンカの境遇と自らの確信との因果関係を見出すことによって、必ずしも「本当」とはいいきれない自らの主張の「本当らしさ」の度合いを高めようとする作業にほかなりません。科学者の卵である主人公は、一方では「世間なみの物の見方」がいかに合理的であるかをよくわかっています。成果をおさめつつある彼自身の研究もまた、自ら確信する結論の「本当らしさ」を世間に認めてもらうためになされているからです。だからこそ主人公は、処女懐胎という「理論的可能性」にしがみつつも、トンカの前で「きみを信じているよ」という言葉だけはどうしても口にすることができず、結果的に時間だけがいたずらに過ぎてしまい、トンカはひとり病院で命を落とすことになるのです。

顔の多義性

しかし他方で、彼は「世間なみの物の見方」もまたどうしても受け入れることができません。それはトンカを信用ならない女と決めつけながらも夫とは異なる男性との関係をいつまでも解消できない彼の母のような存在が代表する「世間」への青年らしい反発心もありますが、なにより彼のまなざしに映る無口なトンカそのものが、世間の先入観がさまざまな「本当らしい」根拠をつなぎ合わせることで生み出した合理的思考の網からつねに逃れてしまうような存在であったからです。とりわけ彼女の顔がそうでした。「卑小さとか狡猾な女性らしさといったもの」が一切ないトンカの顔は、率直で無防備であるがゆえに、彼女を一義的にこういう人間であると決めつけられないさまざまな印象を与えていたのです。彼はこれまでのトンカをめぐる思い出のひとつひとつを振り返ってみても、いずれの内容も当初考えていたこととはまるで正反対に解釈できることに気づいて驚きます。そもそも彼女があれほどあっさりと彼のもとにやってきたのは、投げやりな気持ちからだったのかもしれず、心が決まっていたからかもしれない。彼女が彼に尽くしたのは惰性からであったかもしれず、あるいは無上の幸福感がそうさせたのかもしれない。犬のように従順だったとすれば、他のどんな男にも犬のようについていくかもしれなかった、というわけです。こうした多義的な解釈の可能性をふまえて語り手は次のように述べています。

不信感をもってひとりの人間をみてみれば手に取るように明らかな不実の証拠が、大人から締め出されて泣いている子どものような、誤解された貞節のしるしともなる。それ自体で解釈のつくものはひとつもなかった。ありとあらゆるものはそれ以外のものに依存していた。全部ひっくるめて信じるか信じないか、愛するかだまされたと思うか、いずれかだった。トンカが何者であるかは、彼女に一種の回答をしてやらねばならないということ、彼女に向かってきみはこういう人間だよと呼びかけてやることだった。彼女がどういう人間であるかは、ほとんど彼次第で決まることだった。

彼はいつしか相反するさまざまなイメージをともなった夢を――あるときからは目覚めたままの状態で――見るようになります。ときにはトンカがやつれた小柄の店員とはまるで異なる、聖母を思わせるような偉大な愛の担い手として現れ、ときには青ざめた肌をしたみすぼらしい娘が「あの人はとっても優しいけど、信じちゃだめ、いつだって享楽生活におぼれたいと思っているんだから」と忠告します。ときには「ただのスカートの衣擦れの音」、「いつもとはちがう声の響きと抑揚」、「きわめて異様で思いがけない身のこなし」といった、トンカを連想させる抽象的でとりとめのないイメージが浮かびます。そして物言わぬ彼女の顔を見れば「穀物畑の小道を歩み、そよ風を感じ、ツバメが飛びかい、遠くに町の教会の塔が見え、娘たちは歌をうたい……」といった彼の感性に直接訴えかけるような牧歌的なイメージが浮かび上ります。しかし、九十九パーセントの「本当らしさ」も、残り一パーセントの理論的可能性も本気で信じきることのできない主人公は、すべてのイメージを「全部ひっくるめて」トンカとはこういう人間であるというひとつの「回答」へとまとめあげることができません。これは作品の冒頭場面における、トンカとの出会いをめぐる彼の記憶の不確かさと同じことがいえます。彼の頭の中に生え広がった「茨の蔓」とは、結局のところ「本当」かそうでないかも判別されることもなく、明確な意味をともなってまとめあげられることもなく放置されたばらばらなイメージの集積体にほかならないのです。語り手は「もし世界を世間なみの物の見方で眺めずにそのまま視界に収めれば、世界は夜空に浮かぶ星々のように悲しげに分かたれて生きる、個々の無意味なものへと解体してしまう」と述べていますが、多義性をはらみつつも答えのない、こうしたいわゆる「非統語的な形象の羅列」が、「まるでとげのついた雑草の実のように」まとわりついて離れない、それがまさにムージルの描き出すトンカなのです。

「全体の言語」――トンカの歌

「トンカ」において描き出される、本当かそうでないかも判別されることもなく、明確な答えをともなってまとめあげられることもない、トンカをめぐるばらばらなイメージ――これはヘルマ・ディーツをめぐる日記の記述、すなわち何を本当とし、何を虚構とするかといった「一般化」を拒みつつ「この上なく気軽で、規律のない形式」において描き出された日記の記述といかなる点で異なるのでしょうか。すでに述べたとおり、ムージルはひとりの女性をめぐるさまざまなイメージを、日記ではなく、あえて小説という形式において描き出したのでした。そうすることによって彼はいったい何を示そうとしているのでしょうか。最後にこの点について考察してみたいと思います。

ムージルはトンカをめぐるイメージの多義性を小説において描き出すために、自らが青年時代を過ごしたかつてのオーストリア゠ハンガリー君主国の地方都市ブリュンを彷彿とさせる都市環境に彼女を置きました。チェコ人をはじめとするスラヴ系民族が多数を占めるモラヴィア地方の中でも、当時のブリュンは帝都ウィーンにほど近い紡績・繊維工業の中心地として、チェコ人と並びドイツ人が多く暮らす多民族・多言語的な都市でした。トンカが暮らしていたとされる「町に面した村はずれ」の生垣のある小さな路地では、ドイツ語とチェコ語という二つの言語が奇妙に混ざり合った方言がもちいられており、さらにトンカという名前自体、ドイツ語の洗礼名である「アントーニエ」をチェコ語風にした「トニンカ」をさらに短縮した愛称だったのです。このように小説世界においてトンカは、混ざり合いつつも互いを区別しあう二つの世界の境界のような存在として位置づけられていることがわかります。彼女は知識階級出身の主人公のようにドイツ語で流暢に自分の考えを伝えることができず、ゆっくりと詰まりながら、まるで「理解しにくい言葉をわかりやすく言い直すように」語るため、世間からは愚かで鈍感な人間とみなされることを避けられませんでした。しかし語り手によると、それはトンカが「日常の言語ではなく、言うなれば全体の言語で話していた」ためであったからだと説明されています。彼はトンカ特有の言語を通じて、さまざまなイメージをはらむ彼女を「全部ひっくるめて」理解するにいたるのですが、彼にそうした体験をもたらす「全体の言語」とはいったいどういったものでしょうか。

ここで小説に描かれている、彼とトンカをめぐるひとつのエピソードを紹介しましょう。主人公とトンカが仕事休みに遠足に出かけたある夏の日のことです。夕暮れになると、彼は空気が顔や手とちょうど同じくらいの温かさに感じられ、トンカに向かって、歩きながら目を閉じると、自分自身が溶けだして際限なく漂ってしまうような気がする、と自らの感覚を説明します。すると彼女が笑ったので、彼は自分の言ったことがわかるか、とトンカにたずねます。ええ、わかりますとも、というトンカのあいまいな返答に対し、疑い深くなった主人公はトンカに対し、では自分の言葉で説明してごらんといいます。しかし彼女にはそれができません。その代わりに彼女が何をするかというと、歌をうたいはじめるのです。はじめはとあるオペレッタの一節を、そしてそれが自分の思っていたのとちがうとわかると、今度は彼女の故郷の民謡をチェコ語で歌いだします。小声で歌われるその単純な旋律は、語り手によって「夏の日差しを浴びて舞うモンシロチョウのように悲しげであった」と描写されますが、今度は彼の方が歌によってもたらされた感情を言葉にできません。最終的にふたりはチェコ語の歌詞をドイツ語に翻訳しながら手に手を取り合い、まるで子どものように一緒に歌いだすのです。このとき、「すべてがとるに足りないことだったとしても、夕暮れは彼らの感覚とひとつとなっていた」と語り手は描写していることから、どうやらムージルは歌に代表される、歌詞それ自体は対象と明確に結びついているわけではないが、旋律と詩的なイメージがそれぞれの言語の垣根を超えて感情にぴたりと寄り添う、そうした表現のことを「全体の言語」と呼んでいるらしいことがわかります。

文学と比喩

ところで、トンカの歌を描写する語り手の「夏の日差しを浴びて舞うモンシロチョウのように悲しげ」という表現に着目すると、こうした比喩表現もまたトンカの歌と同じような機能を果たしていることがわかります。「夏の日差しを浴びて舞うモンシロチョウ」は、自然現象としてはもちろん本当に悲しいわけではありません。しかし効果においてはいかにも悲しげであることが感覚として伝わります。比喩とは、比較されるべき対象と本来であれば何の結びつきもない別の領域が、「〜のように」といった言葉をもちいて（直喩）、あるいはそのまま並べられたり（隠喩）、置き換えられたり（換喩）することによって成立します。ただしその際、比喩が提示する現実離れした虚構のイメージを「全部ひっくるめて」受け入れる一方で、それが「本当」であるかどうであるかを意識にのぼらせないという、実はかなり高度で複雑な過程を経ることによって、はじめて言語表現として成立するのです。この幻想めいたイメージ世界と世間なみの物の見方が支配する日常世界という二つの世界の行き来を自由に行うことができる能力は、人間の言語活動の基本となる理性の働きであり、日常の言語もその例外ではありませんが、比喩のように芸術活動で用いる詩的な表現においては決定的に重要な役割を担っています。

トンカが入院し、もはや彼女の歌はおろか、声を聞くこともままならなくなってしまうと、主人公は彼女に向けて手紙を書くようになります。トンカに自分の意見を表明するでもなく、「きみを信じているよ」という言葉だけはどうしても書くことのできない、むしろ書くことの外にどうすることもできなくなってしまった心の状態を文字にして書き連ねただけのその手紙は、結局一度も投函されることなく――あたかも彼自身の日記であるかのように――彼の手元に残ります。彼はその日記のような手紙を前にして、自らの心のうちを表現することのできなかったトンカに比べると、自分はいまだなお恵まれているのだと悟ります。そのとき、「夏の日のただなかに舞い降りたひとひらの雪片」という比喩が彼の頭に一瞬だけ思い浮かび、そして消えます。夏のさなかに雪片がひとひらだけ舞い降りるなど、自然界ではそれこそ九十九パーセントありえない現象ですが、だからこそトンカの命が尽き果てるその間際にこのような比喩表現がもたらす虚構のイメージが真に迫るものとして彼の心の中に立ち現れたのです。この瞬間、彼はトンカを完全にはっきりと認識します。似たような体験は、トンカの死後、彼が大通りを歩いているさなかに目にした子どもの泣き顔に直面したときにも生じます。

日差しをまともに受け、いまわしい虫けらがのたうちまわるように四方八方に顔をゆがめた子どもの泣き顔は、もはや見ることのなくなったあの無防備なトンカの顔の比喩となり、彼は雷に打たれたように全身でトンカの全生命を感じるのです。

こうした体験は「もはやトンカの役には立たなかったが、彼の役には立った」と述べられて小説は終わりますが、それは研究が成功を収めた彼の「輝かしい人生にあたたかい影が落ちていた」からであったとされています。このようないささか独善的ともとられかねない結末は、ムージルの日記（ノート3）で書かれたローベルトが下宿の主人に叱責される「ラストシーン」とはずいぶん趣が異なります。それでもヘルマに対する贖罪を主眼に置いた当初の日記の描写を放棄してまでムージルが小説において描き出そうとしたのは、何が本当で何が虚構であるか判断できないばらばらなイメージの羅列の中で消え入りそうなひとりの女性についての記憶を、比喩という文学的手法を通じて彼なりに救い出そうとしたからではないでしょうか。つまりそれが専業作家としての地位を確立しつつあったムージルなりの贖罪の方法だったのです。

文学はそれ自体としては人の命を救うことはできないかもしれませんが、言語として表現されたものに命を吹き込む、そうした営みなのです。およそ百年前の小説のテクストに、しずくとなってしたたり落ちる命の鼓動のいくばくかを今なお感じるのであれば、それこそがまさに文学を読む意義なのではないでしょうか。

〔参考文献〕

赤司英一郎『思考のトルソー・文学でしか語られないもの――ローベルト・ムージルの小説の方法について』法政大学出版局、二〇一四年。

北島玲子『終わりなき省察の行方――ローベルト・ムージルの小説』ぎょうせい、二〇一〇年。

カール・コリーノ『ムージル　伝記1〜3』早坂七緒・北島玲子・赤司英一郎・堀田真紀子・高橋完治・渡辺幸子・満留伸一郎訳、法政大学出版局、二〇〇九年〜二〇一五年。

ローベルト・ムージル「トンカ」『三人の女・黒つぐみ』川村二郎訳、岩波文庫、一九九一年。

ローベルト・ムージル『ムージル　日記』圓子修平訳、法政大学出版局、二〇〇一年。

ローベルト・ムージル「リルケを悼む」『ムージル・エッセンス　魂と厳密性』圓子修平・岡田素之・早坂七緒・北島玲子・堀田真紀子訳、中央大学出版部、二〇〇三年。

Robert Musil, *Gesammelte Werke*. Bd.2（Prosa und Stücke, kleine Prosa, Aphorismen, Autobiographisches, Essays und Reden, Kririk）. Herausgegeben von Adolf Frisé. Reinbek bei Hamburg（Rowohlt）1978.

Robert Musil, *Tagebücher*. 2 Bände. Herausgegeben von Adolf Frisé. Reinbek bei Hamburg（Rowohlt）1976.

読書案内

本章で論じたムージルの言うように日記が「この上なく気軽で、規律のない形式」だとしても、日記には書かれた日付とその時々の思いを読み取りたくなるものです。ドイツの作家ゲーテの『**イタリア紀行**』（**上中下巻、岩波文庫、一九六〇年**）は、一七八六年から二年間の旅行の際に書かれた日記がもとになっています。とはいえ、旅行記の実際の執筆はその約三十年後です。数々の芸術を描写する精確さや、現地の人々との出会いと別れに垣間見られるゲーテの人間らしい感情の移ろいは日付どおりのものなのでしょうか、巧妙に上書きされたものなのでしょうか。

谷崎潤一郎『**鍵・瘋癲老人日記**』（**新潮文庫、一九六八年**）は、誰にも読まれずに書く前提の日記という形式を逆手に、一組の夫婦が、互いに自分の日記を盗み読みされていることを知りながら、日々の生活では表に出さない嫉妬や願望を虚実交えて書き記しるすことで思いもかけない物語が展開します。ハンガリー出身のフランス語作家アゴタ・クリストフの『**悪童日記**』（**ハヤカワepi文庫、二〇〇一年**）では、第二次世界大戦下に両親と離れ離れになった双子の兄弟が、この世界を強く生き抜くために二人で大きなノートに日々のことを書き連ねていきます。とはいえ「もう一人の自分」の否定からはじまる続編の存在は、二人で書いた日記という前作の語りの前提そのものを揺るがしています。

最後に本文で触れたムージルの比喩について。ムージルは一九二七年、前年に死去した詩人リルケを追悼する講演（「リルケを悼む」『**ムージル・エッセンス　魂と厳密性**』**中央大学出版部、二〇〇三年**）を行い、彼独特の比喩論を展開しました（そこでは「ある十一月の晩」が「柔らかな毛織の布地」にたとえられています）。これをもとにリルケの詩（『**リルケ詩集**』**岩波書店、二〇二〇年**）や、大都市パリで孤独な生活を送っていた当時のリルケのさまざまな想いが青年詩人マルテに反映された小説『**マルテの手記**』（**光文社古典新訳文庫、二〇〇四年**）をひもといてみてはいかがでしょうか。

3　ジャポニスムへの情熱――ゴンクールの『日記』に記された美術革命

福田美雪

互いに不可分の兄弟作家

今日ビュルティの家で、二人の日本人と夕食を共にした。サユンシ（Sayounsi）公爵と、ひとりの一般人だ。

公爵は中国人のタイプだ。吊り目で唇はぶ厚く、子どもっぽく微笑んでいるが、きざなパリジャンよろしく、頭髪を真ん中から二つにわけている。

もうひとりの男はより自国らしいタイプだ。戦士、つまりサムライ（samourai）を描いた日本の版画に見られる、でこぼこした顔立ちだ。（……）

ふたりともやさしく音楽的な声をしていて、すばらしく小さな足、そして手先は猿たちが手探りでものをつかむような把握力に恵まれている。とりわけ驚かされたのは、ヨーロッパ人の腹にはつまっている胃袋やはらわたなどが、彼らにはまるでないことだ。臓物を抜かれたウサギのようにやせ細っており、われわれの着るフロックコートとパンタロンのなかで、彼らの貧相な体がゆらゆらしているさまは、サーカスで人間の服を無理やり着せられた小動物のようだ。

みなさんはこの引用を読んで、どんな印象を持ちますか？　日本人が「中国人」や「サムライ」といったステレオタイプなイメージ、あるいは「猿」や「臓物を抜いたウサギ」、「サーカスの小動物」に喩えられていることに、眉をひそめるかもしれません。では、この文章がどんな人物によって、いつの時代に書かれたものか、見当がつくでしょうか？

これは、十九世紀フランスの作家エドモン・ド・ゴンクールが、私生活の記録として残した『日記』の抜粋です。日付は一八七六年二月十七日、ゴンクールが美術批評家のフィリップ・ビュルティ宅に招かれた時の描写です。つまり日本が開国してまもない明治初期、そしてフランスが帝国主義のもとに植民地政策を推進していた時期にあたります。ビュルティは日本美術の熱狂的な愛好家で、一八七二年の雑誌記事で「ジャポニスム（japonisme）」ということばを初めて用い、フランスにおける日本ブームの火つけ役となった人物です。そして食卓を囲んだ「サユンシ公爵」とは、ヨーロッパの学術・思想を学ぶためパリに留学していた公家出身の西園寺公望――のちに二度にわたり内閣総理大臣を務める人物――でした。エドモン・ド・ゴンクールは、パリを代表する日本美術愛好家として、公爵に引き合わされたのです。初めて食卓を共にする日本人、その黒い髪や髭の質感、肌の色あい、額の形や瞳の動きなどを、ゴンクールはさながら鑑定家のようにじっくり観察しています。まるで、自らがこよなく愛する美術品に描かれた東洋人と、実物のイメージをくまなく照合するかのように。

この日の日記は比較的長いのですが、会食の記述はここで途切れ、後半ではまったく別の話題に移っているため、会話の内容まではわかりません。では、「一八七六年二月に日本人たちと会食した」という事実には、作家にとってどの程度の重みがあったといえるのでしょうか。そもそもなぜ、この日の記述を現代の私たちが読むことができるのでしょう。この疑問に答えるためには、書き手のゴンクールとほかの作家を隔てるいくつかの特徴、そしてなにより『日記』の成り立ちについて知っておく必要があります。

エドモン・ド・ゴンクール（一八二二―一八九六）は、十九世紀後半を代表する文学者ですが、前半生では弟ジュール（一八三〇―一八七〇）と共同で執筆をしていました。裕福な貴族の家庭に生まれ育った兄弟は、パリで高等教育を受け、十八世紀の歴史・美術史研究から文筆活動をスタートさせました。一八七〇年までに公刊された十数冊の著作は、すべて「ゴンクール兄弟（Les frères Goncourt）」名義になっています（複数の作家が共作してひとつのペンネームを名乗るケースは、フランス文学史において稀ではあるものの、いくつかの例があります）。二人はまた一八五一年十二月二日から、日々の関心事や作品の構想、社交生活などの備忘録として日記を綴りはじめました。はじめは断片的なものでしたが、エドモンの没する一八九六年までの四十五年間、驚くほどの粘り強さで書き続けられ、十九世紀の知識人が残した日記のなかでも、きわだって充実した内容と一貫性を備えています。

ともに学識と文才に恵まれた社交界の寵児であり、「愛人さえも共有する」といわれた兄弟の私生活は華やかなものでした。二人はパリ郊外オートゥイユの豪邸に、えり抜きの芸術家たちを招いて文学サロンを開き、フローベール、ドーデ、ツルゲーネフらと写実主義の牙城を築きました。しかしエドモンの最愛の弟ジュールは、一八七〇年に三十九歳の若さで病没します。普仏戦争直前の緊張感が高まるパリで、日増しに衰え錯乱の進む弟の痛ましい様子、さらには看取《みと》ってからの空虚な日々も、エドモンは赤裸々に記しています。ここで強調したいのは、もともとの日記はあくまでも読者を想定せずに書かれた、きわめて私的な性格の文章だったということです。ジュールが存命中の記録も、(ほかの共著と同じく) どの部分をどちらが書いているのかは判然としません。彼らにとって文章とはすべからく、「共に綴る」ものであったようです。日記の主語がはっきり「われわれ (Nous)」から「わたし (Je)」に移行するのは、衰弱したジュールが筆をとれなくなり、エドモンひとりが書き手となった時からです。その点において、著名人がその人生を振り返る「自伝」や「回想録」、あるいは他者に宛てた「書簡」とは区別されるべきものでしょう。

ところが一八八七年に、エドモンは友人の勧めにしたがい、「文学的生活の回想録」という副題をつけて、三十五年にわたる日記の抄録を刊行します。それはすでに、「私人の記録」という枠をはるかに超え、十九世紀フランスの芸術文化の変遷を映し出す貴重な文学的証言となっていました。序文でエドモンは、亡き弟ジュールに触れ、「これは私たちの日々のありのままの告白である」と断っています。じっさい、時たまイニシャルで、しかし多くは本名で、存命中の友人知人について辛辣きわまる描写がなされていたことが明らかとなり、きわどい記述を削っていたにもかかわらず、『日記』はたちまち物議を醸しました。日本美術研究の第一人者である友人ビュルティさえも、『日記』の中では何度も玄人《くろうと》きどりの「日本趣味かぶれ」扱いされています。エドモンは遺言で、『日記』を自分の死後二十年経ってから刊行するよう指示しましたが、実在の人物をめぐる記述はやはり関係者たちに問題視され、その全容が公開されたのはようやく二十世紀も半ばを過ぎてからでした。しかし、できごとをいきいきと喚起する描写力、美意識のゆきわたる洗練された文体、卓越した観察眼と芸術についての鋭い洞察、なによりくせになる毒舌があわさった『日記』は、すぐれて魅力的な読みものです。そして、歴史書、小説、評論などを幅広く手がけたゴンクール兄弟のどの作品よりも息が長く、国や時代を超えて多くの読者を得ています。すでに複数の版が存在するばかりか、いまもなお新たな校訂版が刊行中であり、現代の読者、現代ならではの読み方を待っている書物とも言えるでしょう。

したがって、ゴンクールが不躾《ぶしつけ》ともいえる視線を会食の席で西園寺公望とその同行者に注いだとしても、日本人の読者が驚くには当たりません。芸術の中心地パリでも有名な趣味人《ディレッタント》として、彼はごく自然に心に浮かんだ印象を書きとめたに過ぎないのでしょう。この事実は、当時のフランス人がもの珍しい東洋人をどう認識していたかを示すひとつの手がかりではありますが、現代の価値観でゴンクールを「差別主義者」と非難するのは早計です。また、日本では抄訳でしか読むことがかなわず、原文のほうは（日記だというのに）凝ったフランス語で、なにより膨大な注釈を必要とする『日記』ですが、「昔のフランス人の話だからわからない」とそっぽを向くのはもったいないことです。小説や評論ではないのですから、どこから読んでも、飛ばし読みしても、誰にもとがめられません。むしろ歴史に名を残した人々の内輪の言動について、公的な刊行物では省かれたであろう、主観や偏見を大いに交えた描写が、『日記』ではありのまま残されているところが面白いのです。そして、一八七六年にエドモンが、「日本の版画」や「サムライ」といった表現をさらりと使っていることも見過ごせません。『日記』における日本についての記述は、どうやらここが最初で最後というわけではなさそうです。私たちはこれから『日記』のごく一部を、ゴンクール兄弟と日本とのかかわりという視点から、「拾い読み」してみることにしましょう。

「中国の門」からはじまった日本美術ブーム

近代フランスにおいて、中国と比べると、日本という国、その歴史や文化、習俗についての認知度はきわめて低いものでした。それもそのはず、十六世紀末の豊臣秀吉によるバテレン追放令、十七世紀初頭の江戸幕府による禁教令によって、イエズス会の宣教師は日本から追われ、二百年以上関係が遮断されたままだったのです。ただし、鎖国政策の敷かれた江戸時代、唯一長崎の出島で貿易を許されたオランダ商人や知識人の見聞録は、フランスでも出版されていました。それらの翻訳を通じて、限られた人々が断片的な情報から、まったくの異郷として極東の島国を認識していたにすぎません。かろうじてフランスに入ってきた日本のことばといえば、「ミカド」、「ショーグン」、「サムライ」、「ボンズ」、「カミ」といった特定の名詞のみでした。

いっぽう中国の思想や美術については一定の関心が払われ、十八世紀にはとくに西欧のキリスト教文明を相対化するものとして解釈されていました。繊細優美を特徴とするロココ様式においては、私的な空間の装飾美術が発展します。当時の王侯貴族が競って求めたのは、優雅な異国情緒を室内にもたらす、中国の陶磁器や漆器でした。建築、音楽、舞踏、モードなど、あらゆる芸術分野でほとんど空想に近い「中国趣味」の作品が創られ、「シノワズリ（chinoiserie）」という新語を生み出すひとつの文化現象となったのです。

フランス革命後の社会において、ロココ美術様式は急速に廃《すた》れ、「シノワズリ」の流行もまた、ロマン主義的な東方世界への憧れを表す「オリエンタリスム（orientalisme）」にとって代わられます。しかし、十九世紀半ばにデビューしたゴンクール兄弟は、当時の人々の自筆原稿や未発表記録などの一次史料を徹底的に調べあげ、革命以前の貴族社会の豊かな文化的生活を明るみに出しました。『十八世紀の私的な肖像』（一八五七）や『十八世紀の美術』（一八五九―七〇）において、彼らは世間に忘却されていたロココ様式を再評価します。タピスリーや陶磁器、調度品を収集していた兄弟は、もちろん「シノワズリ」にも精通していました。このことが、彼らと日本美術との必然的な出会いを準備したのです。

一八五七年、「中国の門《ポルト・シノワーズ》」という東洋美術専門店が、パリの中心にあるリヴォリ通りにオープンします。いかにも「シノワズリ」を連想させる名前ですが、幕末になってようやくヨーロッパ市場に流通し始めた日本の工芸品を、もっとも早くフランスで扱った店のひとつでした。一八五〇年代から六〇年代前半と、比較的早い段階で日本美術に影響を受けた芸術家たち、たとえば詩人のボードレール、画家のブラックモン、ホイッスラー、マネもこの店の常連です。彼らはすでに、日本を「キリスト教を迫害した野蛮な国」という前世紀のイメージではなく、洗練された工芸品を生み出す「美」の国としてとらえていました。しかしゴンクール兄弟には、自分たちこそが日本美術の発見者だというプライドがありました。一八六八年十月二十九日の『日記』には、このような記述があります。

シノワズリとジャポネズリの趣味！　この趣味を持ったのはわれわれが最初だった。いまではばか者からブルジョワまで、猫も杓子もこれにかぶれているが、われわれ以上にこの趣味を広め、感じとり、説いて回り、他の人々を改宗させた者がいただろうか？　最初にでてきた版画集に魅せられ、買い求める勇気のある者がいただろうか？

このくだりからは、「中国風（chinoise）」、「日本風」（japonaise）」という形容詞と、「性質」を表す女性名詞の語尾（-rie）が結びつき、「〜趣味」ということばになったこと、そして十九世紀半ばには「シノワズリ」の派生語として「ジャポネズリ（japonaiserie）」が生まれ、ロココ美術をきっかけに東洋に魅せられたゴンクール兄弟が、さほど明確に区別せず二つのことばを用いていることがわかるのです。歴史家の東田雅博は、この箇所は一八六〇年代末に「社会の隅々にまで日本美術が広まっているという事実」を示すと指摘します（東田雅博『シノワズリーか、ジャポニスムか』）。

この前年、ゴンクール兄弟は芸術家小説『マネット・サロモン』を発表しました。百五十五の断章から成るこの長篇では、数多くの画家や作品が実名で言及されます。同時代の芸術家をモデルにした群像劇を通して、兄弟は半世紀にわたるフランス美術の変遷を総括しようとしたのです。最初に研究を始めたロココ時代と、現実に生きる第二帝政期とをつなぐ、まさに彼らにしか書けないフィクションと美術批評が融合した意欲作でした。さらに興味深いのは、「浮世絵」が作中人物に重要な影響を与えるオブジェとして登場し、「フジヤマ」や「ホクサイ」など、当時のフランスに入ってきたばかりの固有名詞も現れることです。主要人物のひとりである画家コリオリスが、異国趣味あふれる雑然としたアトリエで、日本の画集を手にとるシーンをとりあげてみましょう。

コリオリスは、やる気のない仕事に何度か取りくもうとし、幾筆か加えたところで、小卓の中からひとつかみのアルバムを取り出した。どの表紙にも色とりどりの模様が刻印され、金箔をちりばめ、絹糸で仮綴じされていた。彼はそれを床の上にばらまき、両肘をつき、両手を髪に差し入れて、東洋の色彩に覆われた、目にも絢な紫やウルトラマリンやエメラルドグリーンに輝く象牙のパレットにも似たこれらのページを、ぱらぱらめくりながら眺めていた。するとこれらの日本のデッサンのアルバムから、おとぎの国のような一日、一切の影もなく、光にあふれた一日が、眼前に浮かび上がってきた。彼のまなざしは、人々や田園のシルエットを黄金の流体で浸している、麦わら色の空の深みの中へと入っていった。そして、ピンクの花が満開になった木々が溶けこむ青空の中を、桃やアーモンドの雪白の花がはめこまれた青い七宝の中を、あるいは日輪の血のような光線が大空へと広がり、そこを旅する鶴の群れが横切っている、深紅の素晴らしい夕暮れの中をさまようのだった。

フランスの批評家フィリップ・アモンが特に強調するように、つれづれなるままにアルバムを「ぱらぱらめくる」という動作は、きわめて十九世紀的な行為です。当時は活字と挿絵を組み合わせた新聞・雑誌、あるいは写真アルバムが人気を博していました。こうして、集中して熟読するのではなく、イメージとキャプションの組み合わせを断片的に目で追うという書物の読み方が一般化したのです（アモン『イマジュリー』）。偶然に選ばれたイメージの連鎖は、読み手の自由な夢想を促し、気晴らしの現実逃避へと誘います。コリオリスの手にする本――おそらく作者自身が所有する浮世絵のアルバム――には、日本の家屋、庭園、寺院、野山、茶店、着物をまとった女たちなど、さまざまな情景が描かれているようです。「東洋の色彩に覆われたパレットにも似たこれらのページ」という比喩は、コリオリスのロマン主義的な東方世界への夢想と日本美術への憧れは源を同じくすること、しかし、時代はオリエンタリスムからジャポネズリへと移りゆくことを暗示しています。ゴンクール兄弟は、のちに印象派が描くような鮮やかな色彩や明るい陽光のニュアンスを流麗に描き、読者にも未知なる日本の風景をよび起こそうとしています。コリオリスのまなざしはほとんど作者のそれと同一化しており、このページからは兄弟の日本への抑えがたい情熱があふれ出しているのです。

『マネット・サロモン』が出版された一八六七年は、日仏の文化交流が本格的に始まったきわめて重要な年です。この年パリで華々しく開催された第二回万国博覧会は、日本が初めて公式参加した記念すべき万博でもありました。江戸幕府、薩摩藩、佐賀藩に与えられたのは、広大な会場のごく小さなスペースでしたが、江戸の商人による芸者の茶店がとりわけ評判を呼びました（**図1**）。浮世絵師たちの肉筆画、刀剣や磁器などの装飾品は、「中国」と「日本」の区別さえ曖昧だった来場者たちに鮮烈な印象を残したのです。まるで期待されていなかった日本展示でしたが、会期終盤にはヨーロッパの美術雑誌がこぞって特集記事を組んでいます。将軍慶喜の実弟徳川昭武公と、のちの実業家渋沢栄一を含む幕府使節団は、絹や漆器、工芸品、和紙に対して賞を授与されました。日本の開国と明治維新がもたらした日本美術ブームによって、ゴンクール兄弟は、彼らを魅了した「ジャポネズリ」にやっと世間が追いついたという感慨、あるいはせつなさを抱いたかもしれません。

図 1　第 2 回パリ万博における日本の茶店（*Le Monde illustré*, 28 septembre 1867. Gallica, BnF.）

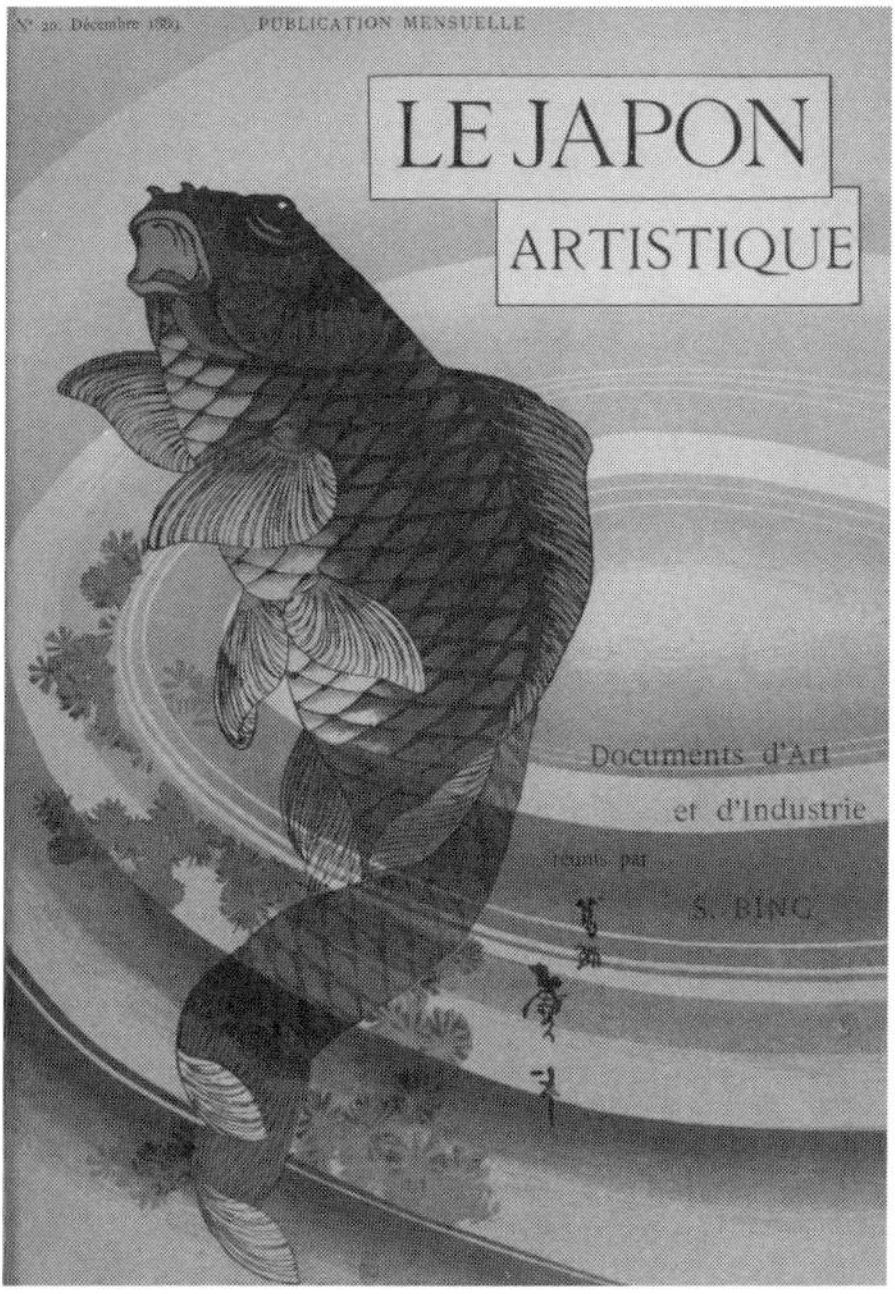

図 2　『芸術の日本』表紙（1889 年 12 月号, Gallica, BnF.）

一八七〇年に弟を失ったエドモンは、単独で『日記』を含む執筆活動を精力的に展開します。さらに、ともに過ごした日々を追憶するかのように、ますます日本美術の収集にのめりこみました。奇しくもジュールが没した頃、ドイツ出身の美術商サミュエル・ビング(一八三八—一九〇五)が、パリに新たな日本美術専門店をオープンしました。ビングは商品買い付けのために日本を何度も訪れ、八〇年代には総合芸術雑誌『芸術の日本』(図2)を創刊するなど、ヨーロッパへの日本美術紹介者として重要な役割を担うことになる人物です。自邸にもパリ在住の日本人や批評家を集め、定期的に「日本研究会」を催していました。ゴンクールはもとより、女優サラ・ベルナールや画家のゴッホら熱烈な愛好家が集ったビングの店は、世紀末に「アール・ヌーヴォー(Art Nouveau)」と名を改め、ヨーロッパ全体に広がるベル・エポックの芸術運動の象徴となりました。

新たなことばの誕生——「ジャポネズリ」から「ジャポニスム」へ

一八五〇年代には、まだ限られた愛好家の趣味であった「ジャポネズリ」でしたが、第二回パリ万博以降、「オリエンタリスム」と入れ替わるように、「ジャポニスム(japonisme)」という新たなことばが、大衆の間にも浸透していきました。「〜主義」を表す接尾辞(-isme)によって、日本美術は一過性のブームにとどまらず、歴史と伝統にもとづく美術様式と認められたといえるでしょう。美術批評家ルイ・ゴンス、エルネスト・シェノー、そしてもちろんゴンクールやビュルティによる一連の評論がこの現象を後押ししています。スイスの外交官エメ・アンベールの『幕末日本図絵』(一八七〇）をはじめ、西欧人による日本滞在記の出版も増えていました。ジュール・ヴェルヌは同書をもとに、『八十日間世界一周』（一八七二）に「横浜編」を挿入、外国人居留区の街並みや庶民の風俗などを詳細に描いています。時を同じくして明治政府は、一八七三年のウィーン万博、七六年のフィラデルフィア万博で、総力を挙げて日本美術品のプロモーション攻勢をかけました。西欧列強が植民地政策を推進する時代、万博で高度な芸術文化をアピールすることは国家の死活問題だったのです。ゴンクールが西園寺公望と出会ったのは、日本の万博初参加からおよそ十年、明治政府が優秀な人材を欧州に派遣し、人と人との直接的な交流がようやくかなった時期でした。

一八七〇年代の『日記』からは、「ジャポニスム」の第一人者としての地位を築いたゴンクールが、西園寺公望をはじめとする日本人たちと交流を重ねている様子がうかがえます。専門店で美術品を買い漁り、描かれた日本のイメージに見入ることと、生身の日本人とフランス語を介して話すことは、ゴンクールにとってまったく別種の体験でした。視覚的な刺激に貪欲な作家は、日本人がヨーロッパの何に驚いたか、何を美味しいと思うか、寝言は何語なのかといった他愛ない会話をしながら、相手の表情や仕草をじっくり観察し、洗練された美術品を創りだす民族の精神性にわけ入ろうとするのです。彼はまた、公的な立場の日本人だけではなく、貿易や万博準備のために渡仏した商人や職人——たとえば庭師や蒔絵師、日本画家——とも接点を持っています。つまり完成した美術品だけではなく、その制作過程に立ち会い、用具や技法を観察するチャンスを逃さなかったのでした。一八七六年十月三十一日の『日記』は、ゴンクールの日本美術観が、愛好家《アマチュア》のそれをとうに超えた、本質的な洞察に及んでいることを示しています。

日本人は、われわれヨーロッパ人が興味をもつ自然現象よりも、はるかにこまやかな風物に注目し、観察して愉しんでいる。田園がわれわれに語りかけ、われわれがそれを再現するためには、雄大な景観が壮大な美しさのもとに現れ、嵐だの日没だの日の出だのと、劇的に彩られなければならない。ところが日本人たちは、そんなものを必要としないのだ。先日わたしは日本刀の鍔《つば》を買い求めたが、空の一角に銀色の三日月が浮かび、秋の落ち葉が二枚散りかかっている、図柄はただそれだけだ。芸術家が想像した背景のすべてであるこの二枚の葉こそが、かの地の詩の冊子なども成り立たせるのだろう。

刀の鍔に彫られた「余白の美」を称賛したこの短い段落では、ルネッサンス以来「理想の自然」を目指してきた西洋美術と、「細部」を通して「自然」そのものを再創造する日本美術が見事に対比されています。さらに一八七七年二月十八日の『日記』では、日本美術の鮮やかな色彩や、偶然と不調和の美が、古代ギリシャの規範に縛られてきた西洋人の感覚を根本的に変えつつあることを指摘し、アンリ・ルニョーの描いた黄色いキモノをまとう《サロメ》（一八七〇）を「絵画とモードの色彩学上の真の革命」と呼んでいます。美術史家ジュヌヴィエーヴ・ラカンブルは、フランスにおける日本美術の受容を「発見」、「採用」、「同化」、「創造・翻案」の四段階にわけていますが、一八七〇年代の「ジャポニスム」は、もはや屏風や扇子、着物などの表層的なモチーフを導入するという段階ではなく、技法そのものを模倣する「同化」への移行期にあたります。夢想をかきたてる異国趣味や、既存の形式にあてはまらない美しさへの驚きを超えて、その驚きをもたらす本質とはいったい何なのかを分析する環境が整ってきたのです。

一八七八年の第三回パリ万博では、前回と打って変わって日本展示への注目度が上がっていました。明治政府もまた、過去の成功を継承し、「ジャポニスム」を通してフランスとの関係を盤石のものにすべく、「西欧が求める日本のイメージ」を戦略的に演出しました。日本パビリオンの総裁は、当時パリで経済学を学んでいた松方正義（一八三五―一九二四）、事務局長は七年の留学経験がある前田正名（一八五〇―一九二一）、ともに旧薩摩藩士です。若手ながら農業を専門とする前田は、日本から庭師たちを呼び寄せ、トロカデロ宮の屋外展示場に、浮世絵から抜け出してきたかのような優美な田舎家をしつらえました（**図3**）。陳列品をただ見せるだけではなく、日本式の住まいを来場者に体感させる、「体験型」の展示です。ゴンクールも開幕早々にトロカデロとシャン・ド・マルスの会場を訪れ、日本の農家や工芸品に惜しみない賛辞を送りました。約七か月に及ぶ会期中の『日記』には、とくに印象に残った日本人との対面が、かなり詳しく記録されています。たとえば、松方正義や前田正名と会食した十月三十一日の描写には、二年前の西園寺公望とのそれと比較す

図3　第3回パリ万国博覧会，トロカデロ宮に展示された日本の農家（1878年）

ると、興味深い変化が見られます。

日本展示の総裁であるマツガタ（Matzugata）氏のところで晩餐会。（……）テーブルの周りには、まず重々しい顔つきで少し粗野な態度の、フランス語を話さないマツガタ氏。そしてちょっとジェズイット修道僧じみた、微笑みをたたえたメアダ（Meada）氏の顔（……）それに小柄で上機嫌な日本人がひとり。日本の象牙細工師の彫る少女たちのような、ぽってりした漫画的な輪郭をしている。（……）

夕食のあと、日本人がひとり入ってきて、墨をすりはじめた。やがてテーブルの前に立つと筆をとり、二本のロウソクに照らされた何枚かの薄絹の上に、即興で一連のデッサンを描いた。このデッサンのやり方はじつに興味深く、主題を全体から描きだすことは決してない。しかし端っこのほう、たとえば鳥のくちばしとか魚のしっぽから始め、一種の書道のように端から端へとつないでいき、最後には表現ゆたかで自然に忠実な実体が現れる。この芸術家たちはまるで、記憶の中に二十を超えるデッサンの型をたくわえていて、いつでもすぐ再現することができるようだ。

ゴンクール特有の、相手を美術品になぞらえる人物描写、ちくりとする皮肉は健在ですが、洋装の松方や前田に投げる視線には、相手の人格を理解しようという態度が見え、名前の表記も日本語の発音に近くなっています。さらに即興で墨絵の制作を行った絵師には、会食者に対するよりもはるかに率直な敬意を表しています。この数日後には、出版業者シャルパンティエが催した夜会で、日本人が調理した寿司や天ぷらとおぼしき和食のもてなしを受けました。いささか当惑しながらも、美食家ゴンクールは複雑微妙な出汁の味わいを感じ取り、料理にも表れている繊細さを評価するのでした。

一八七八年十一月二十八日、万博の会期終了直前に、ゴンクールはビュルティ邸で貴重な光景に立ち会います。それは前田正名が招いた絵師、渡辺省亭《せいてい》による、雪中の木にとまる四羽の鳥を描いた大ぶりの水彩画、すなわち「掛物（Kakémono）」のデモンストレーションでした。くちばしから尾へと一筆で至る描線、ぽんぽんと配されていく色彩、墨を落としてぼかしを入れ、余白で積雪を表現する職人技を、ゴンクールは固唾《かたず》をのんで見守りました。画布を水洗いしたあと火に当てて乾かすという、大胆さと繊細さが交錯する掛物制作は強い印象を残し、『日記』にもきわめて詳細に記されています。

当時多くのジャポニスム愛好家にとって、「日本の絵画」とはすなわち、流通量が多く入手しやすい「浮世絵（estampes japonaises）」でした。しかし渡邉省亭の作品に触れたゴンクールは、一点物の水彩画である「掛物」という新たなジャンルに魅せられ、« Kakémono » ということばをフランス語に訳さずそのまま用いるようになるのです。

愛好家から研究者へ——浮世絵論の出版

一八七八年の万博は、ゴンクールの作家人生に大きな転機をもたらしました。若井兼三郎（一八三四—一九〇八）と林忠正（一八五三—一九〇六）という日本人貿易商との出会いです。明治政府の国策会社、「起立工商会社」に所属する若井は、ウィーン、フィラデルフィア万博の成功に貢献した人物です。蘭学者の家系に生まれ、大学南校（のちの東京大学）で外国語教育を受けた林は、通訳として一八七八年のパリ万博に帯同しました。閉会後に起立工商会社はパリ支店を開きますが、二人はやがて独立し、一八八四年一月に「若井・林商会」を設立します。美術の鑑定眼に長けた若井が美術品の質を保証し、フランス語に長けた林が円滑なコミュニケーションを保証するこの新会社は、ビングの店と並んでジャポニスム愛好家からひいきにされました。

一八八〇年代の『日記』には、若井と林の名が頻繁に出てきます。ゴンクールは店に通いつめて二人のしたたかな商売ぶりを観察し、若井が勧める上質の美術品を吟味していました。しかしゴンクールの日本理解により影響を与えたのは、ヨーロッパの古典文学にも造詣の深い林との芸術談義だったといえます。たとえば悲劇について論じるとき、林はコルネイユやシェイクスピアについて、ゴンクールは日本の舞台演劇について語ることができました。一八八四年二月二十二日の『日記』には、為《ため》永春水《ながしゆんすい》の『正史実伝伊呂波文庫』の仏訳に渓斎英泉《けいさいえいせん》の挿し絵を添えた、『忠誠なる浪人たち』（一八八二）の感想が書きとめられています。「今の今まで、日本文学なるものが存在するとはっきり想像したことはなかった」ゴンクールは、四十七士の仇討の物語がもつ文学的価値に驚いたようです。

若井と林の店には、モネやドガ、ロートレックやゴッホなど、ジャポニスムを愛好する画家たちも出入りしていました。アカデミーや一般大衆には理解されなかった彼らの絵画には、うつろう自然の観察、平面的な構図と鮮やかな色彩の多用など、浮世絵の影響がありありと見てとれます。とくにモネは、一八七四年のグループ展に出品した《印象—日の出（*L'impression - soleil levant*）》が批評家に酷評され、その作風は「印象主義（impressionnisme）」とあだ名されました。しかしゴンクールは、一八八四年四月十九日の『日記』において、この「造語」の成り立ちについて、ひそかに別の解釈を示しています。

わたしがジャポニスムについて語っても、ジャーナリストどもは、悪趣味とデッサンの欠如の極みといわれる、ショーウィンドウに並んだくだらない骨董品にしか目を向けなかった。哀れなやつらだ！　彼らは今もって、印象主義（*impressionisme*）なるものは（……）、すべて日本の「明るい版画（*impression*）」をじっくり眺め、模倣することから生まれたとは気づきもしない。（……）

さてわたしの手元には、鉄製のボタンがひとつあるが、これは日本人が腰帯にはさむ煙草入れにつけるボタンだ。これは、姿の見えない一羽の鶴――黒金象嵌のメダルの外を舞っている――その脚の下方の、月明かりに照らされた川面に鶴の姿が映っているという図柄だ。こうした想像力をひとりの職人が備えている国民、これぞほかの諸民族が師と仰ぐべき国民ではないだろうか。

だからこれまでわたしが、ジャポニスムがヨーロッパ諸国民の視覚を革命しつつあると述べたとき、わたしはジャポニスムが西洋に、新たなる色彩、新たなる装飾システム、つまりは芸術創造におけるひとつの詩的幻想をもたらしているということ、しかもそれが、中世やルネッサンスのもっとも完璧な骨董品にも決して存在しなかったものだと表明したかったのだ。

この段落では、ゴンクールは二つの重要な指摘をしています。まず、印象派の画家たちが浮世絵の模倣を脱し、その技術を翻案する段階に入っていることです。つまり、ジャポニスムの浸透が（エドモン自身も長らく縛られていた）西欧中心主義的な芸術観をつき崩したのみならず、まったく新たな芸術様式を創造しつつあるというのです。そして、無名の職人による「川面に映る鶴」のメダルが示す通り、日本では職人（artisan）と芸術家（artiste）の間に明確な区別がなく、両者はしばしば同一人物だという事実です。近代ヨーロッパでは、職人の社会的地位はつねに芸術家の下とみなされていました。しかし封建社会の大名のもとで日本の職人が継承した伝統工芸は、日用品を芸術の域にまで洗練させていました。世紀末のヨーロッパにおいて、ジャポニスムは中世の職人技を再評価する「アーツ・アンド・クラフツ運動」と結びつき、産業（industerie）と芸術（art）の融合を目指す「応用芸術（art industriel）」という新たなジャンルを生み出します。

一八八〇年代後半に、林を通してゴンクールは、北斎の『百歌仙』連作や、歌麿の美人画『青楼十二刻』連作などの貴重な肉筆画、あるいは十時《ととき》梅厓《ばいがい》や山本梅逸《ばいいつ》の手による掛物にも出会いました。しかし体力の衰えを実感、美術品収集にひと区切りをつけて、喜多川歌麿と葛飾北斎にフォーカスした浮世絵論にとりかかります。林は献身的にゴンクールに協力し、所有する画集や本の表題を仏訳し、絵師たちについての情報を惜しみなく与えました。『歌麿』の出版を控えた一八九〇年十月十六日の『日記』には、ジャポニスム研究の集大成をいよいよ発表するという感慨が表れています。

われながら驚くことに、『歌麿』の校正刷を受けとって、強い喜びを覚えた。これこそが、いまや特殊な専門誌の限られた読者から脱して、大新聞にも匹敵する数の読者を得ようとしている日本美術の研究書なのだ。
校正をしながら、自分の精神にある、他人に踏み荒らされていないある新機軸に沿って仕事をしたがる傾向について思いめぐらせていた。最初は十八世紀の自筆原稿や未発表記録を研究した。つぎに誰よりも早く、一般大衆、下層階級を描く小説を書いた。そしていまは日本の芸術家に関する研究――いまのところ、彼らについてはまだ評伝が刊行されていない。

最後の一行はけっして誇張ではありません。当時フランスの美術批評は、年一回の官展《サロン》にあわせてめぼしい画家や作品を総括するスタイルが一般的で、よほどの巨匠を対象としない限り評伝は書かれませんでした。まして東洋やオリエントの美術がフランスに受容される過程において、特定の芸術家が研究された例はほとんどありません。しかしゴンクールの著作によって、《Utamaro》と《Hokusaï》の名は、美術史に刻まれるべき芸術家として認知されたのです。ゴンクールは作家人生を回顧して、十八世紀研究、労働者階級の小説、そしてジャポニスム研究の三段階に区切っていますが、そのいずれもが弟とともに始めた企てでした。死の直前まで途切れさせなかった『日記』も、むろんそこに含められるでしょう。ジュールの死後二十六年間、彼らはつねに共にあったのです。

夢のあとさき

一八七〇年代から八〇年代にかけて、野火のようにフランスを覆ったジャポニスム熱によって、九〇年代にはめぼしい美術品が一通り買いつくされました。若井はパリを去り、ビングは店名を「アール・ヌーヴォー」に改めます。一般大衆の知らない掘り出し物をわがものにするという特権的な歓びを失いつつあったゴンクールは、破格の金額を投じた貴重なコレクションの売却を考えはじめました。没する約二年前、一八九四年十二月十四日に書かれた、自邸のコレクションについての『日記』は、日本に関するほとんど最後の記述であり、かつ過去のどの日よりも長く綴られています。まるで、後世の私たちに語りかける遺言のような内容です。

二十世紀になって、わたしたち兄弟の記憶に興味をもってくれるかもしれない、芸術や文学の愛好家のために、わたしの屋根裏部屋の文学的な目録を残そうと思う。わたしが死ねば消滅する運命にあるのだから。わたしはその人々に、ことばでの素描によって、最良の骨董趣味から選ばれた風雅な品々、選りすぐりのオブジェ、稀有な骨董品から成るこの小宇宙を思い浮かべてほしいのだ。

この前置きののち、邸宅のあらゆる部屋を飾る豪華絢爛なコレクションが、見事な筆致で描き出されます。日本美術についても、主題やモチーフはもとより、制作者や来歴まで正確に記され、これらの品々にどれほどゴンクールが魅せられ、日々の暮らしのなかで愛でてきたかありありと伝わってきます。そのコレクションは、袱紗《ふくさ》、浮世絵、掛物から、根付、漆器、薩摩焼や刀剣まで、幅広い工芸品に及んでいます。

独身を貫いたエドモン・ド・ゴンクールの死後、自邸を飾っていた無数の美術品は、莫大な金額で取引されました。これは遺言で創設された「ゴンクール財団」が運営し、現在も存続する「ゴンクール賞」の基金となりました。マルセル・プルーストの『花咲く乙女たちのかげに』(一九一九)やアンドレ・マルローの『人間の条件』(一九三三)、マルグリット・デュラスの『愛人』(一九八四)など、文学史に新たな一ページを刻む作品を世に送り出してきた文学賞です。ゴンクールのコレクションは失われても、その名はいまだ文壇に大きな存在感を持っています。そこに日本美術が寄与したというめぐりあわせは、日仏の交流史から生まれたひとつの、そして大いなる僥倖《ぎょうこう》と呼べるのではないでしょうか。

ゴンクールの『日記』は、「ジャポネズリ」や「ジャポニスム」といった新たなことばがフランスに生まれ、西洋美術に地殻変動を起こした時期の生きた証言です。日仏両国の公式記録や研究書をひもとくよりもずっと生々しく、個人の芸術観を根底から揺さぶった鮮烈な美術体験を伝えてくれます。さらに西園寺公望、前田正名、若井兼三郎、林忠正など、日本人でさえその功績を正確には理解していない人々が、異国の地でどれだけ奮闘していたか、またそれはなぜなのかも、時を超えて知ることができるのです。

ゴンクール兄弟は、ともに日本美術を熱狂的に愛しながらも、旅への憧れ――骨董癖を満たすためというより、四季の自然をその肌身に感じたいという夢――を叶えることなく世を去りました。ほとんど偏執狂的な情熱を日本美術に傾け、そのイメージを『日記』に書き続けることで、エドモンは亡き弟の面影を追いかけていたのかもしれません。日本人たちとゴンクールの出会いは、ことばも風俗習慣もまるで異なる者同士がひとつの情熱を共有することで実現した、いわば創造的な「文化の交差」といえるでしょう。そして、今日まで連綿と続く両国の相互的な文化理解に、そのゆたかな影響を読みとることができるのです。

〔参考文献〕

フィリップ・アモン『イマジュリー――十九世紀における文学とイメージ』中井敦子・福田美雪・野村正人・吉田典子訳、水声社、二〇一九年。

ロール＝シュワルツ・アレナレス「ルーヴル美術館に展示された日本美術」、柿田秀樹・若森栄樹（編）『〈見える〉を問い直す』彩流社、二〇一七年、八一―九五頁。

エメェ・アンベール『絵で見る幕末日本』茂森唯士訳、講談社学術文庫、二〇〇四年。

ジュール・ヴェルヌ『八十日間世界一周』鈴木啓二訳、岩波文庫、二〇〇一年。

ゴンクール兄弟『日記』上下巻、齋藤一郎編訳、岩波文庫、二〇一〇年。

ジャポニスム学会（編）『ジャポニスム入門』思文閣出版、二〇〇〇年。

『ジャポニスム展　十九世紀西洋美術への日本の影響』国立西洋美術館、一九八八年。

寺本敬子『パリ万国博覧会とジャポニスムの誕生』思文閣出版、二〇一七年。

東京藝術大学大学美術館（編）『渡辺省亭――欧米を魅了した花鳥画』小学館、二〇二一年。
東田雅博『シノワズリーか、ジャポニスムか――西洋社会に与えた衝撃』中公叢書、二〇一五年。
馬淵明子『ジャポニスム――幻想の日本』ブリュッケ、二〇〇五年。
フェリックス・レガメ『明治日本写生帖』林久美子訳、角川ソフィア文庫、二〇一九年。
ピエール・ロチ『日本秋景』市川裕見子訳、中央公論新社、二〇二〇年。
Edmond de Goncourt, *La maison d'un artiste*, Paris, Charpentier, 1881.
Edmond et Jules de Goncourt, *Journal, Mémoires de la vie littéraire*, Paris, Fasquelle et Flammarion, 1956.
Brigitte Koyama-Richard, *Japon rêvé : Edmond de Goncourt et Hayashi Tadamasa*, Paris, Hermann, 2001.
図3：Trichon, Édouard Riou, https://commons.wikimedia.org/wiki/File:La_ferme_japonaise_dans_le_parc_du_Trocadéro.jpg

📖 読書案内

日本から見たフランスは、華やかでお洒落なイメージをまとう、地理的にも文化的にも「遠い」存在かもしれません。しかしこの二百年、フランスほど日本の芸術文化に強い関心を示し続けている国はなく、現代でもマンガやアニメに熱い眼差しが注がれています。高浜寛の**『ニュクスの角灯《ランタン》』（リイド社、二〇一六年）**は、本章で触れたゴンクールや林忠正をモデルに、長崎とパリを舞台にした歴史マンガで、フランスでも評価の高い作品です。日仏文化交流史に興味を持ったら、東田雅博『**シノワズリーか、ジャポニスムか——西洋世界に与えた衝撃**』（**中公叢書、二〇一五年**）と寺本敬子『**パリ万国博覧会とジャポニスムの誕生**』（**思文閣出版、二〇一七年**）を読んでみましょう。いずれも「万国博覧会」をキーワードに、豊富な一次史料にもとづいて、西欧における東洋美術受容の過程を紐解いています。杉全美帆子『**イラストで読む印象派の画家たち**』（**河出書房新社、二〇一三年**）や圀府寺司『**ファン・ゴッホ——日本の夢に懸けた画家**』（**角川ソフィア文庫、二〇一九年**）を読むと、十九世紀の画家たちがどれほど浮世絵に心躍らされ、日本への夢を抱いていたかがわかります。フランス人から見た日本を知りたければ、小説『お菊さん』で一世を風靡した海軍士官ピエール・ロチの滞在記、『**日本秋景**』（**中央公論新社、二〇二〇年**）や、ジュール・ヴェルヌの『**八十日間世界一周**』（**岩波文庫、二〇〇一年**）中盤の「横浜編」がおすすめです。観察と描写にすぐれた作家たちの文章からは、明治期の風景や習俗がまざまざと浮かび上がってきます。

「日記」という文学の形式を学んだら、ほかにもマルクス・アウレーリウスの『**自省録**』（**岩波文庫、二〇〇七年**）やジャン゠ジャック・ルソーの『**孤独な散歩者の夢想**』（**光文社古典新訳文庫、二〇一二年**）などの自伝的文学を読んでみましょう。とうの昔に亡くなった書き手たちの内省的な記録には、私たちが抱える悩みにも通じることばがあふれています。日本語で読める自伝的文学の理論書としては、フィリップ・ルジュンヌの『**フランスの自伝文学——自伝文学の主題と構造**』（**小倉孝誠訳、法政大学出版局、一九九五年**）が特に充実した内容です。最後に、古典から現代まで広がる文学の世界を、さまざまな角度から解説した『**フランス文学の楽しみ方**』（**ミネルヴァ書房、二〇二〇年**）を挙げておきます。きっとあなたを、肩ひじ張らずに「楽しく読む」ほうへと導いてくれるでしょう。

4 ラフカディオ・ハーンのアメリカにおける受容
――新聞記事でたどる「読み」の系譜

リンジー・モリソン

はじめに

大学院生の頃、ヨーロッパ出身の先生に「外国人の日本研究者はいずれラフカディオ・ハーンと向き合わなければならない」といわれた記憶は今でも鮮明です。なぜ向き合わなくてはいけないのか、その時は理解できませんでしたが、数年経ってようやくその言葉の意味がわかったような気がします。日本を研究する、あるいは日本のことについて書く外国人が大勢いるなかで、おそらくラフカディオ・ハーンほど日本人に愛され、尊重される人はいないからだと思います。明治時代に来日し、のちに帰化して「小泉八雲《こいずみやくも》」と名乗ったハーンは、いまだに日本の「真の理解者」と称えられ、その作品が読み継がれています。さらにいえば、ラフカディオ・ハーンという生来の名前より、日本名の小泉八雲に聞き覚えのある日本人がむしろ多く、ハーンとその作品は完全に日本人の「自画像」に組み込まれているとさえいえるでしょう。

ハーンが日本で活躍していた時期は一八九〇〜一九〇〇（明治二十〜三十）年代でした。江戸の面影が色濃く残っていた地方に目を向けたハーンは、明治日本のチャーミングかつ不可思議な慣習や民間伝承について数々の随筆をしたため、詩的な美文で読者を魅了しました。なかでも一九〇四年に出た怪談集の『怪談』が名高く、日本人の誰もが知っている「耳なし芳一」や「雪女」といった物語を英語で再話しています。日本の民間伝承を英語にするといったいどんなふうになるのかと訝しまれるかもしれませんが、例えば雪女が初めて登場する場面は次のように描かれています。

> He was awakened by a showering of snow in his face. The door of the hut had been forced open; and, by the snow-light（*yuki-akari*）, he saw a woman in the room, — a woman all in white. She was bending above Mosaku, and blowing her breath upon him; — and her breath was like a bright white smoke. Almost in the same moment she turned to Minokichi, and stooped over him. He tried to cry out, but found that he could not utter any sound. The white woman bent down over him, lower and lower, until her face almost touched him; and he saw that she was very beautiful, — though her eyes made him afraid.
>
> （"Yuki-Onna," *Kwaidan*, 113）

突然小屋に降りかかってくる雪で目を醒ました巳之吉《みのきち》は、全身白をまとった女が仲間の茂作《もさく》を凍死させるところを見てしまいます。すると女が巳之吉のほうに向かってきて、彼の上にかがみ込んでどんどん顔を近づけてきます。巳之吉は恐怖のあまり声も出ませんでしたが、顔が触れそうになったところで女が実に美しいことに気がついた――しかしその目は恐ろしかった、というのが大筋です。ほんの少し引用しただけですが、雪女と顔を合わせるまでを、引き締まったテンポのいい文章で展開して緊張感を高め、読者に巳之吉と同じような恐怖感を味わわせます。

このように日本の昔話や説話を見事に英語で再話したハーンですが、実は日本語がほとんどできず、執筆活動を英語のみでおこなっていました。そのため、当時の読者層は主にアメリカやイギリスの知識層および富裕層でした。ところが奇妙なことに、現在ではハーンは日本において一般的に知られているのに対して、アメリカでは無名といっても過言ではありません。日本の大学図書館ではハーンの作品がたいてい英米文学の棚に所蔵されていることを考えますと、実におかしな現象です。大学院時代の先生の言葉が暗示しているように、欧米の日本研究者のなかではその名がよく知られていますが、ハーンの文章や考え方を古臭く感じる研究者は少なくありません。とっくに過ぎた時代の、少し風変わりな、日本を盲愛した著述家というぐらいの評判でしょう。

一方、日本では学者の仕事が後押ししたせいか、ハーンへの関心が近年むしろ高まっている傾向にあります。毎年ハーンに関する本や論文が数多く発表され、展覧会もときどき催されている以外にも、二〇一五年には富山大学でラフカディオ・ハーン研究を中心とする「ヘルン研究会」が設立され、同年にＮＨＫの「１００分 de 名著」でも『日本の面影』が特集されました。アメリカでハーンの作品が忘却されかけている状況に比べたら、日本とアメリカでのハーン受容には大きな隔たりがあることが明確にわかります。

いつから、何をきっかけとしてハーンはアメリカで読まれなくなったのでしょうか。ハーン受容の複雑な系譜を追求するために、ここでは長期にわたるアメリカの新聞記事を調査し、読者の「なまの声」に耳を傾けたいと思います。そうすることで、ハーンの著作が時代によってどのようにアメリカの読者に読まれていったのか、さらにそのなかでどのようなハーン像が立ち上がっていったのかを明確にしていきます。

ハーンの半生

実際に新聞記事を見る前に、まずハーンがどのような人生を送り、どのような日本像をアメリカに発信したのかについて見ておきましょう。

一八五〇年の夏、アイルランド出身の父とギリシャ出身の母の間に、パトリック・ラフカディオ・ハーンは生まれました。「ラフカディオ」という珍しい名前は、生まれたギリシャのレフカダ島に因《ちな》んでいます。ハーンはギリシャで暮らしたのはほんの少しの間だけでしたが、それでも生涯を通して古代ギリシャの芸術と感性に憧れ、日本との共通点をいくつも導き出しました。

表1の略年譜が示すように、ハーンはきわめて国際的な人物でした。ギリシャで生まれ、二歳頃にアイルランドへ移住し、イングランドで教育を受け、若き十代の末にはアメリカに渡って長年そこに住んだ、という根無し草の半生でした。帰るべき故郷を持たず、西洋のキリスト教文化のなかで疎

1850年	ギリシャのレフカダ島に生まれる。
1852年	アイルランドのダブリンに移住。
1863年	イギリスのカトリック神学校に入学、4年後に中退。
1869年	アメリカ合衆国オハイオ州シンシナティに移住。
1874年	『シンシナティ・エンクワイアラー』の記者として就職。
1877年	ルイジアナ州ニューオーリンズに移住。
1887年	西インド諸島のマルティニーク島に移住し，2年間滞在。
1890年	雑誌特派員として来日。 島根県松江市の尋常中学校・同師範学校の英語教師に赴任。
1891年	熊本県熊本市の第五高等中学校に赴任。
1894年	神戸クロニクル社の記者に転職。
1896年	小泉節子と結婚するために帰化し，小泉八雲と改名。 東京帝国大学の講師に就任。
1903年	東京帝国大学から解雇。
1904年	早稲田大学の講師に就任。 9月，心臓発作のため死去。

表1　ラフカディオ・ハーンの略年譜

外感を覚えたことによる反動なのか、ハーンは早くから民俗的なもの、例えば民間伝承や土着信仰に興味を持ちました。一方、グローバルな幼年時代に培われた感覚は、ハーンの他文化、とりわけマイノリティ・グループへの強い関心に表れているように思えます。そうした興味や関心がアメリカ時代の記者の仕事にも反映されていました。ハーンは記者として、殺人事件やマイノリティ文化など、他の記者が注目しないトピックに飛びつくことで評価され、来日する前からアメリカで名声を得ていました。

十九世紀後半、ヨーロッパとアメリカにおいてジャポニスム――いわゆる「日本ブーム」――が巻き起こりました。ハーンが日本に興味を持ったのはそうした歴史的背景が関係していますが、前述したハーンの関心分野からすれば当然の成り行きといえるかもしれません。

いずれにせよ、一八九〇年の春、長らく日本へ行ってみたいと願っていたハーンはついに雑誌特派員として横浜に上陸しました。初日の感想が、『日本の面影』（一八九四年）に収録された「東洋の第一日目」のなかに綴られています。

誰もが口を揃えたように、この地の第一印象を、日本はお伽の国で、日本人はお伽の国の住人だと表現する。（……）すべてが自分の世界よりもスケールが小さく、優美な世界——人の数も少なく、親切そうで、自分の幸せを祈るかのように、誰もが微笑みかけてくれる世界——すべての動きがゆっくりと柔らかで、声音も静かな世界——大地も生き物も空も、これまで見たことのない、まったくの別世界——そんな世界にいきなり飛びこんだのである。イギリスの民話を聞いて育った想像力の持ち主なら、これこそが、昔夢見た妖精の国の現実だ、と錯覚してもいたし方なかろう。

（『日本の面影』、一八頁）

ハーンの眼には、春めいた横浜は明媚で夢幻的な「お伽の国」として映りました。このような美しい未知の世界に対して、ハーンは強烈な異国情緒と既視感——「昔夢見た妖精の国の現実だ」——を感じたようです。夢の実現という恍惚に近い気持ちはハーンの全作品を貫きますが、日本という夢に浸りながらも、ハーンは来日してから何度も挫折しています。

最初の挫折は、日本に来て間もなくでした。ハーパー社の雑誌特派員として雇われたハーンは、自分の記事に添える予定だった挿絵を担当する画家の雇用条件が自分よりはるかによかったことを知って、憤慨しました。そしてハーパー社との契約を直ちに解消しました。未知の日本で生計を立てるために、知り合いに頼って島根県松江市で英語教師として勤め始めますが、職は安定せず、一つの場所に長くは留まりませんでした。もっとも長く勤めたのは東京帝国大学でしたが、そこでも壮絶な挫折を味わいます。

ハーンは松江市で小泉節子という女性と出逢い、結婚しますが、妻と息子に遺産が正当に相続されるためには帰化しなければなりませんでした。ハーンは帰化を決意しますが、当時日本人よりも外国人の給料が高額だったため、帰化したら給料を減らされるのではないかと不安でした。案の定、東京帝国大学は日本人になったハーンの給料を削減しようとしてきます。ハーンは激しく抗議しますが、結局解雇されるはめに陥ります。ちなみにハーンの後任はなんと夏目漱石でしたが、ハーンがあまりにも学生に人気があったため、漱石はハーンの後に入ることをはばかっていたといわれています。

ハーンの就職や経済的状況は不安定でしたが、その一方で、執筆活動はきわめて順調で安定していました。一八九四年に『日本の面影』が出版されてから一九〇四年に死去するまで、ハーンは年に一、二冊という目まぐるしいペースで本を執筆していました。ハーンの作品がアメリカでいかに受容されたかを考えるために、まずハーンの日本関連書籍でどのような日本像がアメリカに発信されていたのかを理解しておく必要があります。前に述べた「東洋の第一日目」の文中には、「お伽の国」、「優美」、「スケールが小さい」、「親切」、「柔らか」などという言葉がありましたが、「穏やか」や「繊細」などといった形容詞もハーンの文章を彩ります。例えば同じ『日本の面影』の「神々の国の首都」には、温暖な気候を持つ日本と、マルティニーク島のような熱帯地方の日暮れを比較する箇所があります。

日本で見る落日は、熱帯で見るそれとは違う。日本の陽光は夢のように穏やかで、その中にはどぎつい色彩は見られない。この東洋の自然の色には、強烈なものを感じさせるものがない。海を見ても、空を眺めても、色彩というより色合いとでも言ったらいいような、霞むようなほのかな淡い色調を感じるだけである。素晴らしい日本の染色を見ればわかるように、この民族の色彩や色合いに対する洗練された趣味には、けばけばしいものがなにもない。それは、この国の穏やかな自然が、落ち着いた繊細な美しい色彩を帯びているところに、大きく由来しているからではなかろうか。

（『日本の面影』、一〇七頁）

こうした柔らかな光に包まれた穏やかな日本の風土に、ハーンは霊的なものを見出しました。杵築《きづき》大社（出雲大社）へ向かった際、ハーンは電車の窓から島根の景色を見て、次のように記しています。

まさにこの大気の中に――幻のような青い湖水や霞に包まれた山並みに、燦々《さんさん》と降り注ぐ明るい陽光の中に、神々しいものが存在するように感じられる。これが、神道の感覚というものなのであろうか。

（『日本の面影』、一一七頁）

元から霊的なものに興味を示していたハーンはとりわけ日本の民間信仰に感激し、絶えず神道や日本の民間信仰について書いています。

もちろん、ハーンは繊細で霞がかった日本像ばかりを発信したわけではありません。それとは逆に、あるいは隣り合わせになっているのは、日本文化の「異様さ」だとハーンは述べます。『異国風物と回想』（一八九八年）に収められた「虫の音楽家」というエッセイには「縁日」の情景が次のように描かれています。

もしも諸君が、いつの日か日本を訪問するようなことがあったら、そのときは、ぜひひとつ、縁日へ行ってみることだ。縁日というのは、神社仏閣の祭り日である。この祭り日は、そこに出ているものが、無数のカンテラや提灯の光りでいちばんひきたって見える、夜分に見ないといけない。この縁日見物の経験をもたないかぎり、諸君には日本の何たるかがおわかりにならない。――庶民生活のなかに見られる、風変わりなものと洒落たもののほんとうの妙味、異様なものと美しさとのみごとな溶け合い、そういうものを諸君は想像することができない。

（『仏の畑の落穂他』、二八八頁）

ハーンは縁日という平凡な風習に「風変わりなものと洒落たもの」、そして「異様なものと美しさ」の絶妙な混合を発見し、さらにそれは日本を理解する鍵――「この縁日見物の経験をもたないかぎり、諸君には日本の何たるかがおわかりにならない」――だともいっています。庶民的な価値観や慣習、服装や信仰に見られる艶やかさと奇怪さの結合が「真の日本」だとハーンは考えたのです。

ハーンが描いた日本像は、詩美に溢れて、あらゆるところに繊細な芸術心が行き届いている国というものでした。そこは妖精の国のように、今でも消えてしまいそうな儚さと、グロテスクな要素が入り混じった不思議な情景でした。ここで紹介できるのはハーンの全作品のごく一部に過ぎませんし、もっと幅広く日本のことを書いていたのは事実ですが、ハーンがこだわっていたこの「美しい日本像」はアメリカでの受容の変化を理解するために、把握しておかなければならない要素の一つです。

さて、美しく幻想的な日本像を発信したハーンの著書は、アメリカの読者にいかに読まれたのでしょうか。その問いに答えるべく、年代順にアメリカ各地の新聞記事を紹介していきたいと思います。

アメリカでの受容

この調査では、newspapers.comというアメリカの新聞データベースを利用し、十九世紀末から二十世紀半ばにわたる、アメリカ各地の新聞記事を閲覧し、ハーンの作品の受容の系譜をたどってみました。「Lafcadio Hearn」というキーワードを含んだ新聞記事を検索したところ、一八七八年六月二十九日から二〇二〇年六月二十日までの間に、一万六千弱の記事がありました。結果として、第二次世界大戦がハーンの受容に大きく関与していることが判明しました。ここでは、初めて日本関連書籍の『日本の面影』が出版された一八九四年から、終戦直後まで、ハーンの評価がいかに変容していったかを明確にしていきます。受容の流れをわかりやすくするため、一八九〇年代から二十年ずつに分けて観察していきます。

一八九〇から一九〇〇年代まで

最初に見るのは、ハーンが現役で活躍していた一八九〇～一九〇〇年代の記事です。『日本の面影』が出版された年に書評がいくつも新聞に掲載されましたが、おおむね好評だったということは、一八九四年六月二十六日の『バッファロー・クーリエ』（ニューヨーク州バッファロー）に載っている書評から窺えます。

英語の作家のなかで、ラフカディオ・ハーンほど日本の精神を精巧に把握できている人はいない。ハーンの随筆は『オデュッセイア』のような憧憬を喚起し、そこに描かれている日本人は古代ギリシャ人と同様に勇敢かつ自由で、煩わしい思いをさせるつまらないものが一切ないような生き方をしているかのように見える。もちろん古代ギリシャと同じようにハーンが伝える日本像は現実ではないだろうが、古代ギリシャ人のように、趣味がよく、洗練されていて、繊細で、この世界と人生を最大限に楽しもうとするところなど、日本人の国民的・民族的特徴が充分に伝わってくる。

右のとおり、冒頭からハーンの理解力を称賛しています。多神教で芸術を重んじる国といえば、西洋文化圏出身の人であればすぐに古代ギリシャを思い浮かべます。先に述べたように、古代ギリシャと日本の比較はハーン自身によってたびたびなされているため、この記事はハーンにとって狙いどおりの評価だったのでしょう。

ハーンの文章力と日本への理解力が絶賛されるなかで、この時期から意地悪な記事もまれに見られます。次の記事も同じ『バッファロー・クーリエ』に載っていますが、二年後の一八九六年五月五日版です。

ラフカディオ・ハーンは日本人のような「東洋的タイプ（oriental type）」を愛するあまり、可能ならば自分の肌色を変え、頬骨を高くし、目を吊り上げようとするだろう。しかも最近「Y・コイズミ」という、旧名に比べたらだいぶ聞こえが悪い名前に変えたそうだ。

前の記事ではハーンの日本びいきが、他文化への優れた理解力として讃美されていたのに対し、ここでは一種のフェティシズムとして揶揄されています。

日本とアメリカでのハーン受容で共通しているのは、ハーンの作品ではなく、ハーン自身にしばしば興味が向けられていることです。この記事は悪趣味ですが、ハーンの風変わりな人生に関心が示されていることは明らかです。

それにしてもやはりこの頃はまだハーンを攻撃したり、酷評したりする記事は珍しいです。例えば、一九〇二年十一月三十日の『ピッツバーグ・デイリー・ポスト』（ペンシルバニア州ピッツバーグ）に載っている次の記事は、ハーンを唯一日本のことを申し分なく翻訳できた人だと褒め称えています。

多くのアメリカ人は日本に魅力を感じている。そうしたアメリカ人にとって、「菊の国」は魔法の国で、古い知恵が新しい目的のために使われ、また絶対的な過去と新鮮な今を抱き合わせる国でもある。そのような日本に魅了されたアメリカ人たちはハーンの著作を愛読している。ラフカディオ・ハーンだけが、言葉を以てではなく、思想を以て日本のことを充分に現代語に翻訳でき（Lafcadio Hearn, that writer who alone has satisfactorily translated Japan into modern tongues — not in words, but in thought)、西洋文明から生まれた我々に東洋文明の知識を与えてくれ、また共感できるようにしてくれた。

この記事が如実に示しているのは、ハーンが日本を「真に理解した者」という評判が当時のアメリカにも広まっていたということです。さらに注目すべきは、日本に惹かれたアメリカ人たちがハーンの作品を好んで読んでいたことから、ハーンが伝えた日本像が当時のアメリカ人に求められていた日本像でもあったと推測できることです。

続いて、そうしたアメリカ人が求めた日本像を風刺した、一九〇六年一月五日版の『ゲージ・レコード』（オクラホマ州ゲージ）に掲載された記事を紹介します。

東京の茶屋で、シンシナティからの観光客はその肥満体で小さな椅子に腰を下ろした。格子細工のなかからかすかな三味線の音色が、小ぶりな松の木と藤の花と妖精の湖のある景色を渡って流れてきた。

「すべてがピエール・ロティのおかげだ！　ほら、かわゆい芸者ガールが僕の注文を聞きにやってくるのだ。彼女の国の美しいポエトリーで話しかけてみよう。ああ、おミモザさん。おまえが愛するフジヤマの白い頂きに誓って、僕は……」といいかける。

「あら、私はバーナード・カレッジを卒業したばかりでニューヨークの別荘地のほうが好みだわ」と流暢な英語で答えた彼女は調理場に向かって「コーヒーを一杯！」と注文する。

観光客は傷ついた声で、「そうなんだ。ラフカディオ・ハーンが有名にした美しい妖精さんかと思ったのに（I thought you were one of the poetic creatures made famous by Lafcadio Hearn）」という。「誰、その人？」と、彼女はわずかな興味を示して聞く。「聞いたことがあるような気もするけど、今ハクスリーとエマーソンを読んでいるわ」

もう一度観光客が耳を澄ますと、三味線だと思っていた音色は紡織工場のシャトルの音だったことに気づく。


見事なパロディであるこの記事は、当時、西洋人の間で跳梁していた日本の過剰な美化を嘲笑し、アメリカ人が思っているよりもはるかに日本の西洋化が進んでいることを匂わせています。そのなかでハーンの役割は、時代遅れで浪漫主義的な日本像をアメリカ人に植えつけることだったとされています。

これらの記事を読む限り、この二十年間におけるハーンの評価にはすでに小さな分岐ができているということがいえましょう。ハーンの文章力や日本への理解力を高く評価する記事が大多数ですが、他方ではハーンの日本びいきに対する反感も、わずかながら確認できます。

一九一〇年代から一九二〇年代まで

この二十年間はハーンが亡くなった後ですが、その間に未刊行の書籍やエッセイ、さらにハーンの

The New York Times Review of Books

LITERARY SECTION OF THE NEW YORK TIMES

SECTION FIVE — NEW YORK, NOVEMBER 14, 1915 — 12 PAGES

LAFCADIO HEARN'S POSTHUMOUS WORK

Discovery of Two Unique Volumes of Criticism That Give for the First Time the Famous Essayist's Estimates of European and American Literature

INTERPRETATIONS OF LITERATURE. By Lafcadio Hearn. Selected and edited, with an introduction, by John Erskine, Ph. D., Associate Professor of English, Columbia University. With frontispiece. New York: Dodd, Mead & Co. Two volumes. $6.

THESE two large volumes of Lafcadio Hearn's literary criticisms are unexpected treasure-trove. Though lacking the exquisite style of the essays in which he interpreted Japan to the Western world, they reveal new aspects of his unique personality, and show that he was even more wonderfully fitted to interpret the West to Japan. They emphasize once more the fact that Lafcadio Hearn was one of the most romantic and fascinating literary figures of our time. Son of a Greek mother and an Irish father, educated in England, and winning his first meagre laurels in America, he went in middle life to merge his sensitive, imaginative spirit with that of Japan, and married a Japanese wife, who, with his Japanese children, still bows daily before the Shinto household shrine sacred to his memory. Such were the outward facts of the man, but his inner spirit was still richer in strange and lovable traits.

The present volumes are a proof of the affection that Hearn inspired in his students at the University of Tokio, where he held the chair of English literature from 1896 to 1902. Their publication coincidently with the bestowal of posthumous honors upon Lafcadio Hearn during the celebrations last week attending the coronation of the Emperor of Japan emphasizes the esteem with which this essayist is regarded in this country and the land of his adoption. As his lectures were delivered without notes, in the simple language of the classroom, it was long supposed that they were past and gone. And so they would have been but for the labors of eight Japanese young men in his classes, who managed to take down, from his slow dictation, whole series of his lectures, word for word.

After the death of their teacher these students showed their devotion to his memory by placing their notes at the disposal of Hearn's literary executor, Pay Director Mitchell McDonald of the United States Navy. One lecture appeared in Miss Bisland's "Life and Letters of Lafcadio Hearn," but the whole remaining mass of notes, half a million words in all, was brought to New York City and

mellow philosophy—not the scientific philosophy of Herbert Spencer, which he carried piously on his intellectual back, but a heart philosophy compounded of many of the finer elements in various religions. In one of his earliest lectures he told his students that the highest possible form of art is that which expresses moral beauty, elaborating the idea thus simply and effectively:

I should say that the highest form of art must necessarily be such art as produces upon the beholder the same moral effect that the passion of love produces in a generous lover. Such art would be a revela-

Lafcadio Hearn

He regards Scott as a much greater author, though Scott's characters are often "like those Scandinavian goblins which were all hollow behind." We hear him telling his pupils that if they have not yet felt Scott's influence in Japanese literature, it will be all around them before the end of their lives.

Bulwer takes a high place in Mr. Hearn's roll of honor, because of his mastery of the literature of terror. The author considers "A Strange Story" the greatest of weird and terrible stories ever written; to read it is a liberal education in the supernatural. He also gives supreme rank to the short story of "The Haunted and the Haunters." For George Meredith's novels he evidently has only a perfunctory respect, save in the case of "The Shaving of Shagpat," which he regards as "certainly the greatest fable imagined during the nineteenth century." He places Kipling above Meredith.

In the second volume there are lectures on Shakespeare and the Bible, both treated with all necessary reverence; also on various Norse writers, ancient and modern. A lecture on ants, elaborating Spencer's suggestion that the human race may be developing along the same lines of juiceless "efficiency," is well worth reading. But perhaps the chapter most saturated with characteristic Hearn interest is that on "The Value of the Supernatural in Fiction."

Remarking that science has not diminished the pleasure of mankind in this field of imagination, though it has changed the methods of treatment, he goes on to declare that there has been no really great author from Shakespeare to Maeterlinck who has not distinguished himself in the treatment of the supernatural. This leads him to a generalization, both original and novel:

There is something ghostly in all great art, whether of literature, music, sculpture, or architecture.

In his lecture on Carlyle the author had told his students how the reading of "Sartor Resartus" made him realize that the mere sight of a man walking down the street is one of the most extraordinary, one of the most mysterious, one of the most unexplainable things in the world. Now he goes on to tell them that science has made

図1 『ニューヨーク・タイムズ』1915年11月14日版の書評欄

伝記が数多く出版され、それにともなって多数の書評が新聞に載ります。したがって、この期間はハーンの再読および再評価の時代とも呼べます。

そうした書評をnewspapers.comから一つだけ取り上げますと、一九一五年十一月十四日の『ニューヨーク・タイムズ』(ニューヨーク州ニューヨーク)の著名な書評欄の第一面に、次のような文章が載っています(図1)。ラフカディオ・ハーンの死後に出版された『文学の解釈』という、東京帝国大学時代の英文学講義ノートを集めたエッセイ集の書評です。

ラフカディオ・ハーンの文学批評を集めたこの二巻は思いがけない宝箱だ。日本のことを西洋諸国に「通訳した（interpreted）」エッセイの優美なスタイルは欠けているが、ハーンのユニークな性格の新たな側面を明らかにし、彼が西洋のことを日本に「通訳」するのにいかに適役であったかを証明している。この二巻はラフカディオ・ハーンが我々の時代のもっともロマンティックで興味深い文人の一人であったことを明確に示している。

この記事はハーンの「通訳者」としての資質に触れていますが、今度は西洋に日本を「通訳」する役割ではなく、西洋を日本に「通訳」するのにも適しているという内容です。二十年前の記事と同じように、ここでもハーンの教養と洗練された文化的洞察力が讃美されています。

ところが、同じ期間に、アメリカ人による日本への見方が徐々に変わってきている気配が漂います。日清戦争と日露戦争の勝利を経て、富国強兵政策を推進した日本が恐るべき存在として見なされるようになったからです。次の記事にはそうした日本への懐疑的な眼差しと、辛辣な皮肉がたっぷり込められています。『ビックスバーグ・イブニング・ポスト』（ミシシッピ州ビックスバーグ）一九一九年九月六日版の記事です。

日本に関しては、ラフカディオ・ハーンの「詩（poetry）」と「現実の粗雑な散文（reality's rough prose）」の間に大きな違いがある。

ある報告によれば、朝鮮人は竹の棒で九十回叩かれれば、従順で良き日本人になる。それは「啓発的（enlightening）」である。

偉大なる帝の皇太子は十八歳になり、成人式がとりおこなわれた。貴族たちが深々とお辞儀をする宮殿に、正装した帝が入ってくる。太陽と月の親類である帝が玉座に向かって深くお辞儀をしてから座る。そして扉から何かが両手両膝をついて這ってくる。その「何か」とは皇太子のことで、古来の慣習により、父天皇の足元まで床を這っていかなければならないのである。

これは日本というものを明らかにするのか。それとも、困惑を招くのか。さて、どちらが現実の日本なのだろうか。西洋文明に匹敵するような科学的進歩を遂げている日本だろうか。それとも四つん這いで床を動き、哀れな朝鮮人を苦しめる日本だろうか。結果的に太平洋にアメリカの巨大な艦隊を配備したほうが賢明だと確信するほかないだろう。

右のとおり、近代日本の相反する二面性――つまり産業革命を起こし急速な近代化および西洋化を果たした日本と、朝鮮人を残酷に扱って啓蒙的でないと思われた天皇制の風習を墨守している日本――を囃し立てています。同年の三月一日に三・一独立運動が起こったため、日本の警察による残忍な行為を受けての記事だと思われます。いずれにせよこの記事から、ハーンが描き出した優雅で美しい「詩」のような日本像と、この時代に帝国主義的な日本が実際にとった行動とのギャップに困惑したアメリカ人読者が少なくなかったことが察せられます。

一九三〇年代から一九四〇年代まで

一九三〇～四〇年代は周知のとおり、怒涛の二十年間です。一九三一年の満州事変に始まり、三六年の二・二六事件、四〇年の日独伊三国間条約の成立などによって、アメリカ人が抱いていた「桜と芸者の国」という美化された日本像に決定的なひび割れが生じます。それと同時に、前の二十年間に垣間見えたハーンの著作の否定的な再読、再解釈、再評価が本格化します。

一九三二年二月一日版の『ランシング・ステート・ジャーナル』（ミシガン州ランシング）に掲載された次の記事は、ハーンの理解力を認めながらも、ハーンの日本像には日本軍の残忍さが欠けていたことを指摘しています。

私たちは日本人が穏やかで礼儀正しい民族だと教えられてきた。ラフカディオ・ハーン、その最初で最高の「通訳者」は彼らにそのような性格を与えた。また観光で日本に行ったことのある人はだいたいハーンの観点に賛同する。疑いもなく、日本人は私的あるいは社会的な関係性において温厚で好感が持てるだろう。それに比べて、我々「新人類（newer human breeds）」のマナーの悪さは恥ずかしいくらいだ。しかし軍事的性格において、日本人は全く違うということは明らかである。満州の占領には情け容赦のないところがあり、また満州の住民に対する無慈悲な仕打ちは、普通の日本人のすることとは思われない。軍服は子どものような日本の庶民を鉄のようにする。そして彼らの行動とともに思考をも変えてしまうのである。

右に似たような所感は次の記事、一九四一年三月十九日版の『アッシュビル・シチズン＝タイムズ』（ノースカロライナ州アッシュビル）にも見られます。

ペリー提督が菊と桜の日本を西洋諸国に開国させて以来、日本に渡ったアメリカ人観光客はどんどん増えていった。日本の風景や生活様式が美しく描写されているラフカディオ・ハーンやジョン・L・ストッダードの書物は観光客の数をさらに増大させた。アメリカの舞台で成功した瞬間から、『蝶々夫人』は日本の観光局にとってまるで歩く広告のようだった。

しかし日本が独伊の枢軸に加盟したことによってその時代は終わった。アメリカ人観光客はもはや芸者と茶屋の国を見に行くことはない。石灯籠や寺院の軒反りが観光客を魅了することもない。日本の軍国主義者はもっとも利益の多い収入源の一つを切断したのだ。絵のように美しいものを探し求める富裕層のアメリカ・ドルが風に飛ばされてしまった。

ここでまた、ハーンが描いた日本と、日本の軍国主義者の行動が対照的に比較されています。この二つの記事で顕在化しているのは、ハーンが発信した日本像はもはや一九三〇～四〇年代の日本にそぐわないということと、それによってハーンの著作の受容が大きく変化しようとしているということです。というのは、これ以前の時代においてはハーンの作品の内容に沿った読みがなされていたのに、いつの間にかハーンが描いていた日本像は「菊と桜」という美化されたものに還元されているからです。もちろん実際にハーンの著作を読めば、「菊と桜」ばかりではないということがすぐにわかります。確かにハーンは日本文化を肯定的に捉えていましたが、典型的な表象を繰り返し描いていたわけではなく、前に述べた怪談や昆虫文化など、日本文化のグロテスクな一面に着眼したことでも有名です。さらにいえば、ハーンが最後に残した『日本——一つの試論』は学術的研究にもっとも近い内容で、日本人の精神史を理解するために日本の宗教や思想史を考察した著書です。ハーンの最終目的はあらゆる理想を破り、日本の精神風土を奥深くまで知ることだったのに、理想化され美化された日本像を普及させた人物というレッテルが貼られてしまったのです。

終戦後

最後に、終戦後の記事を見ましょう。一九四五年八月十五日、日本は無条件降伏します。戦争はついに終わりますが、以後ハーンの評価が完全に回復することはありません。ハーンの作品は、アメリカで高まっていた不安感と恐怖感に覆われ、果ては飲み込まれてしまったのです。

一九四六年六月一日版の『セントルイス・ポスト＝ディスパッチ』（ミズーリ州セントルイス）に載った記事を見てみましょう。

皮肉にも、西洋諸国はハーンに騙されて日本の野心を過小評価してしまった。ハーンがもっと長生きして予定通りアメリカに帰国していたならば、違った日本像を伝えてくれただろう。それも、彼の早死を惜しむべき理由の一つである。

わずか十四年の間にハーンの評判が、日本人の「最初で最高の通訳者」から、「間違った」あるいは「嘘」の日本像を普及させた人物というところまで転落していることに驚かざるをえません。この記事では、アメリカ人を「騙した」裏切り者にまで仕立て上げられています。

最後に、一九四七年一月五日版の『アトランタ・コンスティチューション』(ジョージア州アトランタ)に掲載されている記事の一部を紹介します。

西洋諸国では、あまりにも多くの人が日本人を「小さな黄色いネズミ」〔ブル・ハルゼーの造語〕として見ているか、あるいはラフカディオ・ハーンが描いたように古風で耽美主義の民族だと思い込んでいるため、バジル・チェンバレンの書籍とともにベネディクト氏の本は本棚に置くべきだろう。

文中の「ベネディクト氏」とはアメリカ人の文化人類学者であるルース・ベネディクトのことで、その本とは著名な『菊と刀』(一九四六年)のことです。現在の日本ではベネディクトやチェンバレンの著作はあまりにも西洋中心的として多くの批判を浴びていますが、当時のアメリカ人にとっては、彼らが描いた日本のほうが、ハーンの「嘘」の日本像に比べて、ある種の「真実」を示していると思われていたようです。

むすび

これまで見てきたアメリカの新聞記事が語っているのは、ラフカディオ・ハーンの「真の日本理解者」としての評判が、第二次世界大戦によって修復不可能なほど地に墜ちてしまったという変化です。一九三〇年代あたりを分岐点として、ハーンの日本関連書籍に対する新たな読み方が主流となりました。つまり、誰よりも日本と日本人のことを深く理解しているという賛辞から、あまりにも美化された日本像を普及させたことで、アメリカの読者を裏切ったというものに変わってしまったのです。なぜそうなったのでしょうか。戦争の体験によって、多くのアメリカ人は「真の日本」を獰猛かつ好戦的な国家と見なすようになったからだと思われます。戦前と戦時中においてアメリカ人が目撃した日本人の「野蛮さ」と「冷酷さ」をハーンも知っていたはずなのにハーンの文章にはそれを暗示するものは何もないと、騙された気持ちになってしまったのです。

戦後の高度経済成長によって日本は世界の大国と並ぶようになり、巨大な産業国家として注目され、再び国際的な舞台に立ちます。新聞記事の数を見る限り、その期間にハーンの著作への関心が少しだけ復活しますが、古風すぎたのか、戦後日本のイメージとあまりにも食い違ったのか、その後またハーンに関する新聞記事はだんだんと途絶えていきます。皮肉にも、日本の珍しきものに魅了されたハーン自身が、アメリカでは極東の奇妙な骨董品であるかのように見なされてしまいます。

ハーンが英語圏に伝えようとしたのは、消えゆく庶民的かつ伝統的な日本の面影でした。しかしそうした日本像は戦争によってアメリカ人の読者に拒絶されてしまい、やはりあのハーンも本当は日本を理解できていなかったという評判を突きつけられてしまいました。一方で、日本ではハーンの著作が逆輸入され、庶民的で古い日本に目が向けられている点で一般読者に人気を博します。そしてハーンが愛した日本の伝統文化が、より大きな「近代化による文化喪失」というナラティヴに包摂されていき、結果として日本ではハーンが再び「真の日本理解者」という名声を獲得します。ハーンの作品には、こうした国境を超えるような複雑な読みの系譜が潜んでいるのです。

文学は真空のなかから出てくるわけではありません。「書く」という行為が作家を取り巻く環境に影響されているのと同じように、「読む」という行為も、読者の歴史・社会背景によって変わります。ですから本来、一つだけの正しい読み方というのは存在しえないのです。

人文学研究の試みの一つ、さらに人文学という学問分野の全体的な意義は、時代による多様な「読み」を明らかにすることです。歴史的・社会的文脈に置いて考えなければ、見えてこないことが多くあります。複数の「読み」を明確化するために、自分の価値観や先入観をできるだけ捨てて（捨て切ることは不可能ですが）、当時の環境を理解しようとすることにより、新たな発見と知識を得ることができます。現代の価値観、あるいは特定のイデオロギーをもって読もうとすると、新たな「読み」が可能になることもありますが、それにとらわれてしまうと、その読み方しかできなくなってしまう危険性があります。

複数の読み方が交叉し、ときには対立する、多彩で豊穣な世界の構築は人文学研究の真髄です。読み方が一つしか存在しない世界なんて、殺風景だと思いませんか。

［参考文献］

小泉八雲『仏の畑の落穂他』平井呈一訳、恒文社、一九七五年。
ラフカディオ・ハーン『新編　日本の面影』池田雅之訳、角川ソフィア文庫、二〇〇〇年。
"A Vanished Profit." *Asheville Citizen-Times*, 19 Mar. 1941, p. 4.
Buffalo Courier, 5 May 1896, p. 4.
"China Drive of Japanese Given Press Estimate: Views Vary from Thought That Japan Should Be Stopped to Full Justification." *Lansing State Journal*, 1 Feb. 1932, p. 6.
F.R.R. "About Japan," *Pittsburgh Daily Post*, 30 Nov. 1902, p. 27.
Lafcadio Hearn, *Kwaidan*. Yushodo, 1981.
"Lafcadio Hearn's Posthumous Work: Discovery of Two Unique Volumes of Criticism That Give for the First Time the Famous Essayist's Estimates of European and American Literature." *The New York Times*, 14 Nov. 1915, p. 71.
Sterling North, "Jap Code of Behavior Puzzles Westerners." *The Atlanta Constitution*, 5 Jan. 1947, p. 36.
William Randel, "Life of Lafcadio Hearn, Exotic Writer on Japan." *St. Louis Post-Dispatch*, 1 Jun. 1946, p. 4.
"The New Japan." *The Gage Record*, 5 Jan. 1906, p. 7.
"The Greeks of Asia." *Buffalo Courier*, 26 Jun. 1894, p. 4.
Vicksburg Evening Post, 6 Sep. 1919, p. 4.

読書案内

良い本と邂逅することはある種の「事件」であるように思います。もしそのような本に出会ってしまったら、それまでの思考、それまでの常識が一瞬にして覆されてしまい、新しい自分が誕生します。ここで私が主題にしたラフカディオ・ハーンとゆるく結びつけつつ、私のなかで事件を引き起こした本を数冊ばかり紹介していきます。

日本近代史に興味がある人には、渡辺京二の**『逝きし世の面影』（平凡社ライブラリー、二〇〇五年）**が必読です。異邦人の日本見聞記のなかに見出される古き日本文明の残像を鮮明に描き出しつつ、文献に語らせ、それを肯定も否定もしないという渡辺の方法は誰もが倣うべき学問的な姿勢だと思います。

磯田光一の**『鹿鳴館の系譜』（講談社文芸文庫、一九九〇年）**は急速な西洋化を試みた近代日本に登場した鹿鳴館という、短命ながら波乱に満ちた歴史を持つ建物を舞台に、近代日本文学について論じています。

柳父章の**『翻訳語成立事情』（岩波新書、一九八二年）**は私たちが日常的に使っている、明治時代に生まれた多くの翻訳語——例えば、「恋愛」や「文学」など——の奥底に壮大な物語が潜んでいるということをわかりやすく示してくれています。

最後に、ラフカディオ・ハーンに関する本。まずこの章で何度も取り上げた**『日本の面影』**

（Ⅰ・Ⅱ巻、角川ソフィア文庫、二〇〇〇年）と『怪談』（光文社古典新訳文庫、二〇一八年）から読み始めてはいかがでしょう。ついで『小泉八雲東大講義録――日本文学の未来のために』（角川ソフィア文庫、二〇一八年）はここでも触れた、ハーンによる英文学についての講義録で、普段とはまた違うハーンの側面が見られます。学術書なら、平川祐弘の『小泉八雲――西洋脱出の夢』（講談社学術文庫、一九九四年）と『ラフカディオ・ハーン――植民地化・キリスト教化・文明開化』（ミネルヴァ書房、二〇〇四年）はどちらもハーン研究の基礎をなしているのでおすすめします。

第二部　芸術の現場

第二部は「芸術の現場」というタイトルで、芸術とそれが作られたり、展示されたりする現場に関するレッスンを集めています。人文学の研究というと、本の形になったテクストを机に座って静かに読むというイメージを持っている人も多いかもしれません。もちろんこれが中心の研究もありますし、人文学研究の全てについて、座って一生懸命読むプロセスが含まれますが、実はそれだけではありません。

人文学の研究の中には、劇場で上演されている舞台芸術やミュージアムにある展示品などを対象にするものもあります。実際にお芝居が作られる劇場や展示の現場であるミュージアムなどに赴いて観察をしたり、芸術にかかわることをしている人たちから聞き取り調査をしたりするようなこともあります。芸術にかかわることをしている人たちというのは芸術家だけではなく、劇場や映画館や美術館に行ったり、漫画や小説などを読んだり、家でテレビを見たり、仲間内でおとぎ話や怪談をしたりする人たちも含みます。

このセクションでは、人文学の研究がこうしたことも念頭に置いているということをおさえながら、広い視野で芸術の現場について考えていきたいと思います。

5 もしも私が女なら――シェイクスピア劇と舞台芸術の異性装

北村紗衣

プロローグ

十六世紀末から十七世紀初頭のロンドンで活躍した劇作家ウィリアム・シェイクスピアの恋愛喜劇に『お気に召すまま』という作品があります。今、私は「喜劇」と書きましたが、シェイクスピアが書いたのはお芝居と詩で、小説は書いていません。シェイクスピアが活躍した時代は識字率が低く、近代小説は発達していなかったので、文字が読めない人も楽しめるお芝居は一大娯楽でした。お芝居が始まる前や終わった後には、口上と呼ばれるお客さん向けの挨拶がつくことがあります。『お気に召すまま』の主人公はロザリンドという若い女性で、オーランドという男性との恋がメインのお話です。最後にこのロザリンドが出てきて、こんなことを言います。

もしも私が女なら、私が好きなおひげの殿方できるだけ大勢にキスしてさしあげたいところです。

(*As You Like It*, Epilogue, 16-18)

ちょっと考えると、この口上はおかしいように思えてきます。ロザリンドは女性なのに、なぜ「もしも私が女なら」と言うのでしょうか？

この答えは、「シェイクスピア劇は全員、男性の役者が演じる前提で書かれていたから」ということになります。当時のお芝居は今でいうオールメール（全員男性）で、女役は若い男優が演じていました。ここでロザリンドが「もしも私が女なら」と言うのは、お客さんはロザリンドを演じている若い男優が女ではないことを知っているからです。観客はここまでロザリンドを可愛らしいヒロインだと思って舞台に引き込まれていたわけですから、この発言はそんなお芝居の夢の世界が終わったことを告げて現実に引き戻す発言である一方、さっきまではロザリンドだった女性の服装を身にまとった男優がお客さんの男性たちにキスしたいと言うことで、観客を誘惑するものでもあります。男でもあり、女でもあるようなロザリンドの言葉と体には、舞台の魔法が詰まっています。

このレッスンでは、シェイクスピア劇を手がかりに、舞台で異性装が果たす役割について考えていきたいと思います。異性装というのは男性が女性の姿をするとか、女性が男性の姿をするといったような、自分とは異なる性別のものとされる服装を身につけることです。舞台では伝統的に異性装が頻繁に行われてきました。舞台は人の肉体を使った芸術であり、体をどう使うか、どう見せるか、ということが重要になってきます。人々が「男らしさ」とか「女らしさ」と呼んでいるものはこうした肉体を使った表現の上で問題になるものですが、シェイクスピアの時代の舞台は全て男性だけからなる劇団によって「男らしさ」や「女らしさ」を表現しようとしていました。しかしながら、「男らしさ」や「女らしさ」というのは時代によって大きく変わる、非常にあやふやな概念です。こうした男らしさ、女らしさを舞台芸術はどのように表現してきたのか、そしてそれを観客はどのように受容したのかということについて、この章では主にシェイクスピアの戯曲を中心に考えていきたいと思います。異性装を用いた上演は芸術的に大きな効果をあげることもしばしばですが、一方で高校演劇などでは男子が女性役をやりたがらないとか、異性装をする役柄が笑われがちだといったことがあると思います。そうしたありがちな異性装に関する固定観念を問い直す方向性で舞台芸術を考えていきましょう。

第一幕：舞台における異性装

舞台で異性装を用いる理由はいくつかありますが、大きなものとしては、まず法的・商業的な理由で片方の性別の役者しか雇用できないということがあげられます。シェイクスピアの時代のロンドンには、アマチュアで舞台をやる女性はいたのですが、いろいろな法規や商業慣習のためにプロの女優を養成して雇用する選択肢がなく、このため劇団はオールメールで運営されていました。これは一種の性差別と言えます。一方、学校や刑務所、病院、小さな劇団などで人数調整ができず、俳優を役の性別にあわせてキャスティングできないために異性装を用いた上演が行われることもあります。さらに、こうした制約がなくても、美的効果や役者の適性など、演出上のコンセプトのために異性装を用いた配役を行うこともあります。

お芝居ではこの演出上のコンセプトが重要になってきます。現代の舞台には演出家がおり、上演が伝えたいことは何かという芸術的方針を決めて舞台作りを統括します。しかしながら、舞台芸術は集団による協働で作られる芸術なので、演出家が良いコンセプトを打ち出せばそれで面白いお芝居ができるというものではありません。いくらコンセプトが良くても、演技が下手かもしれないし、美術がひどいかもしれないし、衣装が不格好かもしれないし、照明がメチャクチャかもしれません。そうなると上演は台なしになります。コンセプトをきちんと伝えるためにはキャストやスタッフの技術が一定水準に達していて、演出家の意図を把握し、実力をしっかり発揮できる環境である必要があります。異性装に限らずなんらかの工夫が特徴になるような舞台芸術の演目では、こうしたコンセプトと技術がしっかり釣り合っている必要があります。

舞台芸術における異性装を考える上で必要なのは、そもそもジェンダーというのはある程度演じられるものとしての要素があるということです。実のところ、誰が男性で誰が女性かという考えは地域や時代によって大きく異なるところもあり、男らしさや女らしさともなると、同じ地域の同じ時代の人でも違った考えを抱いていたりします。私たちは男女の差異というものを重力とか磁力などのようにはるか昔から厳然と存在する自然のもののように受け止めてしまいがちですが、実は一定の社会的な決まりにそって行動することでこれが確立していくのです。

このぼんやりした男女の差異について理論化を行ったのが哲学者のジュディス・バトラーです。バトラーはジェンダーというものはパフォーマンスだということを論じており、「身体的記号といった言説手段によって捏造され保持されている偽造物」（『ジェンダー・トラブル』、二四〇頁）によってジェンダーが生み出される作用を分析しています。バトラーは人が行うもの、演じるものとしてジェンダーをとらえていますが、これは演技とか行為であるから本当ではないとか、簡単に脱ぎ着できるということではありません。私たちの体とか人格を形作るコアのところに、こういう社会的な決まりにのっとった演技とか行為があるのです。

バトラーいわく、このパフォーマンスとしてのジェンダーが一番はっきりあらわれてくるのが、ドラァグと呼ばれる異性装などを用いて過剰に性別の特徴とされるものを表現するショーです。大げさな衣装や厚化粧を用いて、ドラァグクイーンはパロディ風に女っぽさを、ドラァグキングは男っぽさを表現します。ドラァグクイーンは大部分が男性、ドラァグキングは大部分が女性の異性装によるものです（そうでない場合もありますが）。ジュディス・バトラーは女性客としてドラァグクイーンのショーを見た経験について、こう述べています。

いわゆる男性と呼ばれるこうした人たちの中に、私ができるよりも、私が実行したいよりも、私がしようとするよりもずっとよく女性性というものをこなせる人がいるということは、私にはすぐにわかってしまった。そうして私はその属性の転写可能性としか呼べないようなものに直面したのだ。

（Butler, *Undoing Gender*, p. 213、拙訳）

難しい言葉を使っていますが、ここで言っているのは、女性であるバトラーよりも女装した男性であるドラァグクイーンのほうが、伝統的に女らしいとされている立ち居振る舞いを上手にこなしているということです。つまり、私たちが人間社会で女らしさとか男らしさと考えているものは、生まれつきそなわっているとか、自然に存在するわけではなく、訓練によって「転写」、つまりコピーできるものなのだという考えです。

私たちが性別だと考えているものじたいに、社会的な決まりに従った演技という側面があることを考えると、舞台芸術で異性装を用いることにより、いろいろな効果が出てくる可能性が指摘できます。役者が異性装により、自らの体を用いて社会的な秩序を諷刺・攪乱することで性差についての固定観念をあざ笑い、新鮮な驚きを与えてくれる可能性もあります。一方で、舞台の異性装は性差についてのステレオタイプを強化する陳腐なものになってしまう危険性もはらんでいます。たとえば歌舞伎の女形などが「女よりも女らしい」というような称賛を受けることがありますが、これは「男性の俳優だってあんなに女らしくできるのだから、女性が女らしくできなくてどうする」というような説教につながってしまう可能性もあり得ます。舞台で異性装を用いるということは、演出家のコンセプトや役者の技量によってどちらにも転ぶ、諸刃の剣なのです。

第二幕：シェイクスピア時代の女形

イギリスの演劇史には英国ルネサンス演劇、あるいは近世イングランド演劇と呼ばれる区分があり、一五六七年頃から一六四二年までのイングランドの舞台芸術をこう呼びます。開始はあまりはっきりしないのですが、一六四二年にイングランド内戦のためロンドンの商業劇場が稼働できなくなったので、終わりは決まっています。シェイクスピアはこの時期に活躍しました。

近世ロンドンの劇団がプロの女優を雇えず、若い男優が女役をつとめていたことは、お芝居の内容に相当な影響をもたらしました。たとえば『ロミオとジュリエット』のジュリエットは十四歳にもなっていない設定です。これを見て、昔の人は早く結婚したからとか、年齢を若くすることで悲劇的にしたというような理由を想像する人も多いのですが、演劇の場合、登場人物の年齢設定は役者と関連づけて考えなければなりません。シェイクスピアは宮内大臣一座、のちに名前を変更して国王一座と呼ばれるようになる劇団の座付き作家でした。つまり、一座で上演をすることを想定して、どの役にどういう役者をあてるかある程度考えてお芝居を書く必要があったということです。『ロミオとジュリエット』で一番大きい女役はジュリエットで、この他にジュリエットの母や乳母が出てきます。おそらくジュリエット役の男優がかなり若くて十代半ばくらい、またジュリエットの母役を演じる役者もけっこう若く、まだ少女であるジュリエットの若い母だというふうに設定する必要があったのではないかと考えられます。河合祥一郎の『ハムレットは太っていた！』という本の第一章では、ジュリエットやロザリンドはどういう年格好の男優が演じていたのかについていろいろ面白い分析が出てきているのですが、大役を演じる役者と登場人物の年齢をあわせる必要があったというのは説得力のある仮説で、この時期のお芝居を考える上では必要な視点です。若い男性しか女役を演じられないことにより、配役に制約が出てくるのです。

シェイクスピアの恋愛喜劇で『お気に召すまま』の後に初演されたと考えられている『十二夜』も、おそらくそのような制約のもとで書かれています。『お気に召すまま』のロザリンド役と『十二夜』のヒロインであるヴァイオラ役は、いずれもはつらつとしてユーモアのセンスがある若い女性で、途中で男装をするくだりもあり、同じ役者を想定して書かれたのではないかと言われています。しかしながら、『お気に召すまま』ではしばらく男装していたロザリンドが最後に華やかな女性の衣装に戻りますが、『十二夜』のヴァイオラは劇中、最初の短い場面をのぞいてほぼずっと男装で、最後に女性の衣装に戻りません。これも河合が『ハムレットは太っていた!』で指摘していることですが、おそらくはロザリンドを演じた時よりも女形の身長がのびていて、華やかな女性の衣装があまり似合わなくなっていた可能性があります。当時の劇団はレパートリー制で、今のように決まった期間にひとつの演目を上演するのではなく、ひとつの劇団で毎日ほぼ違う芝居をかけるというやり方をしていました。長期間にわたって一演目を上演するのであれば、特注の衣装を作るなどいろいろ工夫もできるでしょうが、レパートリー制だとヴァイオラ役のためだけに衣装を大きく仕立て直すなどということはおそらく採算やスケジュールの点で難しいでしょう。今の上演だとこういうことはあまり気にしなくてもよいため、最後にヴァイオラが女性の服に戻って観客にあいさつするような演出もあるのですが、初演時は難しかったと思われます。

シェイクスピアは劇団の事情にあわせて書く必要がありました。『十二夜』が初演された時期までは、シェイクスピアは若い女性をヒロインとする恋愛ものをよく書いていましたが、その後はあまり書かなくなります。これはおそらく、それまでは喜劇的なセンスのある優秀な女役をメインに使えたのですが、大きくなって男役に移行してしまい、その後しばらくそうした女役が劇団にいなかったのではないかと思われます。

シェイクスピアの時代の少年俳優は十代くらいということで非常に若く、修行中の身です。中学生とか高校生くらいの少年がクレオパトラやロザリンドのような大役を演じるのですが、さすがにそんなに円熟した演技力が期待できるわけではありません。しかしながら、中には上手な女形もいたようです。一六一〇年、ヘンリー・ジャクソンという人物がシェイクスピアの『オセロー』を見て、デズデモーナ役の少年俳優が大変上手で観客を感動させたと手紙に書き残しています。また、劇場閉鎖より後、一六六〇年に劇場が再開された後に活躍し、最後の女形と言われるエドワード・キナストンは、著名な文人で観劇好きだったサミュエル・ピープスから、「小屋で一番美しい女性」を演じていたと言われています。キナストンは大変人気があったため、十八世紀にコリー・シバーが残した記録によると、身分の高い女性ファンが終演後、キナストンを女の服装のまま馬車に乗せて連れだしたなどという話がありました。一般的に少年俳優は女性に人気があったようで、高い演技力を持つ者もいました。

一方、少年俳優の演技力に対しては批判もありました。女性詩人で芝居にも詳しかったと思われるメアリ・シドニー・ロウスが書いた『ユーレイニア』というロマンスには、少年俳優に関する有名な記述があります。ある女性に求愛されている男性が「まるで、優美な少年俳優が恋する女の役を演じるのを見て、少年だと知りつつそのアクションだけを気に入る程度にしか心を動かされなかった」（第一部第一巻七三頁）という描写があり、少年俳優の演技というのは美しいがあまりリアルではないものだということがほのめかされています。さらに、ある女性登場人物が「演技過剰」で、「立派

図1　タミー・フェイ・メスナー

な女性というよりは恋に溺れきった女の役を演じるためけばけばしく着飾った少年俳優」みたいだと批判されるところがあります。この女性は「型にはまっていて形式的で、鋳型にはめられたような外見」（第二部第一巻一六〇頁）だと言われていますが、ロウスの考えでは少年俳優の演技は定型的になりがちだったようです。ここで面白いのは、女装した少年俳優とわざとらしく振る舞う女性が似ているという描写からは、いわゆる女らしさというものはある程度、型を習うことで身につけられる演技で、演技過剰になると当人がまるで男性のように見えてくるのだという思考が見て取れることです。現代でも、世間で女らしいとされている見かけや振る舞いを過剰に突き詰めると、まるで女装した男性のようだと言われることがあります。たとえば二〇〇七年に亡くなったアメリカのテレビ伝導師、タミー・フェイ・メスナーは、派手な服装や化粧が特徴で、ゲイコミュニティでとても人気があり、ドラァグクイーンのようだと言われていました（**図1**）。ロウスのジェンダー観では、男が舞台で女を演じる一方、女も女を演じているのです。ロウスによる少年俳優の描写は、ジェンダーを微妙なバランスで演じられるものと考えている点で、現代に通じるところがあります。

異性配役が行われる場合、役者はなんらかの社会的決まりに従って定められた女らしさや男らしさについて考え、それを再現することになります。近世イングランドの女役は声変わりやひげ、体つきの変化などに応じて男役に移行したようですが、つまり低い声やひげ、高い身長は男らしいものであり、女らしくないとされていたことがうかがえます。当時のイングランドでは身分のある成人男子の間でひげが流行しており、シェイクスピア劇でも若い男性のことをひげがはえそろっていない若僧だと揶揄する台詞がいくつか見られます。また、これも今では考えにくいことですが、十六世紀頃までは男らしさを象徴するファッションとして「股袋」なるものをつけるのが流行っていました。エリザベス一世の父ヘンリー八世の有名な肖像画（**図2**）を見ていただければわかるかと思うのですが、これは股間をわざともっこりさせる衣服です。現在ではばかばかしく見えますが、これがこの当時は男らしさの鑑となるようなお洒落な服装でした。男らしい外見は時代の趣味によってだいぶ異なるのです。

図2　ヘンリー8世

一方、女らしさはこうした男らしさの欠如あるいは対極にあるものとして定義されます。高い声やすべすべした顔、きちんと結った長い髪などの外見的特徴の他、涙を流すなどの立ち居振る舞いも女らしいものとされていました。ロウスは少年俳優のような大げさな女性の特徴として「作り笑い」や「人を欺く伏し目」（第二部第一巻一六〇頁）をあげています。おそらく少年俳優は優しい微笑みや伏し目がちな表情で役柄を可愛らしく見せようとしていたのでしょう。こうした社会的に決まった立ち居振る舞いが女らしさを作っているのです。

第三幕：近世における性差

男女の差というのは歴史上常に同じように定義されてきたわけではなく、また同じ時代でも異なる考え方が混在するものです。現代的な感覚では男性と女性は極めて異なるものとしてとらえられがちですが、近世くらいまでは通称ワンセックスモデルと言われている、男性と女性というのは連続性のあるものだという考え方もあったと言われています。トマス・ラカーという研究者は、『セックスの発明』という著書で、女性は男性の未完成な変種のようなものだという考えが存在したことを指摘しています。ラカーの理論には批判もあり、シェイクスピアが活躍する頃には男女は違うもので、女性の体は女性として完成している形態なのだというような考え方が広がるようになったようですが、現在に比べるとだいぶ性差についての考えが違い、しかもいろいろな考えがごちゃごちゃと混在していたことは認識しておいたほうがよいでしょう。

このような考え方の混在のせいか、近世イングランドでは衣服による男女の区別が非常に重要視されていたことがよく指摘されています。キリスト教的な道徳を説く著述家フィリップ・スタッブズは一五八三年に刊行したパンフレット『悪習の解剖』でこう述べています。

衣服は二つの性別を見分けるための弁別的なしるしとして我々がさずかったものであり、ゆえに他の性の衣服を着る者は衣服が示す性の仲間になったことになり、自身の性の真実を堕落させている。それゆえ、こうした女がおとこおんな、つまり半男半女の両性具有の化物と呼ばれるのも無理からぬことだ。（n. p.）

このくだりは異性装批判として大変有名です。スタッブズによると、異性の服を着ることは衣服が示唆する性別になることで、これは非常に悪いことだそうです。現代に生きている私からすると、異性装の何が悪いのかわかりませんし、また男性が女性になり、女性が男性になることに何か問題があるとは思えないのですが、スタッブズによるとこれは神の意思に反することです。異性装をすると化物になってしまうのだそうです。

このような考え方はスタッブズ以外にも共有されていたようで、『十二夜』にはこれを反映するような台詞があります。ヒロインのヴァイオラは男装して公爵であるオーシーノに小姓として仕えています。オーシーノが片思いしているオリヴィアに求婚をするお遣いという仕事を与えられたヴァイオラは、自分のオーシーノに対する恋心を秘密にして主人の結婚のため働かねばならないということで、「かわいそうな化物（poor monster）になっちゃった私はご主君を心から愛してる」（第二幕第二場三四行目）と嘆きます。ヴァイオラは化物ではないし、異性装をしたり、同性に恋をしたりすることは悪いことではないのですが、この頃の社会通念のせいで、男装の女性であるヴァイオラはまるで自分が化物になってしまったかのような感覚に苦しんでいます。ヴァイオラは機転の利く活動的な女性ですが、そんな一見自由な精神を持った若者でも、世の中が押しつけてくる固定観念を自然と内面化し、入らなくてもいい心の檻に自分から入ってしまっていることがあります。ヴァイオラの台詞はそうした葛藤を示しています。

『十二夜』の最後でオーシーノはヴァイオラが女性だと知り、ふたりは結ばれます。近世イングランドの恋愛喜劇には、女性登場人物が劇中で男装するものの、最後は女性に戻って男性と結ばれる作品が多くあります。これは、女性は男性の服を着て男性の仕事をするよりは女性の服を着て女性の仕事をするのが健康的で、男女で愛し合って結ばれるのがあるべき姿なのだ、という異性愛中心主義、恋愛中心主義的な社会規範を追認する展開だと言えます。別にヴァイオラが男の服を着続けていてもいいいし、オーシーノとくっつかなくても何も悪いことはないのですが、恋愛喜劇ではそうなりません。男女の愛による結びつきが正しい社会秩序として提示されるのです。

一方でこうした喜劇では、女性登場人物が男装することで男性にしか許されていなかった自由を享受する楽しみの感覚も表現されています。ロザリンドやヴァイオラは男性のふりをしている間に大活躍するし、『ヴェニスの商人』のポーシャは当時の女性が就けなかった職業である法律家として働く機会を得ます。このため、男装のヒロインが登場するシェイクスピア劇は、演出によって性に関する固定観念の強化にもつながれば諷刺にもつながる、解釈の多様性が大きい作品になっています。

演出によってどうにでもなるというのがシェイクスピア劇の大きな特徴のひとつです。よく「無限の多様性」という言葉が使われますが、これはもともと『アントニーとクレオパトラ』でヒロインであるクレオパトラの特徴を形容する台詞です（第二幕第二場二四六行目）。これはクレオパトラのみならず、シェイクスピア劇の作風そのものを表す言葉だと言われています。この「無限の多様性」が現代でもシェイクスピアが演出家や役者に好かれる原因のひとつです。非常に複雑で解釈によっていくらでも新しい見せ方が可能なので、芸術家にとっては取り組み甲斐のあるのです。

第四幕：現代の異性配役

現代の演劇はシェイクスピアの時代の舞台と異なり、演技力のあるプロの女優をいくらでも雇うことができます。しかしながら、演出家のコンセプトによっては男優を女役にキャスティングしたり、女優を男役にキャスティングしたりすることがあります。ここではいくつか例をあげ、現代のシェイクスピア劇がどのようなコンセプトで異性配役を用いているのか見ていきましょう。

異性配役を行う場合、ざっくり分けて三種類の方針があります。オールメール、オールフィメール、混成によるものです。オールメールは全ての役を男性が演じます。男性同性愛への偏見が少なくなったことと、近世イングランド式の復元上演に関心が高まっていることもあり、全員男性によるプロの劇団の上演は二十世紀後半以降、多数行われるようになっています。ただし名目上「復元」を目指しているため、新機軸を打ち出すよりは保守的な演出になることもあります。オールフィメールは全ての役を女性が演じるものです。女役が少ないシェイクスピア劇では女優の雇用が少なくなることもあり、こうしたオールフィメールは雇用の偏りを是正するという面でも、演出上の実験ができるという面でも利点があり、増加しています。これ以外に混成によるものがあります。いろいろな性別の役者が出演し、女優が男性を演じたり、男優が女性を演じたりするというものです。

オールメールの有名な上演としては、デクラン・ドネラン演出による『お気に召すまま』（一九九一）があります。ジャマイカ系イギリス人で、黒人男性であるエイドリアン・レスターが主役のロザリンドを演じました。このようにキャストの人種を限定しない上演は現代のイギリスやアメリカの演劇ではふつうに行われています。めがね姿のロザリンドを魅力的に演じたレスターの名演は上演史に残るものですが、レスターは『インデペンデント』紙の取材に対して「本当に面白いんですが、ロザリンドが自分を男っぽく見せようとしている様子を演じている時の私が一番女っぽく見えたんですよ。私が女っぽく見せようとするのをやめると、すごく女っぽく見えると皆言ってたんですね」とコメントしています。このコメントは、どういうふうに女らしさや男らしさが作られるのかということを示す興味深い内容です。つまり、意識的に女らしくしようとするとわざとらしくなってしまうことがあるということで、前の節で紹介したロウスの分析と似たことを指摘していると言えるでしょう。

オールフィメールはより実験的になることがあります。ロンドンにある、近世の劇場を復元したグローブ座が二〇〇三年から二〇〇四年に実施したオールフィメール・シリーズでは、女性によるドラアグとしての女役というようなコンセプトが出た作品がありました。また、現在もイギリスで続いているフィリダ・ロイド演出のオールフィメール・シェイクスピア・シリーズは政治的で攻撃的な演出が頻繁に採用され、女優が『ジュリアス・シーザー』などの男性登場人物が多い芝居を演じることで、過剰な「男らしさ」の発現と、その裏にある「女らしく」見えることへの恐怖を浮き彫りにしようとしています。

混成によるものはいろいろありますが、多いのは名女優がリア王やハムレットなど、男性の大役を演じるというものです。これは名優がやりたい役をやるというものですが、興味深いのは男性の大役をやりたいという女優はたくさんいる一方、ロザリンドなど女性の大役をやりたいという男優は少ないことです。まれにクレオパトラなどの役をやりたがる男優もいますが、女優に比べるとそういう事例は少なくなっています。もし男優が女役をあまりやりたがらないということであれば、これは役選びにおけるジェンダーバイアスと言えるかもしれません。完全に混成で上演を行うものとしては、日本では東京で上演を行っているカクシンハンなどがあります。男優が女役を演じたり、女優が男役を演じたりし、かつひとりがいろいろな役を演じることで役に多層的な意味を与える試みをしています。最近はトランスジェンダーやノンバイナリの役者陣もシェイクスピアに出演しており、今後はより多様な役者が活躍するキャスティングが増えていくと考えられます。

エピローグ

最後に、異性配役を用いた上演を面白く見るにはどうしたらいいか、というお話をしたいと思います。異性配役というと何か身構えてしまうという人もいるかもしれませんが、まずは偏見を捨て、バカにせず無心に楽しんでみてほしいと思います。もし楽しければどうして楽しいと思ったのか、もし楽しくなければどうして楽しくないのかを考えてみてください。まずは楽しむことが大事ですが、楽しくなければもちろんそれでまったく構いません。ロザリンドはエピローグで「このお芝居が楽しいものとなりますよう」（一六行目）と観客に対して願っていますが、お芝居が楽しいかどうかの決定権は観客にあります。楽しいと思う時はなぜ楽しいのか、楽しくないと思う時はなぜ楽しくないのかを考えるのがお芝居についてよく知る入り口になります。

異性配役の上演を見て、性差について考える差異には、役者がどうやって「男らしさ」「女らしさ」を作ろうとしているのか観察するところから入るのが良いでしょう。役柄が伝統的な男らしさや女らしさを無批判に再現するばかりで陳腐なステレオタイプに陥っていないかとか、観客が性差というものを見るにあたって何か新しい観点や諷刺的な笑いなどを提供してくれるかなどを考えていくと、よりお芝居の意味合いがわかるようになります。

演劇の醍醐味の一つは、人間の肉体について新しい見方を提供してくれることです。役者の肉体について考えることは、見ている我々自身の肉体や性について考えることにつながります。性別とはどうやって作られるのか？　美しさとはどこから来るのか？　肉体をコントロールするとはどういうことか？　こうしたことを、是非演劇を通して考えてみてほしいと思います。

［参考文献］

＊本章の一部は、北村紗衣『シェイクスピア劇を楽しんだ女性たち——近世の観劇と読書』（白水社、二〇一八

年）を一般向けに書き直したものを含みます。

スティーヴン・オーゲル『性を装う——シェイクスピア・男性装・ジェンダー』岩崎宗治・橋本恵訳、名古屋大学出版会、一九九九年。

河合祥一郎『ハムレットは太っていた！』白水社、二〇〇一年。

楠明子『シェイクスピア劇の〈女〉たち——少年俳優とエリザベス朝の大衆文化』みすず書房、二〇一二年。

ジュディス・バトラー『ジェンダー・トラブル』竹村和子訳、青土社、一九九九年。

トマス・ラカー『セックスの発明——性差の観念史と解剖学のアポリア』高井宏子・細谷等訳、工作舎、一九九八年。

Janet Adelman, 'Making Defect Perfection: Shakespeare and the One-Sex Model', in Viviana Comensoli and Anne Russell, ed., *Enacting Gender on the English Renaissance Stage*, University of Illinois Press, 1999, 23-52'.
Judith Butler, *Undoing Gender*, Routledge, 2004.
Colley Cibber, *An Apology for the Life of Colley Cibber*, 3rd ed, London, 1750.
'Excerpts from Henry Jackson's Letter Recording a Performance of Othello at Oxford', Shakespeare Documented, Folger Shakespeare Library, <https://shakespearedocumented.folger.edu/exhibition/document/excerpts-henry-jacksons-letter-recording-performance-othello-oxford>, accessed 25 March 2020.
Helen Hackett, *A Short History of English Renaissance Drama*, Tauris, 2013.
Sarah Hemming, 'Theatre: Taking Strides', *The Independent*, 15 April 1992.
Elizabeth Klett, *Cross-Gender Shakespeare and English National Identity: Wearing the Codpiece*, Palgrave, 2009.
Samuel Pepys, *The Diary of Samuel Pepys*, ed. Robert Lantham and William Matthews, 11 vols, Bell and Sons, 1972.
William Shakespeare, *As You Like It*, The Arden Shakespeare 3rd Series, ed. Juliet Dusinberre, Thomson, 2006.
——, *Twelfth Night*, Arden Shakspeare Third Series, ed. Keir Elam, Bloomsbury, 2015.
Philip Stubbes, *The Anatomie of Abuses*, 1583.

Mary Sidney Wroth, *The First Part of The Countess of Montgomery's Urania*, ed. Josephine A. Roberts, Arizona Center for Medieval and Renaissance Studies, 1995; repr. 2005.
——, *The Second Part of The Countess of Montgomery's Urania*, ed. Josephine A. Roberts, Suzanne Gossett, and Janel Mueller, Arizona Center for Medieval and Renaissance Studies, 1999.

図１：Darwin Bell, https://commons.wikimedia.org/wiki/File:Tammy_Faye_Messner.jpg　https://creativecommons.org/licenses/by/2.0/legalcode

図２：https://commons.wikimedia.org/wiki/File:Henry-VIII-kingofengland_1491-1547.jpg

読書案内

シェイクスピア劇を見る際におすすめしたいのは河合祥一郎『**シェイクスピア――人生劇場の達人**』（**中公新書、二〇一六年**）です。時代背景から作品の見方まで、さまざまなことを手際よくカバーしています。著者が行った調査に基づく分析もさりげなく入っており、学問というのはこうやってするのか……ということも感じ取れます。

英文学批評の手引きとしては、廣野由美子『**批評理論入門――『フランケンシュタイン』解剖講義**』（**中公新書、二〇〇五年**）が定番です。メアリ・シェリーの『フランケンシュタイン』を題材に、小説の読み方のイロハを教えてくれます。批評理論についても簡単に押さえることができます。

チャレンジ編として、フェミニズム批評の古典であるサンドラ・ギルバート、スーザン・グーバー『**屋根裏の狂女――ブロンテと共に**』（**朝日出版社、一九八六年**）と、クィア批評と呼ばれる分野の定番であるイヴ・K・セジウィックの『**男同士の絆――イギリス文学とホモソーシャルな欲望**』（**名古屋大学出版会、二〇〇一年**）をあげておきます。さらにジェンダーと批評の世界に分け入りたいという時に手にとってください。いずれも文学の読み方を問い直す本です。

6 女性史美術館へようこそ——展示という語りと語り直し

小森真樹

入館の前に

美術館の展示とは美術の歴史である。本章ではこのような「ミュージアムが語る美術史」という視座を学びます。つまり、美術展とは、美術史の教科書と同じように「歴史の語り」なのであり、美術館は「芸術に関する語りが生まれる現場」だという見方です。

ここでは「ジェンダーの偏り（バイアス）」に着目してミュージアムが語る美術史について考えていきましょう。ジェンダー上の不平等という課題に対してクリエイティブなアプローチで応えるアート作品や展覧会、ミュージアムを見ていきましょう。また、「デジタル展示技術」や「コレクションの再解釈」にも焦点を当てて、近年の取り組みについて目配りしたいと思います。

さて、「ミュージアム」というのは、何をする場所でしょうか？　すぐに頭に浮かぶのは、「展示をする／観る」ための場所だという答えでしょうか。「展示を観る」というのは、展示物を目で観て何かの情報を受け取り学んでいるということになるので、言い換えれば、来館者は展示で教育を受けていることになります。その展示を企画して制作するのが「学芸員」や「キュレーター」と呼ばれる仕事です。絵画や化石、模型といったそれぞれの展示物は、ミュージアムの収集と研究の結果としてそこに集められたものですが、そのモノの集積を一つの展示「物語」として編み上げて来館者にメッセージを伝える。これがミュージアム活動の核となる展示教育です。この編集行為のことを、「キュレーション」や「学芸活動」などと呼びます。

展示教育は、様々な分野の研究活動に基づいています。例えば、歴史・民俗系の博物館では日本史・西洋史・民俗学の研究者が資料を分析したり同定をしています。美術館なら美術史や美学の方法で美術品の由来や作風を研究し、科学博物館であれば宇宙工学や物理学などによって解明された最新の成果を見せるといった具合です。実は動物園、植物園や水族館も「ミュージアム」に区分されるのですが、これは動物学、植物学、魚類学などの研究機関でもあるからというわけです。ミュージアムには収集品＝コレクションが集められ、それらを保存して研究をしています。つまり、ミュージアムとは、収集した物を保存・保護し、調査・研究し、そこで得られた知見を展示によって教育をして、社会や後世に伝えていく学問の総合機関ということになるのです。

以下では、こうした考え方を念頭において、「美術史におけるジェンダー」というテーマで四つの美術館の事例を見ていきたいと思います。特に「女性」の扱いに焦点を当てていきます。いわばテーマを立てて事例を「キュレーション」してみたわけですが、これを誌面で展開される「女性史美術館」と呼んでみるならば、読者の皆さんは「来館者」としてこれから四つの「展示室」を順に訪れていくことになります。さあ、「女性史美術館」の扉を叩いてみましょう。

第一室：美術館／美術史は誰のものか？

さっそく一枚の平面作品を観賞してみましょう（**図1**）。というと美しい風景や人物を描いた絵画作品を想像したかもしれませんが、そうではありません。本作はゲリラ・ガールズ（Guerrilla Girls）というアーティストが一九八九年に発表したポスター作品です。顔がゴリラの女性が裸体で横たわっています。添えられたメッセージには「女は裸にならないとメトロポリタン美術館に入れないの？」とあります。これは何を意味しているのでしょうか？

続いてすぐ下を見ると、少し小さな文字で書かれたメッセージに、「〔メトロポリタン美術館の〕近代美術部門における女性アーティストの割合は五％以下だが、〔所蔵されている〕ヌード作品の八五％が女性だ」とあります。

強烈なメッセージです。つまり、世界を代表するメトロポリタン美術館の展示室から、美術界・美術史の男女比の不均衡や、「男が描き、女が（性的に）描かれる」という非対称な構造が見えるのだというのです。アーティストは、痛烈な批判を作品に込めて発表したわけです。

これは美術史一般を見ても事実その通りで、例えば、美術史家リンダ・ノックリンが美術界におけ

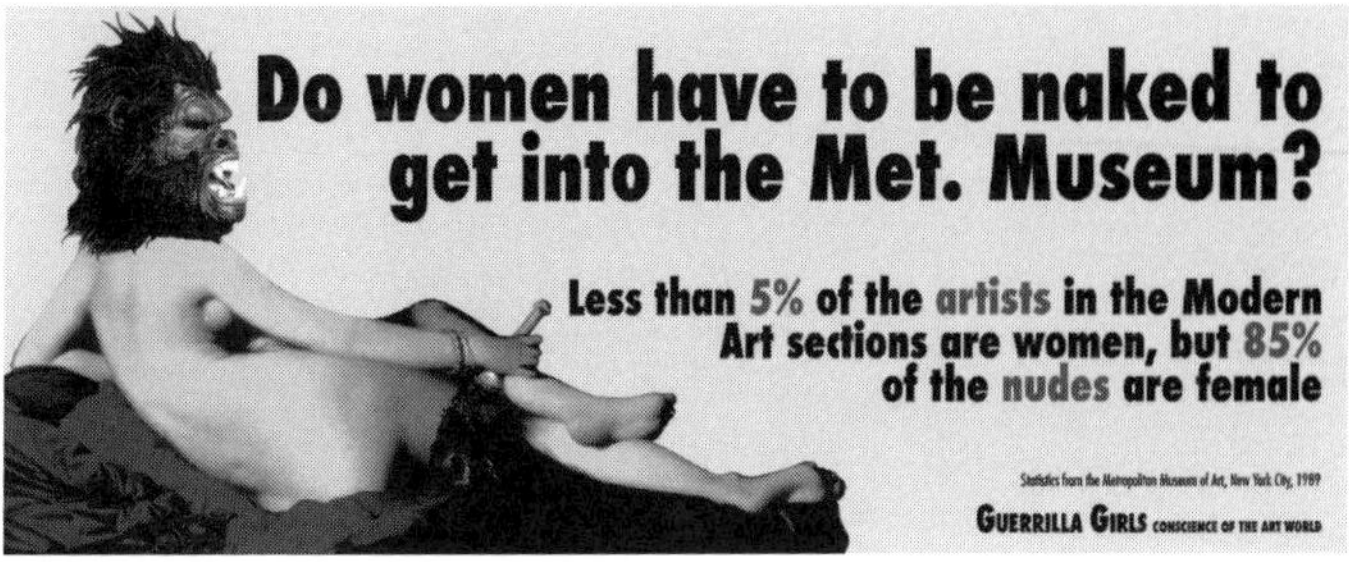

図1　ゲリラ・ガールズ《女は裸にならないとメトロポリタン美術館に入れないの？》1989年　Copyright © Guerrilla Girls

るジェンダーの偏りを批判した古典的研究「なぜ偉大な女性の芸術家は現われないのか？」は、画家の世界が男性に牛耳られていたと指摘しています。例えば、宗教画など権威あるジャンルに女性が関わることが許されない時代がありました。また、作品を評価したり記録をする人たちの価値観にジェンダーバイアスがかかっていたとも指摘されています。つまり、この人こそが歴史に名を残すべき正統な芸術家だ、と決める立場にいる人たちが、女性の芸術家を積極的には選んでこなかったというわけです。こうした結果、描くのが男性、描かれるのが女性という不均衡が残り続けているというのです。

　ゲリラ・ガールズは、一九八五年にニューヨークで結成されたアート・コレクティブ（芸術家集団）です。フェミニスト・アーティストを名乗り、ここで見た代表作のように、美術界を中心とした社会における女性差別を主題にした作品を、しばしばストリートパフォーマンスなどの形で「ゲリラ」的に発表することで知られています。常にゴリラのマスクを被り覆面で活動をしているのは、活動を匿名化するためであり、女性の身体に向けられる性的なまなざしを皮肉るためでもあり、そして「ゴリラ＝ゲリラ」

ともじりを入れてユーモアを生み出すためでしょう（当初は綴りの間違いから生まれたようです）。メンバーは「フリーダ・カーロ」など没した女性芸術家の名前で活動をしているのですが、それは作家のパーソナリティに注目されるのではなく、題材とする社会問題自体に光が当てられて欲しいからという意図があると説明されています。

　このポスター作品で使われている裸体の女性は、画家ドミニク・アングルが一八一四年に描き、現在はルーヴル美術館に所蔵されている《グランド・オダリスク》です。つまり、紛れもない「銘品」であり、美術史に詳しい人であればすぐにそのことがわかります。一方、主題の「オダリスク」とはハーレムの女性という意味であり、フランスに生きたアングルは、「西洋」から「異文化」へのステレオタイプ的で一方的な美化と憧れ＝「東洋趣味《オリエンタリズム》」の特徴が色濃い作家として知られています。彼が活躍したのはナポレオン一世がフランス帝国を拡大した時代で、当時「東洋」は軍事支配の対象でもあり、支配国の男性が彼の地の女性に対して性的な憧れのまなざしを向けているというわけで、ここには二重の支配構造があります。

　この美術史的・政治史的な文脈を知った上で見ると、女性の顔がゴリラであることに明確な批評性があることがわかります。人間の女性を奪いとる巨大ゴリラが登場する古典映画『キング・コング』（一九三三年）に見られるように、我々の社会は、ゴリラを「男らしさ（masculinity）」の象徴と理解しています。これらのステレオタイプを逆手にとって、女性の身体が「男らしさ」をまとっているという皮肉を効かせているのです。

　本作は、ロンドンのテート・モダン美術館やワシントンDCのスミソニアン協会ナショナル・ギャラリーに収蔵されました。これらは現代の美術界をリードする代表的な美術館です。つまり、少し前の時代であればモネやピカソのように、美術史の教科書に残る作品となったのです。この事実も作品理解の補助線とするならば、世界に名だたる「銘品」を保存して後世に伝える美術館が語る歴史にはジェンダーの不均衡が存在するのだと批判した上で、さらに、その「美術館が残す美術史」というカラクリを逆手にとって、美術史に対する批判のメッセージを後世へと継いでいるということになるでしょう。パロディの素材となった《オダリスク》もまた、美術の殿堂たるルーヴル美術館を代表するコレクションであるという点には、女性史という観点から美術史を「上書き」するという意図を読むこともできそうです。

美術館や、そこで語られる美術史とは誰のものなのでしょうか？　このように問うてみても、ごく単純に考えれば、それは誰のものでもなく、自由に語るべきものだということになるでしょう。あるいは、美術史には「純粋に良い作品」が残っているのだ、というのが大抵の人々が信じていることでもあります。しかし、その「良さ」を定める世界それ自体が歪んでいたり、何かの力学が働いていると理解した途端に、「純粋に良いものだから歴史に名を残している」などとは到底言えないと気がつくことでしょう。

ゲリラ・ガールズが数十年も前に問うたこの問題は、残念ながら、現在もなお有効です。実のところ美術関係者でもこうした批判的視座を持たずにいたり、そうは考えていても美術界内部にいてはその力学に対抗できずにいるように思えます。二〇一九年には、最古参の国際芸術祭ヴェネツィア・ビエンナーレや国内でもあいちトリエンナーレなどが、男女アーティストの参加数を同数にするというアクションを起こしました。これは、ジェンダー的に偏った美術界の構造を改革し、同時にその重要性を象徴的なメッセージとして発信する行為なのです。このように少しずつ前進もあるものの、例えば日本の美術館において館長職に就いている女性はわずか十六％である一方、主要美術館の収蔵作品のおよそ八〜九割を男性作家が占めるというデータが示すとおり、美術界や美術史における不均衡や差別の構造が完全に解消されたというには程遠い現状です。このような状況においては、「美術館や美術史は誰のものか？」と常に問い続けることが重要なのです。

第二室：ミュージアムで女性史を語る

さて、次の「展示室」へと参りましょう。まずは美術の制作や研究成果の足跡を残すのが「美術史」であり「美術館」の役割であると理解しましたが、ゲリラ・ガールズが美術作品によって美術界の内側から歴史の歪みを暴露したことを見てきました。次に見ていきたいのは、美術館を「使って」美術史の歪みを正そうという試みです。

アメリカ合衆国の首都ワシントンＤＣにある「〈芸術領域における女性〉の美術館（National Museum of Women in the Arts, NMWA）」は、その活躍にもかかわらず不当に日の目を見ていない女性アーティストの作品を再検証するという趣旨で設立されました（ちょっと変な訳を当てましたが、意味合いからするとこうなります）。一九四〇年代という早い時期にパリ大学で美術史を学び、米中国大使や宋美鈴の秘書も務めたというウィルヘルミナ・ホラディは、一九六〇年ころから実業家の夫ウォレスと共に女性画家の作品を収集していました。収集旅行を続ける中で彼女が特に魅了されたブレーメンの画家クララ・ペータースの作品のことを調べようとしました。しかし、権威ある美術書を軒並み探せど、どこにも扱われていないと知り、不当に低く評価されていると感じる女性作家に絞って収集をするという着想を得ます。当初は集めた作品をワシントンDCのジョージタウンにある自宅で公開していましたが、アメリカ最大の芸術支援団体「全米芸術基金」の会長でもあった美術史家ナンシー・ハンクスの勧めで、集まった作品群により学術的なまとまりをつけ、将来的にはミュージアムとしての公開・保存を目指すようになったといいます。

ホワイトハウスにもほど近い、元はフリーメーソンの寺院だった施設を買い取る話が持ち上がり、いよいよ一九八七年に美術館は開館します。十六世紀から現代まで世界各地の女性芸術家の作品を収め、二〇二一年現在は約千人の作家による四千五百点程度の作品を所蔵し、常設展に加えて企画展も活発に開催しています。

例えば、肖像画のセクションでは「女性が描いた女性」をテーマにした展示があります。先ほど少し触れた通り、実は十六世紀欧州の芸術アカデミーでは女性の入学が許可されておらず、また男性裸体像を描く機会が与えられなかったために、女性画家は宗教画や歴史画という花形のジャンルの絵画を描くことができませんでした。画家の世界は「男の世界」だったのです。そのためこの「〈芸術領域における女性〉の美術館」では、その時代的制約の存在を前提に肖像画や静物画を再評価することで、美術史を描き直そうとしています。

この図を見てください（**図2**）。アメリカ国内の主要な美術館で所蔵されている美術品の作者がど

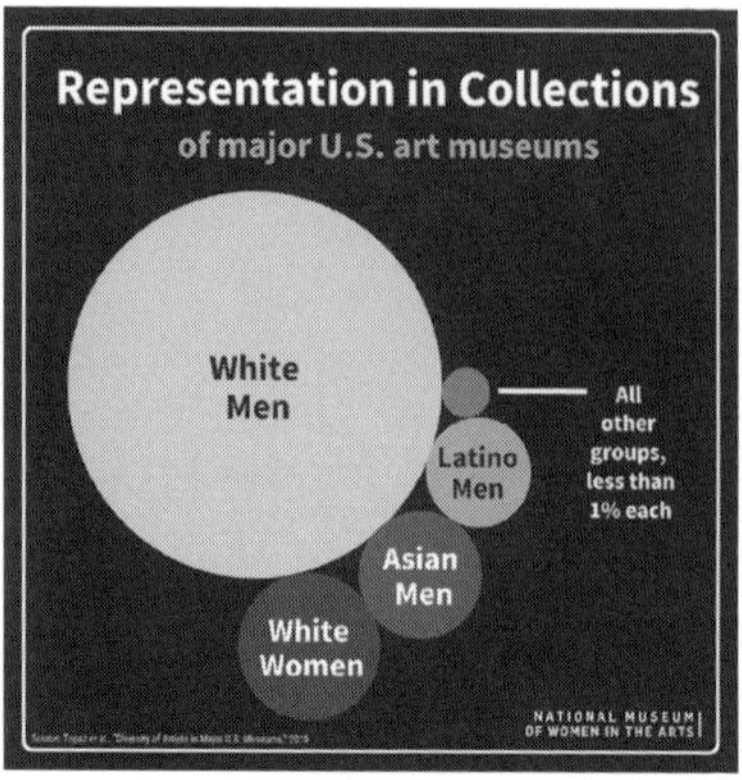

図2　アメリカの主要美術館が収集する作品における制作者の属性を示した図。「白人男性」の数が圧倒的であることを示している。

のような属性か、その内訳をわかりやすく示したものです。そのほとんどが白人男性によるもので、白人女性はもとより、白人以外の人種的背景を持つ女性がコレクションに占める割合の低さが見て取れます。この美術館は、こうした不均衡に対してアクションを起こしているのです。

現在美術館に収集されている「女性芸術家」にも、特定の女性像という強いバイアスがかかっていたことも想像に難くありません。例えば「女性らしい優雅な色づかい」などと「女性らしさ」に還元して評価する、ありがちな「女性の芸術」神話のレトリックが想起されますが、女性や非白人の芸術家の歴史の実像は、そこでイメージされるもの、つまり一種の「男目線のフィルター」を通した女性芸術とは全く異なる多様性豊かなものでしょう。こうした歴史への想像力をもって美術史を再構成しようというのが、この美術館のコンセプトなのです。

不均衡な歴史の語り継ぎによって埋もれた女性芸術家の活動に光を当てるだけでなく、さらにこの美術館は作品を未来に伝えていく機能も有しています。ミュージアムには「コレクションを未来永劫保存し継承していく」という理念があります。この理念を掲げることによって、歴史を風化させず語り継いでいこうとしているのです。「女性による芸術の歴史」という主題で美術館に作品を残しておけば、将来作品を参照することができます。もしもそれらが「残すべき価値のない作品」として廃棄されてしまっていたら、さらなるジェンダー不均衡が問題視されたり、その是正のために歴史の再検証や語り直しが起こった時に、それらを学術的に正当に評価することさえも困難になります。結果として、価値ある文化や芸術の遺産を人々が享受する機会が失われることにもなるでしょう。実際この美術館は、学術研究所としての機能も持ち合わせています。「〈芸術における女性〉の美術館」の設立は、いまだ解決されていない美術史におけるジェンダー不平等を是正する点で高い意義を持っているのです。

この「展示室」を出る前に一言だけ付け加えたいのですが、女性の芸術と限定すると、それに囚われることで良い作品がなくなるのでは？　と心配する声が時々聞かれます。安心してください。個人的な見解にはなりますが、その品質は保証できます。新型コロナ期にはさらにオンライン展示が充実したので、ぜひ実際にサイトを覗いて展示や作品を観てください。また、先ほど引用したような美術界のジェンダー不平等に関する、とてもわかりやすいデータが豊富に掲載されてもいます。

第三室：コレクションを逆なでに読む

さて、次の「展示室」へと進みます。ブルックリン・ミュージアムでは、二〇一八年から翌年にかけて《ハーフ・ザ・ピクチャー》という企画が行われました。ここで見ていきたいのは、展覧会のキュレーションが美術館のコレクションにどのように「物語」を与えているかという実例です。まずは展示室に入ったところの写真を見てみましょう（図3）。

数ある作品の中でもまず目に留まるのは、巨大なスクリーンに映し出された女性スーパーヒーローの姿です。実はこのワンダーウーマンは、アメリカではフェミニスト・アイコンとして知られています。

ワンダーウーマンの原作者は、心理学者ウィリアム・モールトン・マーストン。連れ合いの女性とまた別の女性の三人で、同性愛を含む複数愛《ポリアモリー》の生活を送った人物で、多様な性の形を認める思想をコミック作品の女性ヒーローとして社会に広めようとしたことが知られています。出版された一九四〇年代のアメリカでは、同性愛は違法であり社会通念上も不道徳なものとされてきました。そのため、マーストンは大学の研究職を追われたり、作品も強い批判や検閲を受けてしまうのですが、その後一九七〇年代になってフェミニズム運動が盛り上がる中でワンダーウーマンがそのアイコンに位置づけられていきます。著名なフェミニストのグロリア・スタイネムが取り上げ、フェミニズムの代表誌『ミズ』の表紙を飾り、女性が妊娠中絶する権利を守る歴史的な最高裁判決（ロー対ウェイド判決）が出た時には、ワンダーウーマンが中絶クリニックを守るという筋書きまで構想されました。近年では「同性婚をした」初のスーパーヒーローとなり、本作のハリウッド映画もヒットを続けるように、そのアイコンとしての地位は不動のものとなっています。

展示室に戻りましょう。ワンダーウーマンの映像をカットアップ（切り貼り編集）したダラ・バーンバウムの《テクノロジー／トランスフォーメーション：ワンダーウーマン 1978/9》は、最も印象に残るキーヴィジュアルとなっています。展示室全体を特徴づけることで、観る者がこの展覧会に対してどのような「読み」を期待されているのかを伝えています。

その上で、その他の作品を見てみましょう。図4は、先ほど紹介した、美術界における男女不均衡を指摘した著名な美術史家リンダ・ノックリンの結婚式を描いた肖像です。彼女がどのような人物なのかを知り、また展覧会のタイトル・趣旨やワンダーウーマンのイメージを見せられた上で、この作品の意味を解釈するならば、みなさんはどのような絵画だと考えるでしょうか。展示キャプションには、結婚式の様子だが、二人は目を逸らして不機嫌そうで美しくもないという、「新婚は幸せいっぱいである（べき）」という社会常識や「結婚式を描いた絵画」とはかくあるべきという規範を崩そうとするもので、ノックリンがいたく気に入ったと説明があります。

基本的に美術品や美術展とは、その解釈が開かれているものです。開かれていると同時に、このよ

図3　展覧会のイメージを印象づける巨大スクリーンの作品。ダラ・バーンバウム《テクノロジー／トランスフォーメーション：ワンダーウーマン 1978/9》

図4　フィリップ・パールスタイン《リンダ・ノックリンとリチャード・パマーの肖像》1968 年

うにモノの配置や組み合わせによって展示の読み方を方向づける。これがキュレーションです。

少しだけ複雑な話になりますが、実はバーンバウムがワンダーウーマン作品に込めた意図はまた別のところにあります。作者はワンダーウーマンを、「普通の女性」か「スーパーヒーロー」の両極のみを生きる中間性を欠いた存在であり、ワンダーなウーマンすなわち能力のある女性が「フェミニスト・アイコン」などと強い社会的な役割を不可避に与えられてしまうそのことこそが不平等ではないかと問題提起をしたいようです（来館者の質問に対するキュレーターの回答より）。開かれた解釈の多様性がアートの価値であるならば、作者が作品に込めた意図もまた「ある一つの見方」に過ぎないと考える方が、アートの豊かさにつながるということになります。この点、この展覧会のキュレーションが「フェミニスト・アイコン」としてワンダーウーマンという意図的な「誤読」を招くことを狙ったのかどうかについては定かではありませんが、少なくとも、展覧会全体の方向性を強く決定していたとは感じられます。

さて、この読みの方向性＝物語をより強固にするのは、キュレーターによる講演会などのプログラムです。言葉を用いて意味を明確にするからです。筆者が参加した講演では、各作品の解釈に加えて、キュレーションによって各作品をどのように組み合わせたのかも解説されていました。

図5の作品は、アメリカ先住民クロウ族の血筋を持つウェンディ・レッドスターによる作品です。この写真は一八八〇年にモンタナの居住地からワシントンDCを訪れた部族の首長たちを撮影したものですが、それはアメリカ政府といわゆる不平等条約を結ばされた時のことでした。その後もクロウ族の言語は政府の同化政策によって意図的に使用・教育を禁止される一方で、文化人類学者たちがそ

れら「消えゆく文化」を「救済」するために研究対象として遺体を博物館に収集するなど、彼らは憂き目を見ることになります。レッドスターは、複製した写真の上に赤色の文字で「私と六十名の部族の仲間たちの遺体は、衛生学者W・ラッセル博士によってビッグホーン川沿いの埋葬墓から盗まれた。／私の体は五百ドルでコレクターに売られ、七十二年間アメリカ自然史博物館に保管された」とその後の彼らの痛ましい履歴を記しています。黒人のように視覚上区別されやすい人種とは違い、都市に生きる先住民は、より「見えない」人種であり特殊な差別構造に置かれているとレッドスターは言います。彼女のようにミックスであれば一層そのような経験も多いでしょう。彼女は常に「見える状態

図5　ウェンディ・レッドスター《1880年クロウ族平和使節団》シリーズの一作。

図6　各作品を配置する構成によって「女性差別」と「人種差別」の問題を接続している。

にすること（visibility）」と「先住民たちの声を代弁すること」を意識して作品を作ってきたと言います。赤入れした注釈によって、元の歴史資料が消去している、自身の部族の「声」を「見える状態」にしているのです。

図6に見られるように、今や「女性の権利を社会に取り戻す」象徴となったワンダーウーマンの足元で、白人との不平等条約を結ばされた先住民迫害の歴史を暴き出す作品を併せて展示することによって、展覧会は、アメリカ社会の「女性差別」が「人種差別」と類似した問題であると示唆しています。つまり、アメリカの社会や歴史に宿る「弱者・マイノリティ」差別構造への批判へと昇華されているのです。

この展示は、シリーズ《フェミニスト視座で見るコレクション》の一環で企画されました。ミュージアムのコレクションを使って、女性が抑圧された状況への批判的な視座を持った展覧会を企画するシリーズです。会場となったエリザベス・サックラー・フェミニスト・アート・センターは、二〇〇七年に全米初のフェミニスト・アート専門の研究所・展示室として、ブルックリン・ミュージアム内に設立されたものです。

この展覧会のタイトルにある〈ピクチャー〉という言葉は、絵画や写真や映画など視覚的な作品のことを指すと同時に、「物事の全体像」という意味も持ちます。タイトルは「〈ピクチャー〉の半分」と名づけられています。これは先ほどのゲリラ・ガールズによる作品からの引用です。一九八九年に発表された同作のタイトル、「女性や有色のアーティストの視点なしには、あなたは〈ピクチャー〉の半分以下しか見えていない（You're seeing less than half the picture without the vision of women artists and artists of color)」が、作品の意図を雄弁に語っています。美術館とは主に「視覚芸術」を扱う機関ですが、それら美術館のピクチャーを支配してきたのは「白人の男性」であり、「非白人（有色系）」や「女性」アーティストの視座が忘れ去られたままでは「全体像」が見えていないと批判しているのです。そして、この残り「半分（以上）の像」を補完するのが、この展覧会というわけです。

このようにブルックリン・ミュージアムでは、これまでは別の物語を語ってきたコレクションに対して、また別の見せ方や解釈を提示することで、「もう半分」の物語を綴っています。キュレーターであるキャサリーン・モーリスの狙いは、「歴史の語りの再解釈」にありました。旧来の歴史を「逆なで」して読み換え、歴史というものの複数性や多重性を提示しているのです。

第四室：スマホで逆なでに読む

ここまで、展示の語りとは歴史を伝えるものなのだという観点に立っていくつかの例を見てきました。美術界における男女不均衡の問題や、女性や有色人種など社会的弱者から見えている風景を提示する手段として、美術作品や展覧会、ミュージアムが用いられていました。最後の「展示室」では、展示を用いて歴史を伝えるための新たな工夫について見ていきましょう。

ロンドンにあるテート・ブリテンは、一九五五年にナショナル・ギャラリーから分離独立する形で創設された「イギリス美術」を扱う美術館です。元はミルバンク刑務所があった場所で、近くにはテムズ川が広がっています。ここで扱われる「イギリス美術」とは、一五〇〇年代以降の主に絵画を扱い、常設展示室はご覧のように「1730、1760、1780……」と年代で区切られて時系列順に紹介されています（図7）。

この美術館では、展示室とウェブサイトを連携させる「ウォークスルー」というシリーズを展開しています。通常の作品解説のキャプションの下に、「オンラインツアーで本作の新しい解釈についてご覧ください」と書かれており、ウェブサイトのURLやQRコードもつけられています（図8）。手元のスマートフォンでサイトにアクセスすると、展示室のキャプションとは別の視点から書かれた解説を読めるようになっています。

いくつかシリーズがありますが、ここではジェンダー視座からの《クィア・ウォークスルー・ブリティッシュ・アート》を取り上げてみましょう。一九〇〇年代の部屋にある本作は、グウェン・ジョ

図7　時系列でイギリス美術史を語るのがテート・ブリテンの特徴。床には年代が書かれ，鑑賞者は展示空間を時間を感じながら歩いていく。

図8　下のパネルがオンライン展示「ウォークスルー」のもの。上の常設の解説とは異なり，テーマ性の高い解説を手元のスマートフォンで読むことができる。

ンによる《裸体の少女》です（図9）。展示室の説明では「本作でジョンが用いたミニマルな画面配置や抑えた色が、座っている人物への注意を引きます。（……）裸体のモデルは作家が嫌っていたとされるラヴェル氏と思しき女性ですが、（……）彼女が画面に向けるまなざしは、人々が女性のヌードに期待する〝受け身な女性像〟に疑いを投げかけています」とあります。

一方、手元のスマートフォンでクィア・ウォークスルーのキャプションを読むとこのようにあります。「オーギュスト・ロダンの恋人として有名なグウェン・ジョンは、バイセクシュアルで女性とも関係を持っていました。ミニマルな画面配置や抑えた色が座る人物の裸体への注意を引き、画面は性的な色彩を放ってもいますが、一方でモデルの少女が持つ独立心と女性らしさを認めてもいます。筆者が《裸体の少女》を非常に気に入っているのはそのためです」。このように、アーティストのジェンダー的背景の情報を補足しながら、より踏み込んだ解釈となっています。さらに、展示室のキャプションではモデルの目線についても「敵対する女性同士」という、それ自体女性に向けられるステレオタイプに当てはまる解釈に留まっていますが、一方、オン

図9　グウェン・ジョン《裸体の少女》1909-10年

ラインツアーのキャプションでは、少女の主体性がより強調された読みへと変化しています。先の引用部分に続いて、「筆者には、典型的な〝女性による女性〟の肖像に思えます。椅子にまっすぐ座り、鑑賞者を真っ直ぐに見つめている時、少女は従属的ではなく、しかしそこには危うさがあります」と述べ、「ジョンは、近代の女性の持つ二重のアイデンティティを提示することで、彼女の人間らしさを引き出していると言えます。つまり、複雑な個人であり、単なる性的なお飾りではありません。これは他の男性画家が描く女性の肖像とは異なっています」と結びます。つまり、「男か女か」とただ二種類《バイナリー》に分けられた、異性愛者ではない画家のジェンダー・アイデンティティを、近代以降の社会に置かれた女性の困難と複雑さに結びつける読みを提案しているのです。

このように、オンラインツアーのキャプションでは、男性の作家から女性のモデルへと向けられる性的消費のまなざしを前提にした解釈とは別の読みを強調しています。この読みは単なる恣意的なものではないようです。というのも、この解説を書いたデイジー・グールドはテートのキュレーター補佐であり美術研究の専門家です。つまり、「女性」や「ＬＧＢＴＱ＋（＝性の多様性を重視したカテゴリー）」といった観点から新たな美術史の研究を行い、その成果を元にしてオンラインツアーという方法で別の物語を付け加えているのです。

この方法の面白いところは、展示室に複数の物語・読みを共存させられる点です。スマートフォンとウェブサイトを使えば、展示室で展開される「時系列に沿ったイギリス美術史」という伝統的で一直線の歴史語りを維持したまま、同時に、ネット上で別の解釈や物語を見せることができるのです。時系列の常設展はテート・ブリテンの基本展示であり、長い歴史で培われてきた成果であり、全てを作り直すには大変な労力もかかります。オンラインツアーは各部屋におよそ一作品ほどをピックアップして、点と点で結びながら「LGBTQ+」という主題で解釈するオンサイトとオンラインをつないだ「展覧会」を生み出しています。筆者が同展を訪れたのは二〇一九年九月でしたが、スマートフォンが普及している時代ならではの新しい「展示の語り、キュレーション」の方法であると感じました。

このオンラインツアーは、「男／女」という狭い視野ではなく多様なジェンダーの立場で住みやすい社会を実現するための教育機関「LGBTQ+ビヨンド」と、テート・ブリテンとのコラボレーション企画です。各キャプションはテートのキュレーターやエデュケーターだけではなく、アーティストやこの団体のスタッフなど様々な立場のメンバーによって書かれています。

図10　ジョン・シンプソン《男性の頭部》1827年

美術史上の価値や時代背景など——そしてそれらは男性中心主義的なもの——に傾きがちな一般的なキャプションとは異なり、女性や多様な性の立場から解釈がなされ、また「私」を前面に押し出したものも目立ちます。例えば《男性の頭部》の解説にはこうあります（図10）。「人種が混じったクィアの男性という私のアイデンティティは、ここで展示された作品の中に点在しています」として自己意識と作品の関係が語られています。「[作品に描かれた] 彼は〈クィア男性〉と〈有色人種〉という私の中にある二つの部分を示しています。本作でその二つが交差していること〔＝インターセクショナリティ〕からは、私自身と作品とが生まれた時からつながっているように感じさせます」と、通常のキャプションではあまり語られない私的な側面から解説がなされ、新鮮に感じます。解説者のテート・ブリテン・スタッフのミント・デ・ウィジスは、プロフィールでも「誇りを持ってクィア、誇りを持って有色系」と自己紹介しています。

このオンラインツアー「ウォークスルー」のシリーズでは、その他にも「黒人・アジア人・民族マイノリティ・ネットワーク」というバージョンもあります。こちらもスマートフォンでアクセスすれば、人種的マイノリティの観点からの注釈・解説が読めるようになっています。このツアーが目指すところは、その解説によって、展示された作品に「解決困難な問いを投げかけ、ギャラリーの展示があらゆる立場を反映する」こととされています。ジェンダーにせよ人種にせよ、ウォークスルーのオンラインツアーは、パラレルな歴史物語を展示室に取り込んでいるのです。

先ほどから「歴史を逆なでに読む」という表現を用いてきました。「逆なでに」というこの比喩は、哲学者のヴァルター・ベンヤミンによって使われ、それを書名に引用した歴史家のカルロ・ギンズブルグが広めたものです。すなわち、ある歴史の解釈についてもまた別の読みもあるのではないかという可能性を、その「正統」とされてきた「読み」に反して提案すること――ひとまずこのようにまとめられるのではないかと思います。ブルックリン・ミュージアムで見たように、コレクションが語る歴史に対して新たな読みを、一種のアジテーションのような表現も含めて提案すること――これも一種の「逆なで」な読みだと感じます。ロンドンのテート・ブリテンで見た例には、スマートフォン時代に美術展が語る歴史を「逆なで」する可能性が見てとれます。ロンドン・ナショナル・ギャラリーのキュレーターのキャロライン・キャンベルによる次の言葉で、四つの「展示室」訪問をしめくくりましょう。「私たちは過去は変えられません。しかし美術品コレクションをどのように扱うのかは変えることができるのです」。

イグジット・スルー・ザ・ギフトショップ

以上四つの「展示室」を鑑賞して考えてきましたが、いかがでしたでしょうか。展覧会や作品を通してどのような語りが発信され、それらがいかに人々の認知を作り、ひいては歴史を作っているのか。このような視座に立った時、ミュージアムとは、歴史の語りが生まれ、飛び交い、時に対抗している現場なのだと思えてきます。ここで見てきた通り残念ながら美術界や美術史にはジェンダーの不均衡が存在していますが、アートや美術館は、その得意技たるクリエイティブな方法でこの課題に取り組んでいます。歴史の見方が多様でありうるのは、ここで見てきた「ジェンダー」に限ったものではありません。人種・民族や宗教の違い、政治経済的な強者と労働者などといった階層の格差、障害の有無などによって、相当に別の見方ができるはずです。展示の仕方を工夫することで、こうした「歴史を見る視点の多様性」を取りこもうとする試みは近年盛んになっています。

「美術館」を研究することは「美術史」の研究にも似てはいますが、美術史のように作品や作家を重視するのではなく、ミュージアムや展示という装置に着目することで見えてくる芸術の歴史があるのです。このような視座が得られることが、「ミュージアム研究」の醍醐味です。

さて、展示室を出たらショップとカフェ、というのが定番です。展示室の出口での決まり文句「おかえりは土産物屋を通って《イグジット・スルー・ザ・ギフトショップ》」よろしく、ここで紹介した美術館にはどこも充実したウェブサイトがありますから、コーヒーでも淹れてショップを覗いてみてください。本章で学んだ「女性史美術館」の視点で眺めてみても、きっと面白い発見があるはずです。

［参考文献］
竹田恵子「統計データから見る日本美術界のジェンダーアンバランス。シリーズ：ジェンダーフリーは可能か？（1）」https://bijutsutecho.com/magazine/series/s21/19922
Linda Nochlin "Why have there been no great women artists?" *ART News* 1971. 邦訳は『美術手帖』一九七六年五月号に所収。

［オンライン美術館］
〈芸術領域における女性〉の美術館（National Museum of Women in the Arts）公式サイト。オンライン展示もある。
https://nmwa.org/nmwa-at-home
同館の作品をデジタル展示として公開するGoogle Arts&Cultureのサイト。日本語でも読める。https://artsandculture.google.com/partner/national-museum-of-women-in-the-arts
同館のサイトには美術界のジェンダー不平等に関するデータが充実している。https://nmwa.org/support/advocacy/get-facts　図2：https://docs.google.com/document/d/1gV0Ja7SPcDil2WYBW-BFeFvnKfSnT58rS1MMFDaqDZ8/edit
（二〇二一年四月十五日取得）

ゲリラ・ガールズ公式サイト。本文で紹介した《女は裸にならないと（…）》が統計数値を変えながら様々に展開されている様子をはじめ、作品紹介やグッズ販売などもある。https://www.guerrillagirls.com
ウェンディ・レッドスター「一八八〇年クロウ族平和使節団」シリーズを所蔵するポートランド美術館のサイト。
図5（二〇二〇年十月十日取得）を含む全ての図版が見られる。http://portlandartmuseum.us/mwebcgi/mweb.exe?request=record;id=71459;type=101

図3、6、7、8、9、10：筆者撮影
図4：https://www.brooklynmuseum.org/opencollection/objects/224541（二〇二〇年十月十日取得）
＊本稿で使用した図像の著作権及び許諾等に関わる責任は、すべて筆者個人にある。

読書案内

ミュージアム研究の本は数多く出版されていますが、ここでは特に、ミュージアムの文化的・歴史的な意味について考えるための著作を紹介します。

ミュージアムで歴史が語り継がれる意味について考えるには、キャロル・ダンカンの『**美術館という幻想——儀礼と権力**』（**水声社、二〇一一年**）がおすすめです。英仏やアメリカが近代化する中で生まれたミュージアムの文化的意味を解き明かしています。最終章では、ニューヨーク近代美術館やピカソに関するジェンダー分析もなされています。

ジェンダーの視座をより深めるなら、本章で取り上げたリンダ・ノックリンの論文を手始めに。北原恵『**アート・アクティヴィズム**』（**インパクト出版会、一九九九年**）は、ゲリラ・ガールズ等具体的な作品の分析例が豊富に紹介されています。

より広い時代的射程で考えるなら、松宮秀治『**ミュージアムの思想**』（**白水社、二〇〇三年**）が道標になります。「ミュージアム」の歴史を辿りながら、「芸術」や「科学」といった今日では当たり前で身近な諸概念が、西洋近代の文明の発展と共に作られる過程を示す慧眼の書です。同じくミュージアムを近代特有の存在と捉えつつ、植民地主義や西欧中心主義を批判的に捉えるものなら、ジェイムズ・クリフォードの『**文化の窮状――二十世紀の民族誌、文学、芸術**』（**人文書院、二〇〇三年**）がおすすめ。第十章では、「芸術」と「文化」への見方がガラッと変わること間違いなし。

より身近な例から考えたいなら、木下直之編『**芸術の生まれる場**』（**東信堂、二〇〇九年**）が良いでしょう。複数の著者が寄せる国内外のミュージアム研究や現場のレポートから、ミュージアムを分析するための様々なアイデアが得られます。

7　日本のアマチュア演劇の多様な世界

片山幹生

はじめに

現代の日本では、歌舞伎、能などの伝統芸能、新劇、小劇場、宝塚、ミュージカル、商業演劇など多種多様なジャンルの舞台作品が上演されていますが、こうした《プロの演劇》の作り手とその観客だけが日本の演劇の風景を作っているわけではありません。演劇人口という点では、実際には《プロの演劇》よりはるかに多くの人々が、中学・高校などでの学校演劇や様々な共同体を基盤とする地域市民演劇への参加というかたちで演劇と関わりを持っています。一九九〇年代以降の地域創生の機運の高まり、そして二〇一一年の東日本大震災を契機とする地域コミュニティの見直しにより、日本国内のさまざまな地域で新しい地域市民演劇が活性化していて、そこにはプロの作り手による「鑑賞のための」演劇には見られないユニークな試みを見いだすことができます。

私はもともと中世フランス演劇を専門とする研究者ですが、私自身の研究の考え方にも日本のアマチュア演劇の調査は大きな影響をもたらしました。アマチュア演劇の調査を通じて、私は自分が無意識のうちにとらわれていた大作家・傑作中心の演劇史観から抜けだし、ヨーロッパ中世の演劇作品を共同体の活動として読み直す視点を手に入れることができたのです。演劇に限らず、中世のあらゆる文芸は作者が属する共同体の価値観が表現された公共的な事物であるということは、これまでも概念としては理解していたのですが、地域素人演劇の実地調査を経ることで、演劇活動における共同性というのが実際にどのようなものであるかを私は感覚として理解することができるようになりました。共同体のありかたと強い結びつきをもつアマチュア演劇の活動や公演は「演劇とはなにか？」、「なぜ私たちは演劇を作ったり、見たりするのか？」という素朴で根源的な問いかけを私たちにつきつけます。

私は四年前に英米ミュージカルを中心に研究している友人に声をかけられ、現代フランス演劇、英米演劇、ミュージカル、日本の現代劇、日本の伝統演劇、民俗学、文化政策、社会学などさまざまな分野の研究者たちが参加する《地域素人演劇》の共同研究グループに加わり、全国各地のアマチュア演劇を調査する活動を始めました。この四年のあいだにこのグループで調査したアマチュア演劇団体は二十を超えます。ここでは私が実際に見聞し、調査した地域素人演劇から特に印象深かったものをいくつか紹介したいと思います。

釜ヶ崎の独居老人たちの演劇《紙芝居劇むすび》

紙芝居は通常一人の話者によって読み上げられますが、大阪西成区のあいりん地区／釜ヶ崎を拠点に活動する《紙芝居劇むすび》（以下「むすび」）ではそれとは違ったやりかたで紙芝居の上演が行われます。複数の語り手に役が割り振られ、話者は自分の役の台詞を読み上げるだけでなく、自分の役を役者のように観客の前で演じるのです。紙芝居自体が日本独自の文化ですが、紙芝居を複数の演者で演じるというこの形式の演劇公演を行っているのは世界でもここだけでしょう（**図1**）。

図1　Café de ランスでの《紙芝居劇むすび》の公演

あいりん地区／釜ヶ崎と言えば、簡易宿泊所や路上生活者、日雇い労働者が集中する貧困地域として知られています。かつては暴動がたびたび起こる荒々しい場所でしたが、現在は不況で日雇いの数が激減したため、町は活気が乏しく、住民の高齢化も進み、町全体がどんよりとした倦怠感に包まれているような感じがします。釜ヶ崎の住民構成は男性独居老人の割合が極めて高いのが特徴です。むすびのメンバーはさまざまな事情で釜ヶ崎で生活するようになった一人暮らしの老齢男性です。釜ヶ崎の住民には、年金や生活保護のサポートでかろうじて生活を営むことができるようになったものの、仕事も友人もなく、社会から孤立した状態で、自分の部屋に閉じこもる老人が少なくないそうです。行政は孤立しがちな独居老人の居場所として地区にセンターを作り、そこで地域の文化活動のサポートを行う団体を募集しました。こうした文化的サークル活動は、釜ヶ崎の独居老人たちが交流の場を持つきっかけとなります。行政の側からすると、公的なケースワーカーだけではカバーできない独居老人の生活状況の把握を、こうしたNPOグループの活動が補完することを期待しているようです。例えばサークルに常連の老人が来なくなったときに、サークルの仲間や主催者が心配して家を訪問したりするようなことです。NPOの側としても、行政から活動に補助金が支給されるだけでなく、釜ヶ崎は社会的包摂のモデル地区であることから、ここでの活動はメディアなどの注目度も高いというメリットがあります。現在、釜ヶ崎では数多くのNPO団体がさまざまな文化活動を行っていて、《紙芝居劇むすび》もそのような団体のひとつです。

私が参加している地域素人演劇研究グループでは、二〇一八年五月十二日（土）にJR今宮駅の近くにある喫茶店兼イベント・スペース、Café deランスにむすびの公演を見にいきました。二〇〇五年以降活動を続けている《紙芝居劇むすび》は公民館、幼稚園、福祉施設、大学などさまざまな会場で年間三十から四十の公演を行う人気劇団となっていますが、地元にあるCafé deランスは彼らの本拠地のような場所です。むすびのメンバーは七〜八名ほどですが、毎回の公演に全員がそろうわけではありません。私たちが公演を見たときには六十八歳から八十歳までの読み手兼俳優が七人ほど集まりました。この演者以外に、むすびのマネージャーの三十代の女性が紙芝居をめくる係をやっていました。また女性看護士のかたが一名、この日は演者として参加していました。むすびのレパートリーは十作品ほどで、そのほとんどが創作劇です。私たちが観劇した上演演目も『春の里山　七人衆』という民話風のシュールな創作劇でした。演者たちはそれぞれ自分が演じる役柄の絵が書かれた紙製の被り物をかぶって、自分にわりあてられた役を読み上げ、そして読み手からその役を演じる俳優に移行していきます。作品の上演時間は二十分ほどでした。演じるのはみな素人とはいえ、年間三十〜四十本と場数を踏んでいるのと、大阪のおっちゃんらしいひとなつっこさと旺盛なサービス精神もあって、なかには手慣れたかんじのかなり芸達者な人もいました。しかしながら達者な人も、全体のなかで自分の表現を前面に出そうといった力みが感じられず、だれもがリラックスした様子で緩い雰囲気のなかで演じているのが印象的でした。公演の前の稽古も事前に一回通しで読むぐらいだそうです。

むすびのウェブページの団体紹介には「むすびは紙芝居グループですが、厳密に言うと紙芝居を口実に集まっている人たちの団体です」とあります。紙芝居劇の公演は彼らにとって最優先事項ではないのです。公演を見にいったときに、むすびの活動についてマネージャーの方にいくつか質問しました。むすびの前身にあたるNPO法人「かまなび」の「ごえん」というグループは、釜ヶ崎の生活保護受給者のおじさんたちの生きがいのサポートを目的としていました。このNPOのお茶会に通っていた老人のなかにたまたま絵が描けるひとがいて、フィリピンの子どもたちに紙芝居を作って届けようということになったそうです。お茶会のメンバーで紙芝居は作られたのですが、諸事情があってフィリピンに届けられませんでした。フィリピンには送付できなかったとはいえ、せっかく紙芝居を完成させたということで、メンバーは地元で公演を行うことになりました。これが紙芝居劇むすびの活動の始まりとなったそうです。むすびの公演を見た後、出演者のかたにインタビューをしました。複数の読み手が紙芝居を演じるというむすび特有のスタイルはどのように生まれたのかという質問をしたところ、次のような答えが返ってきました。まず複数の読み手で読むようになったのは「ひとりで全部を読むのはしんどそうだったから」。お面をかぶるのは「いざ人前でやるとなると、最初のうちは顔を出すのが恥ずかしかったから」。実際にやりはじめると、思いのほか評判がよくてうれしくなり、いろいろ演じ方を工夫するようになったとのことでした。

むすびは《紙芝居＋演劇》という他に類例のないユニークな演劇形式を生み出しましたが、その演者である老人たちには表現としての高みを目指すという気負いはまったく感じられません。二〇〇五年の活動開始時にいたメンバーは、現在のむすびにはひとりも残っていません。よるべなき人生を送り、釜ヶ崎にたどり着いた彼らの多くにとって、むすびはその生涯の最後に身を寄せることのできる共同体であり、紙芝居劇作りと上演はその穏やかな共同体を成立させ、維持していくための活動なのです。むすびの公演は脚本も演技も演出も、完成度の高さや洗練とは無縁の素人の出し物です。しかし厳しい人生を生き抜いてきた釜ヶ崎の老人たちの表現には、彼らの生きざまや強烈な個性が反映されていて、プロの公演では決して味わうことのできない不思議な魅力がありました。

共同体の祭礼とヤクザ芝居《岐阜県高山市荘川町の奉納芝居》

《ヤクザ芝居》とは、清水次郎長や国定忠治などの侠客や博徒を主人公とする人情時代劇やチャンバラ劇のことで、現在でも旅回り興業である大衆演劇で人気のあるジャンルです。太平洋戦争終了後の一九四〇～五〇年代には、プロの旅回り劇団だけでなく、農村でも村祭りなどの機会に素人による《ヤクザ芝居》が盛んに上演されていました。テレビの普及や高度成長期における農村人口の減少によって、地方の素人芝居は急速に衰退してしまいましたが、歌舞伎という正統的な伝統芸能をバックグラウンドとする地歌舞伎はそれでも約二百の上演団体があり、近年になって復興の動きが見られるようになりました。一方、大衆演劇スタイルの《ヤクザ芝居》を地域芸能として上演する団体はごくわずかしかありません。岐阜県高山市荘川町は《ヤクザ芝居》を上演し続ける数少ない地域です。

荘川町は名古屋と北陸を結ぶ東海北陸自動車道のほぼ中央、富山、石川、岐阜の県境となる白山のふもとにある人口千五百人ほどの町です。この荘川町にある四つの神社では、毎年九月に例祭が行われるのですが、その前夜祭で《ヤクザ芝居》が上演されるのが恒例になっています。私は二〇一九年八月三十一日から九月三日にかけて地域素人演劇研究グループのメンバーと荘川町に滞在し、黒谷白山神社の例祭前夜祭で、奉納芝居として上演されるヤクザ芝居の調査を行いました。荘川町は飛驒高山、郡上八幡、白川郷という人気観光地に隣接していますが、荘川町自体は山地に囲まれた川沿いにひっそりと広がる特に大きな特徴のない田舎町です。荘川町では九月のはじめに、町内の四神社で《ヤクザ芝居》の公演が行われます。私たちが取材した黒谷白山神社に限らず、荘川町で村芝居が行われる神社にはいずれも境内に村芝居公演のための常設の舞台がありました。

黒谷白山神社の舞台の間口は十メートルほどで、奥行きも同じくらいです。下手側には花道が斜めに設置されていました。舞台の後方に下階があり、その下階部分が楽屋になっています。舞台を見下ろす山のゆるやかな斜面の芝生が客席になっていて、どの位置に坐っていても舞台がよく見えます。「芝居」の元々の意味は、「芝生に席などをこしらえてすわること、またその場所」ですので、黒谷白山神社の客席は「芝居」の原点とも言えるものです。客席は露天ですが、巨大なテント屋根で覆われていて、雨の日でも観劇できるようになっていました。芝居上演の日は忙しそうだったので、上演の前日の夜に楽屋を訪問し、村芝居の上演も含めた例祭前夜祭の運営を取り仕切る若連中の責任者である頭取にインタビュー取材を行いました。頭取からは以下のような話を聞きました。

・村芝居は神社の例祭前夜祭で上演される。そこで《ヤクザ芝居》がいつごろから上演されるようになったのかはわからない。ずっと昔には歌舞伎を上演していたらしいが記録が残っていない。神社の例祭は三百年以上の歴史があるらしい。
・先輩から代々受け継がれてきたレパートリーがあり、そこから演目を選ぶことが多い。
・若連中は神社の氏子で、年齢は十八歳から四十代半ばまで。氏子全員が若連中として芝居に出るわけではない。毎年、声掛けして誘うとのこと。主演俳優と準備と進行を取り仕切る頭取は毎年替わる。
・芝居の稽古は例祭の二週間前、八月のお盆のころからほぼ毎晩行われる。「師匠」と呼ばれるOBが指導に来る。例祭は日付が決まっているので毎年週末になるとは限らない。仕事より芝居優先で、例祭のときは何日か休みを取る。

村芝居は、その構成、内容ともに興業として行われている大衆演劇のスタイルを踏襲したものでした。すなわち演歌や歌謡曲とともに踊る舞踊ショーと人情時代劇の組み合わせです。私たちが見たときには、大衆演劇の定番演目の一つである『川北長治』が上演されました。本番前夜の稽古は夜の八時過ぎからはじまり、深夜零時過ぎまで続きました。「師匠」が舞台袖から細かい演技指導をしていました。

翌日の前夜祭は午後七時半ごろから始まりました。舞台前の客席の大部分はすでに昼間のあいだにレジャーシートで場所取りがされていました。昨夜は舞踊ショーとヤクザ芝居だけしか稽古がなかったのですが、例祭のプログラムはそれだけではありませんでした。まず氏子総代の挨拶、そして高山副市長の挨拶があり、それに引き続きこの付近で盛んな伝統芸能である獅子舞の演目がいくつか上演されました。獅子舞のあと、舞踊ショーの第一部がはじまります。舞踊ショーの第一部は地元の小中学生のソロ舞踊でした。音楽と振付は大衆演劇の舞踊ショーのスタイルで、衣装やメイクもしっかり決めています。舞踊ショー第一部のあとに、人情時代劇『川北長治』の上演がありました（図2）。九十分ほどの上演時間のフルサイズの本格的な時代劇です。アルコールが入っていい気分になった観客たちからかけ声や声援が盛んに飛

図2　荘川町黒谷白山神社の村芝居

び、俳優たちの演技には気分が乗っているのが感じられました。しかし、だからといって仲間内のなれ合いのぐずぐずした雰囲気はなく、台詞忘れやアドリブが随所に入りつつも、芝居の骨格はきっちりと演じられていました。昨夜、何回も稽古していた立ち回りの見せ場も見事にきまり、観客から大きな拍手が湧き上がりました。

奉納芝居のあとに中入り休憩が入ります。中入り後には若連中一同が舞台に並び、口上が述べられます。それから客席に向かって、お菓子などが入った大量の福袋がばらまかれました。このあとに小さな子どもたちも出演する獅子舞の演目、大人による舞踊ショー第二部が続きます。若連中の締めの挨拶でようやく終わったかと思えば、客席からぞろぞろ人が退場しているさなかに、舞台上では獅子舞の太神楽が例祭の締めくくりとして上演されました。終演は夜十一時を過ぎていました。

これぞまさに村の老若男女たちが集う伝統的な祭という雰囲気を存分に楽しむことができた体験でした。一年に一度の共同体の祝祭の熱気と高揚感、そこで行われる盛大な浪費に楽しさにしびれるような解放感を味わうことができました。前夜祭を取り仕切る若連中の人たちがとても楽しそうに、そして誇らしげに村芝居に関わっているのも印象的でした。荘川町では、私が見た黒谷白山神社のほか、日をずらして、同じ町内の四神社で同じ時期に芝居上演を伴う例祭が行われます。町内の四神社でいずれもヤクザ芝居を上演するということでライバル意識が芽生え、それが若連中の芝居への取り組みの熱意と公演のクオリティの高さにつながっているように思いました。

学習塾での演劇活動《赤門塾演劇祭》

およそ半世紀の歴史を持つ赤門塾演劇祭は数あるアマチュア演劇のなかでも、特異な事例と言えると思います。なによりも学習塾が演劇活動を継続的に行うこと自体が珍しいのではないでしょうか。単なる教科指導を超えたユニークな教育実践を行っている学習塾は少なくないと思いますが、子供たちが塾に通うのは一日数時間、週に数回にすぎませんし、そのメンバーは数年で入れ替わってしまいます。演劇公演は時間と手間がかかる非効率的な作業です。演劇作りにある種の教育的効果を期待できるかもしれませんが、本来の業務である教科指導に加えて、演劇作りに時間を割く余裕は学習塾には通常ないでしょうし、学習塾に演劇指導を要望する親や子供はまずいないはずです。学習塾が演劇祭を行う積極的な理由はないわけで、演劇創造に必要となる共同性が育まれる環境を学習塾に期待することは普通はできません。

赤門塾演劇祭のことを私が知ったのは二〇一七年六月でした。埼玉県所沢市の秋津というところにある学習塾が毎年三月に演劇祭をやっていて、この年には福田善之の『真田風雲録』が上演されたということを、この演劇祭に出演経験があり、赤門塾の創設者である長谷川宏氏と以前から関わりを持っていた知人に聞いたのです。

「学習塾が演劇祭をやっているのですか？　出演者は塾の生徒たちなんですか？」

「塾の生徒による上演もあるのだけど、塾のＯＢ・ＯＧや長谷川宏さんの読書会に参加していた大人たちの芝居もあって、むしろ大人の芝居のほうがメインの演劇祭といえるかもしれません」

「塾の生徒ではない大人たちが塾の演劇祭に出るんですか？　学習塾が演劇祭をやるというのもかなり変わっていますね？」

「どういう雰囲気の演劇祭なのか説明が難しいのですが。長谷川宏さんは村芝居みたいなものだって言っているのですけどね。もう四十年以上前から続いている塾の行事なんですよ」

ヘーゲルの翻訳者として高く評価され、多数の著作を世に出している在野の哲学者である長谷川宏氏を私はそのとき知りませんでしたし、所沢の秋津という場所にもなじみがありませんでした。「村芝居」ということばから、田舎にある古い民家のような場所に偏屈な変わり者の大人たちが集まって勉強会のようなことを行っていて、年に一度、その私塾の内輪の仲間たちの余興として素人演劇を上演する様子を私は思い浮かべました。それにしても、そうした私的グループでの演劇祭が四十年以上も続いているのは希有なことです。がぜん好奇心を刺激された私は、その知人に次回の演劇祭は可能ならばぜひ見にいきたいので開催前に教えて欲しいと頼みました。

私が最初に赤門塾演劇祭を見たのは、二〇一八年三月二十四日（土）でした。塾の最寄り駅はJR武蔵野線の新秋津駅もしくは西武池袋線の秋津駅です。この付近は東京都と埼玉県の県境にあり一九七〇年代から都心のベッドタウンとして発展してきた地域です。何軒かの商店があるものの、がらんとした新秋津駅前のロータリーから右手に行く道に入り、左手に淵の森緑地を見ながら、三メートルほどの川幅の柳瀬川を渡ると、一戸建てが立ち並ぶ住宅地があります。赤門塾はその住宅街のただなかにありました。赤門塾は地元の小中学生を対象とした個人経営の小規模な学習塾です。周囲の住宅より若干大きめの木造の建物で、左半分が長谷川家の居宅、右半分の半地下のようなところが塾の教室になっていました。教室の広さは二十畳ほどで、小中学校の教室より一回りほど小さいサイズでした。演劇祭の期間中はこの教室が劇場空間となり、長谷川家の居宅の一階部分は出演者たちの楽屋と舞台美術の置き場になります。

演劇祭の会場は手作り感に満ちたこじんまりした仮設の劇場ですが、思いのほか本格的な公演会場になっているのに私はまず驚きました。教室前方の五分の一ほどのスペースに舞台が設置され、緋色のカーテンで客席とのあいだが区切られています。客席から見て右手壁際は、教室の出入り口に伸びる通路となっていて、そこは俳優たちが入退場する花道の役割も果たしていました。舞台の下手側は、長谷川家の居住スペースの一階につながっていて、俳優たちはそこからも出入りしていました。客席後方には鉄パイプで櫓が組まれ、床面と上層の二層構造になっています。照明、音響のスペースが櫓の二階席にありました。会場には七十名ほどの観客がひしめきあっていて超満員の状態でした。幼児から老人まで幅広い年齢層の観客が集まっていました。まず小さな子どもたちが多数混じる客席の雰囲気が格別です。子どもの観客の多くは出演者である小・中学生の塾生の兄弟姉妹なのだと思います。出演者も自分の出し物が終わったあとは観客となり、舞台を見守ります。観客は上演中に自由に入退場でき、客席での飲み食いも自由になっていました。開演前はざわざわと騒がしいし、赤ん坊が泣いたりすることはありますが、これはむしろ芝居の高揚感を高める心地よい喧噪となっていました。幕が開き、芝居が始まると、騒がしかった小さな子どもたちも案外おとなしく舞台を注視していて、プログラムの進行を妨げるようなことはありませんでした。ときおり舞台で起こっていることや役者たちに対して、会場から気まぐれなつっこみが入るような、とてもくつろいだ、たのしい雰囲気のなかで上演が行われていました。

開演は午後二時。公演は三部構成で、第一部が小学生による『すばらしき少年コーラ』（粉川光一作）、第二部が中学生による『あまのじゃく』（加藤道夫作）、そして第三部が高校生と社会人による『ジョン・シルバー　愛の乞食』（唐十郎作）でした。三部トータルで三時間半の上演は「演劇祭」と称するにふさわしい充実感がありました（図3）。

小学生八人が出演する『すばらしき少年コーラ』の舞台はアラブのとある国。長期にわたる旅立ちに際し、アリコジャは友人のヌーマンにオリーブ油の入った壺を託します。その壺の底に金貨が隠されていることを知ったヌーマンは、その金貨を自分のものにしてしまうのです。アリコジャが旅から戻り、壺の返却をヌーマンに求めました。壺の底に隠してあった金貨がなくなっていることに気づいたアリコジャはヌーマンを責めますが、ヌーマンはそんな金貨は知らないと突っぱねます。二人の争いは裁判となりましたが、裁判長には解決のすべが思い浮かびません。その様子を見ていた賢明な少年のコーラが見事な解決策を提示します。

子どもたちの俳優は舞台化粧をし、美しいアラビア風の衣装を身に着けています。劇場空間と化した塾教室にも驚きましたが、化粧、衣装、照明、音響も本格的で、いわゆる学芸会のレベルを超えたものになっていました。演者も観客も身内同士なのだけれど、作り手の本気を感じました。

小学生たちの演技は棒読みで棒立ちなのですが、自分以外の何者かを観客の前で演じて表現しようとするけなげな姿には心打たれます。子供たちが自分の殻から抜け出し、外に飛び出そうという成長の瞬間に立ち会えたような気がしました。子どもたちが舞台の上で、思い切って背伸びをして違う世界に足を踏み出そうとしている様子がうかがえました。出演者の子どもたちとは縁のない私が見ても、おなかに力が入り、声援を送りたくなるのですから、出演者の家族たちの感動はどれほどのものでしょうか。

　第二部の中学生たちによる『あまのじゃく』では、思春期前期に入った子供たちの成長段階を確認することができました。他人の言葉を自分の言葉として話し、堂々と劇中人物を演じる中学生の役者たちの姿は、小学生の演劇とはまた違った成長のありようを示していました。この作品は、民話劇「あまのじゃく」を劇中劇で演じる中学生たちが、自分こそ本物の「天の邪鬼」だという中学生に翻弄されるというメタ演劇的構造を持つ寓話的な作品でした。赤門塾演劇祭の子どもの俳優たちの演技は、こざかしいうまさとは無縁の素朴で素直なものですが、素人の俳優であるがゆえの表現に対する切実な思いがストレートに伝わってきて、その真摯さにしびれるような感動を覚えました。

　塾生の子どもたちの芝居のあと休憩が入り、OB・OGを中心とする大人たちによる第三部が始ま

図 3　第 45 回赤門塾演劇祭での『わが町』の一場面

りました。学習塾の塾生たちによって塾の課外活動として演劇が上演されるというのもめったにないことだと思いますが、現役の塾生ではない大人たちが学習塾の演劇祭に参加するというのは極めて異例であり、赤門塾以外ではまずありえないでしょう。これがもう四十年以上続いているのです。

二〇一八年の第四十四回演劇祭の大人の部で上演されたのは、唐十郎の『ジョン・シルバー　愛の乞食』でした。新宿の公衆便所と戦前の満州を舞台とする破天荒でダイナミックなスケール感のある魅力的な戯曲です。第三部の大人の劇は、上演時間が二時間以上のフルサイズの公演であり、舞台美術も俳優の演技もぐっと本格的なものになります。第三部には高校生から老人に近い年齢の人まで幅広い年齢の演者が出演していました。さまざま年代の人たちのちぐはぐな身体が、全力で唐十郎の怒濤のロマンチシズムの世界に取り組む迫力に圧巻でした。最初の一幕目こそ若干もたついたところはありましたが、二幕、三幕と進むうちに俳優たちのアンサンブルは密度の高いものになり、客席は俳優たちの熱気と勢いに包み込まれていきました。俳優の技量には巧拙の幅がかなり大きいのですが、全員が真剣に全力で芝居に取り組んでいることは伝わってきました。ごつごつとした不器用なエネルギーがぶつかりあう舞台のなかで、唐の言葉が濃厚な叙情をたたえた力強い詩として生きていました。低い段差の席で膝を折り曲げての窮屈な状態での長時間におよぶ観劇は、肉体的にはかなりつらいものでしたが、三幕に入る頃にはそのつらさが気にならなくなりました。子どもの演劇である第一部、第二部も含め、各部の終演後には役者紹介がありました。演じ終えた役者たちから伝わってくる解放感が、爽快で親密な空気を会場に作りだしていました。

第三部の『愛の乞食』終演後、出演者と赤門塾関係者が会場に残り、その日の公演の反省会が行われました。私は部外者でしたがそのまま会場に残り、この反省会に立ち会いました。反省会はシリアスで厳粛な空気のなかで行われ、仲間内のなれ合いのような雰囲気がなかったことにも私は驚きました。観客としての感想を求められたので、観劇直後の高揚した気分といくぶん儀礼的な配慮から、私は最大限の賛辞でこの演劇祭と出演者たちを賞賛しました。しかし長谷川宏や演出を担当した長谷川優は、褒めるべきところは褒めながらも、演技や舞台進行についてかなり厳しい指摘を行い、反省点を挙げていました。俳優たちもそれぞれうまくいかなかった点を率直に述べ合っていました。赤門塾演劇祭の出演者の大半は、年に一度のこの演劇祭以外の場で舞台に立つことはない素人俳優です。出演者はかつての塾生だったり、長谷川宏や塾が行う夏合宿やハイキング等のイベントを通じて知り合った顔見知り同士であり、観客の多くも彼らの直接の知り合いです。しかし彼らが単なる同窓会的親睦会としてではなく、表現者として観客という他者に向き合う場として、年に一度のこの演劇祭をとらえていることが、上演舞台からだけでなく、終演後の反省会からも感じ取ることができました。

四十年以上にわたって、個人経営の小さな学習塾で手作りながらこんなに本格的で、熱気に満ちた演劇祭が続けられてきたことは驚嘆すべきことです。赤門塾が多数の人間を巻き込んで、毎年このような盛大な「浪費」を行うには、それを行うだけの理由と意味があるはずです。いったいどうやったらこんな演劇祭を持続的にやっていくことが可能になるのでしょうか？　もちろん演劇作りを通した教育的な効用を期待して、というのはあるでしょう。しかし地域の小中学生を対象とした小さな学習塾にすぎない赤門塾が毎年膨大な時間と労力を割いてこのような演劇祭を実施する理由は、演劇の教育的効用ということだけでは説明できるものではありません。また塾に通っている子どもたちが塾主催の行事の演劇祭に参加するというのはわからないではないですが、生活人として日々を暮らしている大人たちが、彼らの日常とは切り離された学習塾という場に集まり、本気で演劇を楽しむのはいったいどういうことなのでしょうか。彼らがこの演劇活動に注ぐエネルギーにも私は圧倒されました。この演劇祭は赤門塾という知的コミュニティの日常に祝祭的な時空を生じさせ、共同体のメンバーに活力をもたらし、集団をより強固で親密なものにしていく活動のひとつとなっています。赤門塾の芝居作りの共同作業では、塾の創始者である長谷川宏の生真面目な人柄と知的態度が反映され、仲間内のなれ合いに陥ることが避けられ、演劇表現への真摯な取り組みが共有されています。その結果、赤門塾演劇祭は「村芝居」的な共同体的祝祭性のなかに、演劇という営為に内在する教育的な側面を浮かび上がらせるものになっていました。

むすび：アマチュア演劇を調査する意義はなにか？

ここで紹介した三団体以外にも、プロの興行としての演劇ではまず見られないユニークで興味深い演劇創造を行っているアマチュア演劇の団体はいくつもあります。地域素人演劇研究のグループで本格的な調査がはじまってからまだ三年しか経過していませんので、私たちがこれまでカバーしてきたアマチュア演劇は全体のごく一部に過ぎません。今後も私たちのグループは調査を続けることによって、アマチュア演劇をその重要性にみあうかたちで演劇史のなかに位置づけ、日本近現代演劇史を大きく見直す視点を提示したいと考えています。これまでの演劇史はもっぱらプロの作り手（作者、俳優、劇場など）による演劇だけを問題にしていて、アマチュア演劇については考察の対象となっていませんでした。しかし日本の演劇はプロの演劇の作り手とその観客だけによって成り立っているわけではありません。参加する人たちの数の面でも、表現の多様性の面でも、アマチュア演劇は、日本の演劇の状況を考える上で無視することのできない大きな重要性を持っています。私たちの研究グループは、アマチュア演劇を学術的な考察の対象とすることで、従来の日本近現代演劇史を大きく書き換える材料を提供できるのではないかと考えています。

＊本稿の内容に関わる研究は科研費（21H00482）の助成を受けたものである。なお、図版はすべて筆者撮影、掲載にあたり関係各位の了承を得ています。

読書案内

まず最初に舞台芸術全般の多様性を概観できる参考書として青山昌文『**舞台芸術の魅力**』（**放送大学教育振興会、二〇一七年**）を挙げたいと思います。この本は放送大学の教材ですが、台詞劇だけでなく、オペラやミュージカルなどの音楽劇、ダンスやバレエなどの舞踊劇、そして日本の伝統演劇・現代演劇までが網羅され、それぞれのジャンルの特質が歴史的観点から解説されています。

羽鳥嘉郎『**集まると使える――八〇年代運動の中の演劇と演劇の中の運動**』（**ころから株式会社、二〇一八年**）は、身体障害者演劇、学芸会、地域演劇、労働者演劇などのアマチュア演劇の活動に携わっていた当事者が書いた八〇年代のテクストの抜粋に、演出家・演劇祭ディレクターとして活動する著者がコメントをつけるという体裁の書籍です。八〇年代のアマチュア演劇の様々な側面を社会運動史の観点から考察するという著者のアプローチは他に類例がないユニークなものです。長谷川宏『**おとなと子どもの知的空間づくり――赤門塾の二十年**』（**明治図書出版、一九九〇年**）は、学年末演劇祭や夏期の完全自炊合宿など学習塾の枠組みを超えた多彩な活動を行う赤門塾の二十年間の実践記録です。塾の活動の楽しさだけでなく、失敗や困難、問題点なども率直に記されている誠実な活動記録になっています。情報誌『**地域人**』**第五七号**（**二〇二〇年五月**）は、日本各地で自然発生的に生まれ、進化していった「新しい祭り」の特集号となっています。伝統的な組踊のエッセンスを取り入れ、地元の若者たちが演じる地域の英雄譚のミュージカルとした沖縄県「現代版組踊」や鳥取県で地域社会と連携を模索しながら、持続的な演劇活動を続ける《鳥の劇場》などの新しい地域演劇の動きが報告されています。

8　舞台の上のシンデレラ――ロッシーニ、パヴェージ、イズアール

嶋内博愛

民間伝承の中のシンデレラ

「シンデレラ」という語から、みなさんは、ディズニー映画の『シンデレラ』（一九五〇年。日本初公開は一九五二年、つまりテレビ放送開始の前年）の主人公の姿を思いうかべたかもしれません。この映画の原作は文学作品、具体的には、ルイ十四世の宮廷人でもあった、シャルル・ペロー作とされるいわゆる『ペロー童話集』（一六九五／一六九七年）所収の、「サンドリヨン、または小さなガラスの靴」という話だとよく言われています。サンドリヨンとは、「灰まみれの娘」といったような意味です。彼女が使用人としてこきつかわれていたため、竈《かまど》や暖炉などで焚かれる火の燃えかすである灰にまみれている状態が、この語には明示的に表れています。英語の「シンデレラ（Cinderella）」にも、

「灰」を意味するcinderという語が含まれています。かつては煮炊きをする際には薪をくべる必要がありましたから、台所仕事とは、物理的に灰が飛ぶところでの作業で、灰をかぶるのはあたりまえでした。「灰かぶり」という語をきけば、人々は、自分たちの家の台所の様子を思い浮かべたことでしょう。

　世界各地で収集された民間伝承の中には、ペローの「サンドリヨン」と同じような話がたくさんあることがわかっています。十九世紀末の研究以来、五百以上の類話がみつかっています。ディズニーが直接「原作」として用いたペローの「サンドリヨン」は、その一つにすぎません。日本に近い場所では、九世紀の中国の文献『酉陽雑俎《ゆうようざつそ》』（八六〇年頃、続集巻一、第八七五話）にも、葉限という名の女性が登場するものがみられます。ヨーロッパで書き留められたものとしては、ナポリの軍人でもあったバジーレが編んだナポリ語（イタリア語ナポリ方言）の伝承集『五日物語《ペンタメローネ》』の「灰だらけの猫《ラ・ガッタ・チェネレントラ》」（第一日、第六話）の方が、ペローのものより前に出版されています（一六三四／一六三六年）。もちろん、ペローの後には、グリム兄弟が編んだ『グリム童話集』（一八一二／一八一五年初版）の中に、「灰かぶり《アッシェンプッテル》」があり、ヨーロッパでも、様々な言語・地域で語られていた題材であることが垣間見えます。

　民間伝承は、同じような話が様々な場所、様々な言語で収集されることがよくあり、それらを話の展開によって分類・整理するということが、百年ほど前から行われています。現在民間伝承の専門家が使うＡＴＵという話型分類では、「５１０Ａ」という番号（話型番号）が「シンデレラ」にあてられています。これによると、シンデレラ譚の典型的な筋立ては以下のようなものです。

若い女が継母と継姉妹たちに虐待され、召使いとして灰の中で暮らさなければならない。継姉妹たちと継母は舞踏会（教会）に行くとき、不思議な課題（例えば、灰からエンドウ豆をえり分ける）をシンデレラに課す。シンデレラは鳥たちの助けでその課題を達成する。シンデレラは美しい服を超自然の存在から、または死んだ母親の墓に生えている木からもらい、知られずに舞踏会に行く。王子はシンデレラに恋をするが、シンデレラは舞踏会を早く去らなければならない。同じことが次の晩にも起きるが、三日目の晩にシンデレラは片方の靴をなくす。

王子はその靴が合う女としか結婚しようとしない。継姉妹たちは靴に合わせるために、自分の足の一部を切り落とすが、鳥がこの偽りに注意を促す。シンデレラは最初王子から隠されているが、靴を試すと靴は合う。王子はシンデレラと結婚する。（ウター二〇一六：二四六―七頁）

ディズニーの『シンデレラ』に親しんでいる人は、きっと、よく知っている要素とそうでない要素がここに入っていると気づいたことでしょう。中国やヨーロッパの伝承例として挙げたものも、個別にみればこれらの要素をすべて備えているわけではありません。ここに挙げた筋立ては、あくまでも数多くの民間伝承を比較し、その標準的な形を示したものだからです。

ディズニーの『シンデレラ』がアメリカ合衆国で封切られたとき、この作品に胸をときめかせた人たちは、この話の大筋をきっとすでに知っていたことでしょう。本として自分で読んだり、周りの大人に読んでもらったりしていたかもしれないですし、場合によっては、舞台作品を観ていたかもしれません。ディズニーの『シンデレラ』以前にも、舞台作品としていくつものヴァリエーションがあり、いろいろなところで何度も再演されているからです。

民間伝承研究の分野ではシンデレラ譚についての研究はかなり進んでおり、日本語でも何冊も読めるものがあります。それに対し、舞台作品としてのシンデレラについては、個別の作家・作品研究はあっても、それらをまとめて民間伝承研究と結びつけて言及するものは管見の限りみあたりません。したがってここでは、民間伝承研究の成果を参考にしながら、舞台作品のシンデレラを読み解いていきたいと思います。

オペラ／音楽劇としてのシンデレラ

ディズニー映画『シンデレラ』以前にできた、シンデレラ譚を舞台作品にしたものの中で、現代でも上演・演奏されるものには、例えば、ロッシーニの《灰かぶり娘《ラ・チェネレントラ》、あるいは善の勝利》（台本はフィオレッティ。以下《ラ・チェネレントラ》と表記）があります。一八一七年、彼が二十五歳のときにローマのヴァッレ劇場の委託で制作した作品です。今から二百年ほど前のことで、『グリム童話集』の初版がドイツ語で出版されたのと同時期にあたります。

映画『シンデレラ』が七十年も愛され続けているのと同様、十九世紀のオペラ／音楽劇作品も、人気作は初演後数十年にわたって上演され続けました。ロッシーニの《ラ・チェネレントラ》もそういった作品で、例えばウィーンのオペラ劇場ではイタリア語のまま、一八二三年以降、今日に至るまで演出に手を加えながら上演され続けていることがわかっています。

しかし、ロッシーニの《ラ・チェネレントラ》の筋立てには、ディズニー映画『シンデレラ』とは違う点がいくつもあります。例えば、継母は登場せず、シンデレラ（ここではアンジェリーナという名前がついています）を女中扱いするのは継父です。また、妖精もカボチャの馬車もでてきませんし、十二時の鐘が鳴ると魔法が解けてしまうといったこともありません。シンデレラの身元を示すアイテムは、ガラスの靴ではなくブレスレットです。さきほどみた、話型分類ＡＴＵの「シンデレラ」ともかなり違います。

実は、舞台化されたシンデレラは、ロッシーニのものが初めてではありません。現在わかっている限りで最も古いのは、一七五九年二月二十日にパリのフォワール・サン・ジェルマン劇場で上演された《サンドリヨン》（アンソム台本、ラリュッテ作曲）です。これは、役者が台詞の芝居を演じつつ歌も歌う「オペラ・コミック」と呼ばれる形式の、一幕の作品です。印刷台本を読むと、話は例の舞踏会の翌朝から始まっていることが読みとれます。主人公のサンドリヨンは、二人の姉から虐待されており、また舞踏会でサンドリヨンは靴（ここではミュール）の片方を落としてしまったこと、最終的にはそれが手がかりになって（つまりサイズがかなり小さい）、王子アゾルはサンドリヨンを見つける、という展開や、代母が超自然的な力を発揮してサンドリヨンを助けるといった要素がみられます。こういったことから、ペローの「サンドリヨン」との類似性を指摘できます。台本自体にはペロー原作とは明記されていませんが、当時すでに広く流布していたと思われるペローの昔話集を題材にしたものと考えてよさそうです。

ATU 510A シンデレラ	《サンドリヨン》（エティエンヌ＋イズアール，1810年）	《アガティーナ》（フィオリーニ＋パヴェージ，1814年）	《ラ・チェネレントラ》（フェレッティ＋ロッシーニ，1817年）
シンデレラ	サンドリヨン	アガティーナ	アンジェリーナ
継母	モンテフィアスコーヌ男爵	モンテフィアスコーネ男爵	ドン・マニフィコ男爵
腹違いの長女	クロリンド	クロリンダ	クロリンダ
腹違いの次女	ティスベ	ティーズベ	ティーズベ
王子	サレルノの王子ラミール	サレルノの王子ラミーロ	サレルノの王子ドン・ラミーロ
超自然的存在	王子の指南役アリドール（占星術師）	王子の指南役アリドーロ（占星術師で魔術師）	王子の指南役アリドーロ（哲学者）
×	王子の従僕ダンディーニ	王子の従僕ダンディーニ	王子の従僕ダンディーニ

表1　話型分類 ATU 510A「シンデレラ」及び《サンドリヨン》，《アガティーナ》，《ラ・チェネレントラ》における登場人物の対応表

その次に古いとされているのが、ナポレオン体制下のパリ、オペラ・コミック座で一八一〇年二月二十二日に初演された、同じタイトルの《サンドリヨン》（エティエンヌ台本、イズアール作曲）です。この作品も、一七五九年の作品と同様、役者が台詞の芝居を演じつつ歌も歌うオペラ・コミック形式をとりますが、三幕の作品です。これは翌年にはドイツ語に翻訳されて、多くの劇場で上演されたことがわかっています。

舞台作品としての「サンドリヨン」という題材は、イタリア語圏にもまもなく到達します。ロッシーニ《ラ・チェネレントラ》がローマで初演される三年前の一八一四年春、フランスの支配下に入っていたミラノのスカラ座で《アガティーナ、あるいは報われた美徳》（フィオリーニ台本、パヴェージ作曲）というオペラ作品が初演されるのです。この作品は、タイトルには「シンデレラ」を思わせる語はないものの、話の展開や登場人物名などをみると、一八一

〇年のエティエンヌ＋イズアールの《サンドリヨン》と極めてよく似ています。そして、そこにみられる類似点の多くが、ロッシーニの《ラ・チェネレントラ》にもみられるのです。

これらの作品の登場人物名と役柄設定をATU510Aのものと並べてみたものが、**表1**です。名前や役割がとてもよく似ていることから、三つの舞台作品の間には何らかの関係があるだろうと、専門家でなくてもすぐに推測できます。《ラ・チェネレントラ》制作にあたり、《アガティーナ》が（そして恐らくエティエンヌ＋イズアール《サンドリヨン》も）何らかの形で参照されたに違いありません。じっさいロッシーニは、《アガティーナ》が上演されている時期にミラノにいたことがわかっており、きっとこの作品を観ていただろうと推測されてもいます。ロッシーニが曲をつけたフェレッティの《ラ・チェネレントラ》より、フィオリーニ＋パヴェージの《アガティーナ》の方が、さまざまな点でエティエンヌのものにさらによく似ています。

エティエンヌ＋イズアール《サンドリヨン》のあらすじ

そこで元となったエティエンヌ＋イズアールの《サンドリヨン》について確認しておきましょう。すでに紹介した、民間伝承の話型分類ATUの筋立てと照らし合わせながら、ここでは簡単にあらすじを追います（傍線部は、ATU510Aの展開と一致する部分）。

三幕、妖精オペラ。一八一〇年二月、パリ、オペラ・コミック座初演。場面は中世イタリア。

第一幕、古城の広間。城主のモンテフィアスコーヌ男爵には実娘二人（クロリンド、ティスベ）のほかに、後妻の連れ子がいる。後妻の死後、彼女はサンドリヨンと呼ばれ、女中としてこき使われている。城の入口に物乞い（実はサレルノの世継ぎ王子ラミールの指南役・占星術師アリドールの変装）が現れる。サンドリヨンは彼に施しをする。

男爵が起きてきたので昼食の席になる。その際男爵は、今夜の舞踏会は王子の后《きさき》を決めるためのものだと説明する。そこへ、当の王子が城にやってくる様子がしてきたため、サンドリヨン以外はみな身繕いのために退場する。サンドリヨンは来客のために部屋を片付け始める。占星術師アリドールと、従僕姿に変装している王子ラミールが城に入ってきて、サンドリヨンを見つけ声をかける。サンドリヨンは、今は女中扱いされているが、自分も城主の娘だと自らの身の上を話す。ラミールはこの話に同情し、サンドリヨンも彼に好意を抱く。

従僕のダンディーニが王子に変装して従者を引き連れ城にやってきて、男爵の娘たちを今夜の舞踏会にエスコートするという。姉たち二人は舞い上がり、自分こそ后になろうと贋王子に取り入ろうとする。一行は舞踏会に出かける。サンドリヨンは自分も連れていってほしいと懇願するが置き去りにされ、悲しみながら竈《かまど》のそばで眠ってしまう。

第二幕、世継ぎ王子ラミールの宮殿。目覚めるとサンドリヨンは貴婦人の姿になっている。占星術師アリドールが現れ、変身した姿に戸惑っているサンドリヨンに魔法のバラを手渡す。これを持っていれば、彼女が何者なのか誰にも気づかれることはなく、また彼女自身も気後れすることがなくなるのだという。

后選びの舞踏会が始まる前に贋王子ダンディーニは、男爵の実娘たちに、自分の后になれるのは一人だけなので、もう一人は従僕（実は王子ラミール）の妻となるよう言う。従僕姿の王子が二人に、どちらかが自分の結婚相手になるはずだと言っても、二人とも取り合わない。

一人取り残されたラミールは、女性たちの虚栄心に絶望する。その声を耳にしたサンドリヨンは、日中出会った従僕と気づき慰めようと声をかける。ラミールは、この貴婦人こそ后に相応しいと確信し、名前と出自を尋ねるが、彼女は口ごもる。彼は、舞踏会の前に行われる騎馬試合ではあなたのために闘って優勝してくると言って試合に赴く。残されたサンドリヨンも彼に恋していることを自覚する。

ラミールは騎馬試合に優勝し、舞踏会でサンドリヨンは脚光を浴びる。ラミールがサンドリヨンに、世継ぎ王子からの王冠を受けとってほしいと声をかける。しかしそれをダンディーニからと勘違いしてサンドリヨンは、魔法のバラの花を投げ捨てて逃げ出す。履いていた緑色の小さな靴が片方脱げてしまう。

第三幕、第二幕同様ラミールの宮殿。貴婦人を探すためにラミールは、貴族の未婚女性を全員宮殿に招くおふれを出す。サンドリヨンも普段着のまま宮殿にやってくる。彼女を見つけてラミールは優しく声をかけるが、彼女が昨夜の貴婦人とは気づかない。彼女が、自分がみた夢として昨夜の出来事を話すと、ラミールはようやく事の次第を理解し始める。フィナーレ、アリドールはクッションの上に載った緑色の小さな靴を示し、この靴を履ける者を后としてはどうかと提案する。サンドリヨンは、それは自分の靴だから履かせてほしいと進み出て履き、もう片方も取り出して履く。アリドールは彼女に魔法のバラを渡す。サンドリヨンがバラを胸元に挿すと、彼女は貴婦人の姿に変身する。ラミールはサンドリヨンこそ最愛の人だとわかり、彼女に王冠を被せる。驚く継父や継姉たちにサンドリヨンは、あなた方の娘であり妹であることを私は決して忘れることはないと言う。アリドールは、つねに謙虚なサンドリヨンこそ后に相応しく、彼女はすべての試練に打ち勝ったと宣言する。

台本の比較・分析

登場人物と筋立て

元となる台本のあらすじが確認できたところで、民間伝承と三つの舞台作品のシンデレラに、比較・分析という視点で向き合ってみましょう。この節では、向き合った結果みえてきた異同のうちのいくつかについて、次の節での解釈につながるポイントに絞って言及します。

まず、もう一度**表1**に戻り登場人物をみてみます。ここに挙げた三つの舞台作品のいずれも、女性三人、男性四人、すなわち、主人公のシンデレラ、その継姉たち、継父である男爵、王子、その指南役、王子の従僕となっています。王子以外の男性登場人物（男爵、指南役、従僕）は、エティエンヌ+イズアールの《サンドリヨン》で創られ、それを《アガティーナ》と《ラ・チェネレントラ》でも参考にした（真似た）といえそうです。

ATUの「シンデレラ」やペローの「サンドリヨン」では、男性登場人物の影の薄さが指摘されるのに対し、これらの作品では、男女の主要登場人物の数が、舞台作品とすればバランスがとれているといえます。音楽劇では、声部（歌手の声のパート）の音高バランスも問題になるため、男女比が調整されたと考えるのが自然でしょう。

紙幅の都合で、《アガティーナ》と《ラ・チェネレントラ》についてはあらすじをここで紹介することはできないのは残念ですが、《サンドリヨン》も含めこれら三つの音楽劇作品に共通するストーリー展開で、民間伝承と大きく異なるものとしては、例えば、第一幕の冒頭が挙げられます。シンデレラが乞食に施しをする場面が挿入されている点です。これがあることで、隣人愛というキリスト教的な道徳を彼女が実践していることが明白になり、彼女の徳の高さがより強調されるといえます。

あらすじを丹念に読むとわかりますが、エティエンヌの台本の筋立ては、実によく練られています。というのも、各幕にはそれぞれ適切なクライマックスが配置され、劇的な展開をするからです。第一幕冒頭以外にもペローの「サンドリヨン」とは細部で異なる点も多く、よい意味で先入観が裏切られます。とくに第二幕のラストでサンドリヨンは、変装している王子と従僕を勘違いして逃げ出してしまうので、第三幕ではどのように収拾がつくのか、目が離せない展開になっています。

舞台化するにあたってエティエンヌが採用した「変装」という仕掛けは、作中で恰好のスパイスになっています。この作品が制作された当時、例えば謝肉祭《カルナヴァル》の時期に「変装」が実践されていました（もちろん街中では禁止されることもありました）。この作品が初演されたのはちょうど謝肉祭《カルナヴァル》の時期にあたる二月ですから、それにあわせたものかもしれません（とはいえ、舞台作品中で登場人物が変装するという設定自体は、当時頻繁にみられました）。ともあれこの作品では、「本当の姿」と「仮の姿」が錯綜しながら話が進みます。舞台上の登場人物たちはお互いに相手の真の姿を知りませんが、観客はそれを知っており、主人公同士が相手の内面に惹かれあうことで最終的には大団円となります。

シンデレラの性格の違い

筋立てをならべてみると《サンドリヨン》と《アガティーナ》はかなりよく似ていますが、《ラ・チェネレントラ》には違いがいくつもみられます。また登場人物の人物造形を左右する重要な違いもあります。《ラ・チェネレントラ》では、アンジェリーナは受け身に待つのではなく、はっきりと自己主張する女性になっているのです。第一幕の冒頭で彼女が歌う歌の歌詞に、こうした彼女の性格が垣間見え、作品全体のおおまかな筋立てが以下のように予言的に入っています。

昔、ひとりの王さまがおりました
彼は独り身でいることに退屈し
捜して、捜して、やっと見つけ出しました。
でも三人が彼と結婚したがったのです。
それで王さまはどうしたでしょう？
彼はきらびやかさや美しさを拒絶して
ついに、自分自身のために選んだのです
無邪気さと善良さを。

「王さま」がパートナーに望むのは、「きらびやかさや美しさ」ではなく「無邪気さと善良さ」だと、彼女は他人ごとのように歌いますが、これは彼女自身の願望にも聞こえます。じっさいその直後に従僕姿の王子が女中姿の彼女に電光石火の如く一目惚れし、二人は初対面で恋に落ちますので、早くもこの時点で観客は終幕の大団円を予感します。そして宮殿で彼らが再会したとき、今や貴婦人然と着飾った女性を王子はアンジェリーナとは確信できません。しかしアンジェリーナは従僕姿の王子を、ここに来る前に会った彼だと認識しています。そこで彼女は彼に対して、「灰かぶり」という自分の本当の姿を知った上でなお自分のことを愛してくれるかどうかを確認するために、自分がしていたブレスレットの片方を外して差し出し、それを手がかりに自分を捜しあて、それでもなお自分のことが嫌でないなら、あなたは私を得られるでしょう、と言い残して立ち去ってしまいます。つまり彼女は、自分の身元をあらわすアイテムを、なくすのではなく自ら意中の人に差し出すのです。このような具合にアンジェリーナは、能動的に自分の道を切り開いていくことができる女性として描かれています。

これに対し、《サンドリヨン》（そして《アガティーナ》）のシンデレラは、むしろひたすら慎ましく従順な女性として描かれています。《サンドリヨン》では、第一幕第二曲のロマンス「私は控えめで従順」で表現されているように、主人公は自分の境遇を穏やかに諦念して受け入れます。無垢で清らかな人物であり、最終的にはその純朴さが勝利し、継姉たちが切望していたものを彼女が手に入れます。《アガティーナ》でもこうした人物造形は踏襲されており、第一幕第四曲のアリア「粗末な服を着て、みんなから隠れて」の中で、「愚痴はこぼさず、苦しくても穏やか／天の思し召しのままに」と主人公が歌います。

助力者の存在

このように謙虚な彼女が筋立ての動きに絡んでいく際には、誰かの助力がいります。助力者は、ペロー「サンドリヨン」では仙女ですが、《サンドリヨン》と《アガティーナ》では、賢者アリドール（アリドーロ）がその役回りを担います。彼は占星術師であり、王子からも絶対的な信頼を受ける賢者です。第一幕フィナーレで一家が彼女を残して宮殿に向かった後、彼は彼女に助け船を出します。そして第二幕の冒頭で彼女を貴婦人に変身させ、魔法のバラを彼女に授けます。こうした具合に超自然的力を彼は発揮しますが、この作品での彼の活躍は、それだけに留まりません。第一幕では、自ら乞食に変装して、サンドリヨンがいかに徳の高い人物かを見抜き、彼女こそ世継ぎの王子の后に相応しいと冒頭から目をつけます。そして王子にも、従僕と衣服を交換してはどうかと提案します。最終幕のフィナーレで、控えめなシンデレラが勇気をふりしぼって普段着のまま前に進み出る推進力となるのは、靴を手がかりにしてはどうかという彼の提案です。

こうした賢人ぶりが功を奏して、地位や肩書きに固執する男爵一家の人々の本性が暴かれ、それとは対照的な、サンドリヨンの謙虚さや慎ましさが美徳として浮かび上がってきます。つまりこの作品中で彼は、高みから物語を達観する超越者だといえるでしょう。王子の指南役として、真の美徳を彼が認識するよう辛抱強く導いていくという役回りで、まさに彼の声は知性そのものです。民間伝承の「サンドリヨン」では仙女が担っていた超越的要素が、ここでは男性によって演じられ歌われるアリドールに割り当てられています。性役割分担に着目すると、女性主人公が男性登場人物の助力によってハッピーエンドを迎えるという形になっていることが気になります。《ラ・チェネレントラ》では、占星術師ではなく哲学者に変更されており、超自然的な力は行使しません。それでも役回り上、シンデレラに馬車を回して宮殿へ向かわせ、豪華なドレスに着替えさせるといった超越的な力を行使します。彼女にとって重要なのは、宮殿に行くこと、またその場に相応しいよう身なりを整えることができることであり、それが魔術によるものかどうかはどうでもよいと考えるなら、こうした変更があっても筋立てには影響しません。助力者としての役回りという点では三つの台本においてアリドール（アリドーロ）の役回りは同じといえます。もっとも、《サンドリヨン》（と《アガティーナ》）で彼の存在は、超越者として欠かせないのに対し、《ラ・チェネレントラ》のアリドーロにはそこまでの存在感はないことは付言しておきます。

貴族という属性

ところで、シンデレラ譚の基本的な展開は上昇婚、つまり「不幸な境遇にあった善良な女が、高い身分の人物にみそめられ、その人物と結婚する（玉の輿に乗る）」ですが、后の座を射止めたサンドリヨンは果たして「玉の輿に乗った」といえるでしょうか。確かに、灰にまみれた生活から一転して后となったという点だけみれば、該当します。しかも、ここまでみてきた三つの台本でシンデレラの身分を確認すると、彼女は女中として働く身分、すなわち庶民ではなく、貴族なのです。貴族にもかかわらず女中として働かなければならないことは、確かに観客の興味を引いたことでしょう。フランス革命を経験した当時の人たちは、実際にこうした事例を目の当たりにしていたかもしれません。

しかし問題はここからです。貴婦人（シンデレラ）が舞踏会を逃げ出した後、彼女を捜すために王子が出すおふれで宮殿に呼ばれるのは、エティエンヌの台本では「王冠を受け取るのに相応しい若い未婚女性が全員」というように限定されています。これを裏返せば、「王冠を受け取るのに相応しい者でなければ、呼ばれていない」ということになります。「王冠を受け取るのに相応しい」が何を意味するかは作中で語られます。舞踏会の翌日、サンドリヨンは普段着のまま、恐らく昨日の従僕に再会することを願って宮殿に向かいます。そこで偶然姉たちに出会った場面がそれです。

ティスベ　ここで何してるのよ。

クロリンド　そんな恰好で宮殿に行こうなんて、なんて度胸よ。

（……）

サンドリヨン　そうしたらおふれが聞こえてきたの。

ティスベ　どういうこと？

サンドリヨン　今日、貴族の若い女の子たちは（les jeunes filles nobles）みんな招待されたのではないの？

ティスベ　何言ってるの、あなたには関係ないでしょ？

サンドリヨン　関係なくないわ。私だってあなたと同じ貴族だし（je suis aussi noble）、年だってかわらない……。

クロリンド　分をわきまえてないわね。つけあがっているんじゃない？

サンドリヨンが「貴族の若い女の子たちはみんな」と言っているということは、「王冠を受け取るのに相応しい」という言葉の意味する具体的内容が、「貴族身分である（noble）」ことだと読み取れます。フィオリーニのものでもフェレッティのものでも、またペローの「サンドリヨン」でも、シンデレラが貴族身分であることは明らかです。なるほど、貴族とはいえ男爵家は没落貴族ですから、そうした点では確かにシンデレラにとって王家の血筋にある人物との結婚は上昇婚ではありますが、ATUで無限定に「若い女」とのみ言及のある部分は、十九世紀初頭のこれらの舞台作品においては限定的にしか通用しない、ということが読み取れます。

さらにいうなら、フィナーレでシンデレラが、継父と継姉たちをゆるすことについても別の角度から解釈が可能です。たしかに家族の構成員のヒエラルキーは逆転しますが、没落貴族だった継父や継姉たちもまた、シンデレラとともに最終的には王家の縁者となる点に注目しましょう。この展開においては、旧体制は転覆しないのです。作中では欺瞞や虚飾は揶揄されますが、それでも、最終的にシンデレラが継父や継姉たち（旧体制の象徴ともとれます）を受け入れるという点からみると、むしろ貴族中心の世界観がそのまま引き継がれているといえそうです。

解釈の扉を開く

ここまで、オペラ／音楽劇作品のシンデレラについて、現在も上演されるフェレッティ＋ロッシーニの《ラ・チェネレントラ》を入口に、その元となった二作品もあわせ、登場人物や筋立てなどを相互比較してきました。この作業からまず明らかになったのは、表1にみたとおり、登場人物の異同でした。すなわち、民間伝承の「シンデレラ」にはない三人の男性登場人物が、ここでみた三つの舞台作品には登場するのです。そうなった理由のひとつは、舞台上で実際に上演するためという、現実レベルの制約によるものだったことでしょう。

主人公シンデレラの人物造形についていえば、《ラ・チェネレントラ》に先行する二作品には、ペローの「サンドリヨン」を踏襲する部分が多くあります。受動的なシンデレラという性格づけは、ペローと重なります。そして彼女が作中で受動的なままでいるためには、別の人物による助力が不可欠です。伝承ではその役割を担うのは超自然的存在ですが、エティエンヌはその代わりに賢者アリドールという男性をおきました。劇の筋立てを成り立たせるためには、受動的な主人公には必ずサポート役が出てくるという、筋立てと登場人物をリンクさせる見本のような展開といえます。

それが男性である点は、深読みしてみたくなる点です。つまり、女は助けられ、男は助けるものだという、性役割分担をめぐる当時の暗黙の了解が見え隠れしているとも読めるのです。これと同じような社会通念は、たとえば『グリム童話集』の「赤ずきん」には、オオカミに食べられてしまった少女を男性のハンターが救出するという形で現れています。女は弱く、男は強いという先入観が、こうした話を通じて強化されていると指摘することができるのです。男性助力者の存在感は、《ラ・チェネレントラ》の場合、先行する二作と比べれば確かに稀薄です。とはいえ賢人がアンジェリーナに白羽の矢を立てて后の第一候補として扱うという点では、彼の超越性は展開上不可欠ですから、同類と考えてよいでしょう。もっとも、ここでアンジェリーナが自立した女性であるという点は、先行二作品にはなかった特徴です。現代社会における一般的なシンデレラ理解でも、シンデレラは自立した女性というより、誰か（たいていの場合パートナーである男性）に依存したい女性か、依存までいかなくとも基本的には状況に対して受け身な人物を指す用法の方がなじみます。なぜ《ラ・チェネレントラ》でこうした変更が加えられたのかは、いくつか仮説的に提起することも可能ですが（歌手の問題など）、別の研究が必要です。

細かな設定に関していえば、ペローの「サンドリヨン」にみられる要素である、仙女による魔法やガラスの靴、カボチャの馬車といったものは、エティエンヌ＋イズアールの《サンドリヨン》の時点で、現実の舞台上で実現しやすい要素に置き換えられ（仙女は賢人に、「ガラス（verre）」の靴は、フランス語で同音異義の「緑色（vert）」の靴になりました）、後続二作品でもそれが踏襲されるか、あるいはそれらの要素は削除されました（《アガティーナ》には靴をなくすエピソードはなく、本人確認のカギとなるのは《サンドリヨン》で採用された魔法のバラです）。

また、「変装」が大がかりになったのも、エティエンヌ＋イズアールの《サンドリヨン》でした。ATUの「シンデレラ」では、シンデレラの「変身」（ドレス姿への「変装」とも言えます）という形でのみ出現していた要素が、ここでは超自然的なテイストを抑制しながら、変装という、当時の舞台作品によくみられる形に変化・発展しています。「変装」という仕掛けを拡大することで、外見にとらわれずに内面をみる目のある人たちが最終的には報われるという、元のシンデレラ譚にはなかった教訓を追加しました。元のシンデレラ譚が、「シンデレラ・コンプレックス」（ダウリング）という用法にみられるような、ひたすら待ち続ける（しかし待ち人は来ない）という、ときに否定的な意味合いをも内包し得るところを、その構造を壊すことなく具体的な行動指針を打ち出したという点で、《サンドリヨン》には（そして後続の二作品にも）卓越したところがあるとも解釈できます。

しかし、それにも限界がありました。貴族という属性です。これはペローの「サンドリヨン」にも見られる要素ですが、ATUの記載はもちろん、ディズニー映画の『シンデレラ』にも見られません。こうした事実から、十九世紀初頭にこれらの作品を制作した人たちの念頭には（そして恐らくこの作品を観た多くの人たちの頭の中にも）、身分制度の観念があり、そして貴族でなければ王子の后には相応しくない、身分の壁を越えた結婚は好ましくないという了解があったとも読み取れます。

人々の集団の間に線引きをして配偶者としての適性判断に用いるというやり方自体は、人間社会に広く見られます。たとえば宗教や職業で区別する例や、地縁・血縁を基準とする例もあるでしょう。逆に、縁が近すぎることで配偶者候補から除外するという社会通念（近親婚の忌避《インセスト・タブー》）も普遍的にみられます。しかし、判断の基準それ自体は恣意的なものだということが、今回みた事例からも明らかです。シンデレラ譚でストーリー展開上必要なのは、身分ではなく、主人公の善良で前向きな姿勢なのですから。

こうした考察をさらにすすめると、人間を個としてではなく集団としてみる場面は、配偶者としての適性を判断するとき以外にもある、ということに思い当たります。そしてその際、線引き（分類）を所与のものとするのではなく、状況によってしなやかにみなおすことも大切だということが、シンデレラ譚における貴族という属性の扱いを裏側からみると透けてみえるようになります。

このような具合に、様々なストーリーを比較し読み解く際にも、人文学的な知の組み立てを意識することが役立ちます。今回は十九世紀初頭の舞台作品としてのシンデレラを俎上に載せましたが、同じことは別の作品でも可能です。こうしたことの意識化が習慣になればきっと、目には見えない、観念世界を理解するための扉が、みなさんの目の前に現れることでしょう。

［参考文献］

ヤーコプ・グリム／ヴィルヘルム・グリム『グリム童話集』（一）〜（五）、金田鬼一訳、岩波文庫、一九七九年。

ジャック・ザイプス『赤頭巾ちゃんは森を抜けて――社会文化学からみた再話の変遷（増補版）』廉岡糸子／吉田純子／横川寿美子訳、阿吽社、一九九七年。

コレット・ダウリング『シンデレラ・コンプレックス』柳瀬尚紀訳、三笠書房、一九八五年。

段成式『酉陽雑俎（四）』今村与志雄訳注、平凡社、一九八一年。

ジャンバッティスタ・バジーレ『ペンタメローネ――五日物語』杉山洋子・三宅忠明訳、大修館書店、一九九五年。

シャルル・ペロー『完訳ペロー童話集』新倉朗子訳、岩波文庫、一九八二年。

Louis Anseaume, *Cendrillon, opéra-comique*. Paris: Duchesne, 1759.

Charles Guillaume Étienne, *Cendrillon, opéra-féerie en trois actes et en prose*, musique de Nicolo Isouard, de Malta. Paris: Vente, 1810.

Franz Hadamowsky, *Die Wiener Hoftheater*（*Staatstheater*）*: Teil 2, 1811-1974*. Wien: Hollinek, 1975.

Karen A. Hagberg, *Cendrillon, by Daniel Steibelt. An edition with notes on Steibelt's life and operas*. Diss. The Univ. of

Rochester, Eastman School of Music, 1976.
Stefano Pavesi, *Agatina, o la Virtù Premiata : dramma semiserio per musica in due atti*. Milano: Giacomo Pirola, 1814.
Gioachino Rossini, *La Cenerentola, ossia, La bontà in trionfo : dramma giocoso in due atti di Jacopo Ferretti*, v. 1, v. 2. Milano: Ricordi, 2004.
Hans-Jörg Uther, *The types of international folktales. a classification and bibliography*. Helsinki: Suomalainen Tiedeakatemia, 2004.（ハンス＝イェルク・ウター『国際昔話話型カタログ――アンティ・アールネとスティス・トムソンのシステムに基づく分類と文献目録』加藤耕義訳、小澤昔ばなし研究所、二〇一六年）

📖 読書案内

シンデレラ譚について概観するなら、浜本隆志『**シンデレラの謎――なぜ時代を超えて世界中に拡がったのか**』**（河出書房新社、二〇一七年）**がおすすめです。伝承研究の伝統にのりつつ、最新のDNA研究まで視野に入れながら解明します。

古典的な民間伝承研究の分析方法を知るには、ロルフ・W・ブレードニヒ『**運命の女神――その説話と民間信仰**』**（白水社、二〇〇五年）**が最適です。原著にない分布地図と類話一覧表も添えられており、理解しやすくなるよう工夫されています。民間伝承のストーリー展開や登場人物の特徴について、構造や機能といった角度から整理するには、ウラジーミル・プロップ『**昔話の形態**

学』（水声社、一九八七年）が欠かせません。この本も訳者が追加した資料や解説が役立ちます。

読解として面白いのは、歴史家カルロ・ギンズブルグ**『闇の歴史——サバトの解読』（せりか書房、一九九二年）**です。「靴を片方なくす」というモティーフが、古代ギリシアなどにみられる「不自然な跛行《はこう》」と同一とされ、シンデレラがユーラシアワイドな異端者の系譜に連ねられています。ジャック・ザイプス**『赤頭巾ちゃんは森を抜けて——社会文化学からみた再話の変遷（増補版）』（阿吽社、一九九七年）**も、興味深い本です。「赤頭巾」の類話を読み比べ、そこに潜むジェンダー・バイアスを「赤頭巾ちゃん症候群」という表現で看破しています（一九九〇年刊行の旧版より内容が充実しているので、こちらがおすすめです）。

オペラ／音楽劇研究の基礎として西洋音楽の歴史を知るには、グラウト／パリスカ**『新西洋音楽史』（上中下巻、音楽之友社、一九九八〜二〇〇一年）**がおすすめです。章ごとの参考文献も豊富なので、興味のある項目を重点的に読むとよいでしょう。

第三部　描かれる歴史

第三部では、「描かれる歴史」というテーマで、歴史のダイナミズムに触れてもらいます。一般的に歴史というと、暗記科目というイメージを持つかもしれません。何年にしかじかの出来事があった、誰々がどこそこで何々を行った、といった情報はたしかに重要です。しかし、そうした個々の事実の単なる集積が歴史なのではありません。人間のあらゆる営みは、限定された時間と空間のなかに場をもちます。結果として、その痕跡はさまざまな素材に残されます。あちこちに散らばるそうした痕跡を収集し、それぞれの内容を吟味・検証し、さらに互いの関係を読み解きながら、どのような営みが何故なされたのか、またその営みはほかの営みとどう結びついているのか、こうしたことを考えるのが歴史学です。

痕跡はこのとき史料と呼ばれることになりますが、そこには公文書から一般人の私的な手紙に至るまで、あらゆる文字資料が含まれます。のみならず、地図や絵画のような図像、さらには音声の記録や断片的な映像なども史料になりえます。これらを批判的かつ総合的に考えることで、歴史は立ち現れるのです。

このセクションでは、史料を扱うことの奥深さを味わいながら、人文学としての歴史学のあり方を経験し、歴史がダイナミックなものであることを理解します。

9 その変化をもたらす知はだれのものか

——中世の「日本図」と文字資料をあわせ読む

高橋一樹

プロローグ

人文学において、多少なりとも過去をあつかう学問分野は少なくありません。そのなかにあって、人間の書き残した文字資料の分析から、過去を総合的に論じようとするのが歴史学です。考古学や民俗学などとは密接に関連しますが、研究の素材や方法が異なります。このことから、文字資料に依拠した狭義の歴史学を文献史学と呼んだりもします。

考古学は発掘にともなう遺物や遺構をもとに過去を考えます。また、民俗学はインタビューや参与観察を通じて比較的近時の過去にせまります。さらに地理情報を軸に歴史資料をも加味して過去の自然と人間とのかかわりをさぐる歴史地理学のほか、美術作品や建築を歴史的文脈から研究する美術史学や建築史学などもあります。

広い意味での歴史学においては、これら細分化されたディシプリンがそれぞれの利点を生かし、欠点を補いあいながら、密接に協業していくことが必要です。そのなかで、文献史学も固有の研究方法をさらにブラッシュアップし、新たなテーマにも取り組んでいかねばなりません。

本章はこのような問題意識にもとづいて、「過去」を対象としてシェアする他分野の成果に学びつつ、おもに文献史学の方法から、あるひとつの歴史像を具体的に組み立てる思考のプロセスを素材とともに例示する試みです。

課題をみいだす

さて、日本列島を主たるフィールドとする文献史学では、過去のある時々に、一定の書式にのっとって記された文書や記録をもっとも重視します。とはいえ、文書や記録の性格や残り方には、時代によって偏りがあります。時代をさかのぼるほど、知りうる情報も限られてきます。そこで、過去に著された史書はもとより、文学作品のような、ナラティヴな書き物を史料として活用することもめずらしくありません。

たとえば、一三〇〇年前後に成立したとされる真名本系の『妙本寺本曾我物語』巻第三から、ある一節を例として取り上げてみましょう(東洋文庫刊『真名本曾我物語』一巻を参考に読み下しました)。

今夜、君の御ために目出《めでた》き御示現を蒙りて候ふなり。君は足柄山矢倉が嶽に渡らせ給ひけれは、伊保房は銀の瓶子を懐き、実近は御畳を敷き、盛綱は金の折敷に銀の御盃を居ゑ、盛長は銀の銚子に御酒を入れ進せ候ひけれは、君は三度御召し候ひて後、筥根に参り給ひ候ひけるか、左の御足にては、奥州の外浜を践み、右の御足にては、西国鬼界嶋を践み、左右の御袂には月日を宿し、小松三本を御粧としつつ、南に向ひて歩ませ給ひ候ふと見進せて候ひつる。

十二世紀末、伊豆に流人として生活していた源頼朝（＝君）が、のちに妻となる北条政子と伊豆の走湯権現に逃げ込んだ日の夜、頼朝に仕えていた藤九郎盛長がみた夢の内容です。足柄山から移動しはじめた頼朝は、左足で陸奥国の外の浜を、右足で西国の鬼界が嶋を、それぞれ踏みしめ、月と太陽を袂に入れて、南に向かって歩いている、とあります。

外浜（外ヶ浜）は津軽半島の東岸にあたり、鬼界嶋は薩南諸島の硫黄島をさすと考えられていますが、源頼朝がこれら千キロ以上離れた両地点を股にかけるほどの巨人であった、ということを読み取りたいわけではありません。また、盛長がほんとうに夢をみたのかどうかも、事実として確定するのはむずかしいでしょう。

むしろ着目すべきなのは、この夢が頼朝たちにとって、喜ばしい吉夢とされている物語の設定それ自体にあります。盛長の夢に関する描写のなかで、『曾我物語』の作者には当然のことと考えられ、作品を読む人びとも受容してくれるはず、と期待された当時の認識こそが解析のターゲットになります。いったい外浜と鬼界嶋は、なにを表しているのでしょうか。

中世史家の村井章介氏は、この『妙本寺本曾我物語』を含めて、九世紀半ばから十七世紀初めにいたる法律書や文書、文学作品、寺社の縁起などをもとに、日本の「国土」の境界として表象される地を網羅的に検出しています。それによると、外浜と鬼界嶋は、おおむね十一世紀以降、日本の東と西の境界としてよく登場する地でした。

平安時代の末期にあたる十一世紀といえば、古代から中世への転換期にあたります。重要なのは、その中世日本の「国土」が、外浜と鬼界嶋という東西の境界のみで語られること、つまり当時の日本は東西に細長いかたちをしている、と捉えられていたことです。

そもそも中世社会に生きる人びとにとって、夢は神仏からのメッセージと考えられていました。走湯権現で盛長がみた、太陽と月を抱く源頼朝が外浜と鬼界嶋を両足で踏みつけて歩き始めた、という夢。それは、東西の境界が象徴する中世日本の「国土」全域に頼朝が君臨することを神仏が示してくれた、まことに縁起のよい話だ、という論理になります。

誇張や虚構を含むことのある文学作品であっても、他の史料と組み合わせながら、同時代を生きた人びとの認識や知識を掬いとる手がかりにすることは不可能ではありません。文書や記録にのみ頼ることなく、それとは異質な創作に満ちたメディアにも共通する情報であればこそ、より信頼度を高めることができます。

中世の文書や記録は、支配階層に属する人びとの業務や土地支配、紛争解決に関するものが圧倒的に多数をしめています。ごく限られた人間のあいだでしか参照されない、支配のための個別局所的なメディアといってよいでしょう。たとえばそこに、中世日本の地理的知識にかかわる記述があっても、どれほどの社会的な広がりをもつのかを明らかにするためには、慎重な史料批判を要することになります。文献史学（とりわけ前近代）は、このような弱点を認識しているからこそ、おもに紙に書かれた文書や記録を大切にしながらも、文字情報の存在を頼りに他ジャンルの文字テキストや画像にも関心を向け続けるわけです。

ところで、中世日本の「国土」が東西に細長い姿をしていた、という当時の考え方を伝える史料は、文字資料だけにとどまりません。ほかならぬ、中世に日本の「国土」を描いた図像がいくつか残されています。

表象をよみとく

現存する最古のものは、一三〇五年に書写されたとの注記をもつ、仁和寺所蔵の日本図です（**図1**）。原図の成立は十二〜十三世紀かと推測されていますが、東西に細長い「国土」の南を上にした描法で、六十余りの旧国ごとに付された文字表記のしかたもそれに一致します。これは、『妙本寺本曾我物語』の吉夢に登場した源頼朝の視線と同じで、日本海や中国大陸側から列島をながめる向きになります。

村井章介氏は、この日本図を先駆けとして、中世の百科事典である『拾芥抄』の諸本に収められた「大日本国図」を〈拾芥抄系〉と呼び、奈良時代の僧侶である行基を作者に仮託した日本図、いわゆる行基図という概念の確立にそれがはたした役割を重視しています。

実際に行基が生きた時代、たとえば八世紀前半には、朝廷から諸国に「国郡図」の作成と提出が

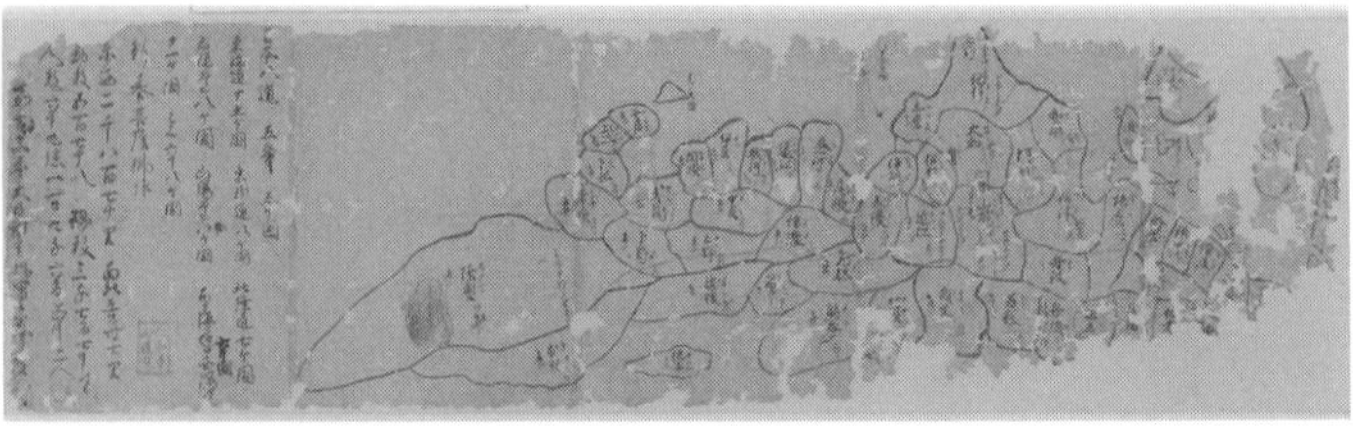

図1　仁和寺蔵「日本図」，嘉元3年（1305）書写

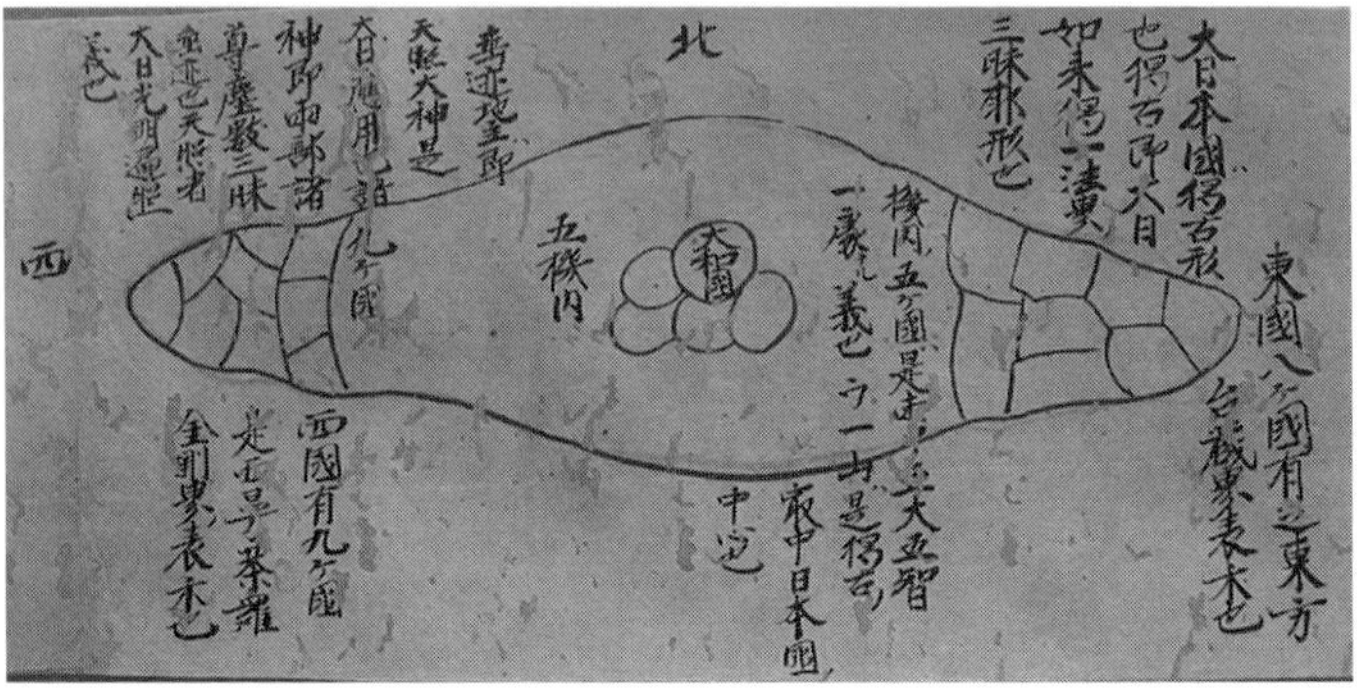

図2　坊津歴史資料センター輝津館蔵「日本図」，建徳元年（1370）書写

命じられました。しかし、古代の「国郡図」は、まったく伝存していません。十八世紀に改訂をともないつつ書写された『集古図』巻二所収の「輿地図」に、九世紀初頭の「国郡図」の残影が見いだされるのみです。

一方、仏教思想を背景に、日本の「国土」を密教の法具である独鈷杵《とっこしょ》に見立てるなどした、〈密教図形系〉と類型化される日本図（**図2**）も中世から残されています。このタイプは、近年各地の寺院で発見が続いており、十四世紀にも継承されていました。しかし、その後に伝存例はなく、十五世紀以降の国内外におよぶ日本図の変遷に大きな影響を与えたのは、やはり〈拾芥抄系〉の行基図だったのです。

一三〇五年書写の仁和寺蔵日本図に

もどりましょう。四国や九州にあたる部分に欠失を生じていますが、東日本にあたる部分は図像・文字ともに良好な残存状態といえます。広大な陸奥国は先端にいくほど細くなり、独鈷杵のかたちに見立てた〈密教図形系〉の影響を受けているかのようです。図はここが東端で終わり、そのさきに北海道にあたる島の描写はありません。かわりに、陸奥国の範囲内に「エス島」（蝦夷島）という薄い文字が判読できるようです。

ほぼこれと同時期の文書資料をみますと、一二七七年の御家人渋谷氏の書状に日本の東境として「えそかしま」が記され、一二七八年の日蓮書状（「妙法尼御返事」）では、「漢土の人の此国の人人を見候へは、此国の人の伊豆の大島・奥州の東のえそなんとを見るやうにこそ候らめ」とあります。たしかに当時の武士や知識層にも、陸奥の東に「えそ」（蝦夷）をならべる漠然とした情報のあったことが読み取れます。

少し時期を降って、十六世紀半ばから書写年代が明確になる〈拾芥抄系〉日本図を見てみますと、陸奥国の先端に「夷島」が記されており、仁和寺蔵日本図の「エス島」との連続性が看取されます。ただ、村井章介氏が注意しているように、陸奥・出羽の描き方に変化がみられ、仁和寺蔵日本図のような先細りの領域ではなく面積が広がり、さらに「津軽大里」という新たな区画も出現しています（**図3**）。明らかに陸奥・出羽方面への地理的関心が増した結果の反映ということができます。

このかん、十四世紀半ばには、蝦夷島をめぐる地理情報に変化のあったことを示す史料が現れていました。信濃国諏訪大社の神官家出身にして、室町幕府の法曹官僚である諏訪円忠《すわえんちゅう》が同社の縁起をつづった『諏方大明神画詞』です。

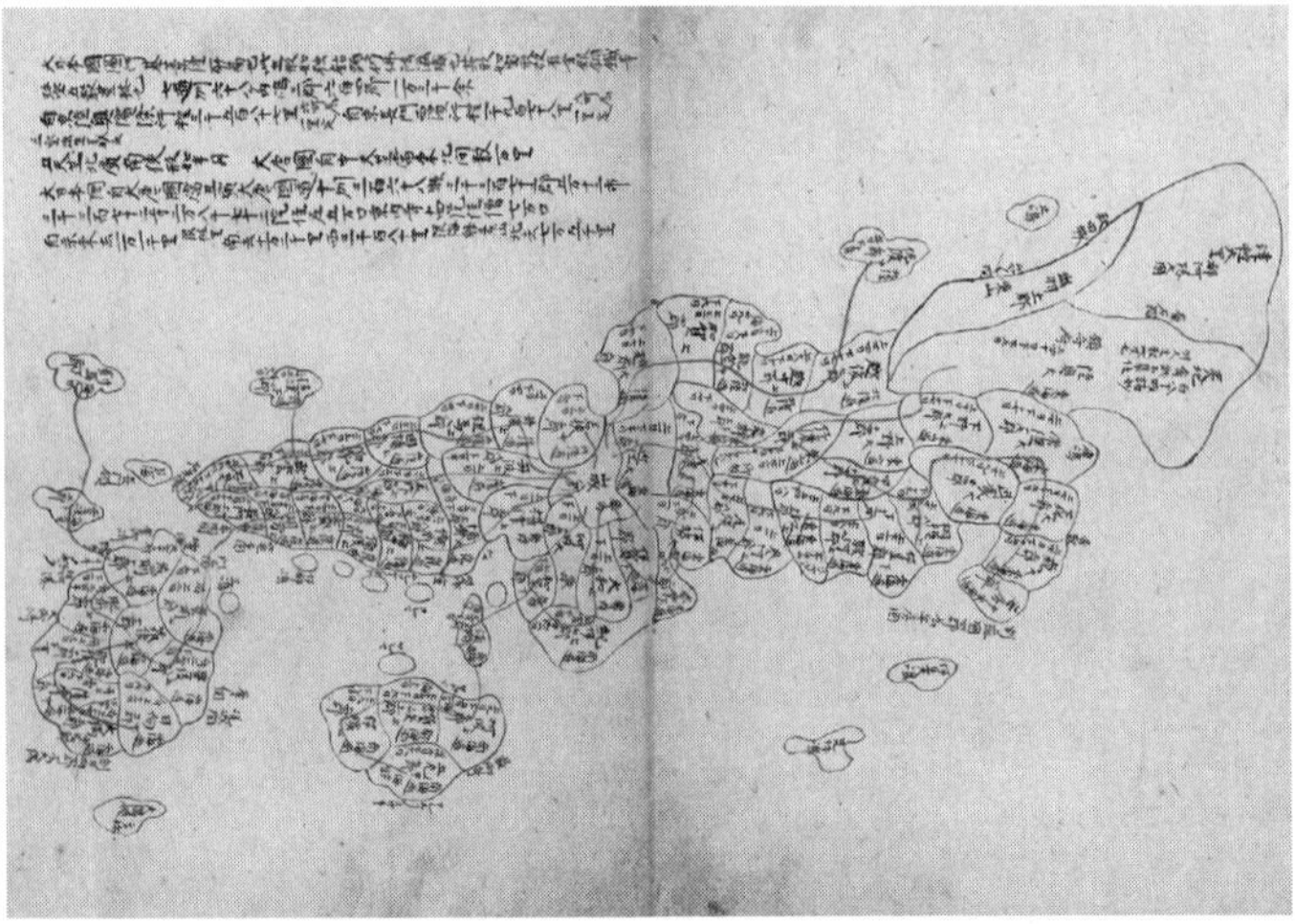

図 3　天正 16・17（1588・89）年書写『拾芥抄』の「大日本国図」，前田育徳会尊経閣文庫蔵

現存する写本は絵の部分が失われ、詞書のみが残されており、いまの北海道および周辺諸島に比定される「蝦夷が千島」に関して、当時の認識を知ることのできる最古の史料とされています。それによると、「蝦夷が千島と云へるは、我国の東北に当て大海の中央にあり」と位置関係が記され、住民の多くが「奥州津軽外の浜に往来交易す」ることが説かれます。津軽外浜と蝦夷島とが海で隔てられ、両者が東にならぶのではなく、蝦夷島がやや北方に持ち上がって、東西に細長い日本の「国土」からみて東北に位置する、という認識が語られているのです。

一三〇五年の仁和寺蔵日本図から十六世紀半ば以降に続く行基図の系譜と、十四世紀半ばに著述された『諏方大明神画詞』とのあいだには、陸奥・出羽や蝦夷島に関する地理的認識に質的な差異が明らかにあります。つまり、中世日本図の主流ともいうべき行基図における「国土」の表現は、中世の日本列島に生きた人びとすべての共通認識ではなかった、ということに留意せねばなりません。

背景をさぐる

では、少なくとも十四世紀半ばに行基図とは異なる（結果として、より実態に近い）地理的知識を持っていたことが明らかな諏訪円忠は、どのようにして、その情報を得ていたのでしょうか。

前提として注目されるのは、十二世紀末から夷島（蝦夷島）への配流を鎌倉幕府が担うようになっていたことです。京都などで重大な罪を犯して捕えられると、幕府側に引き渡され、関東を経由して、夷島へ罪人が送られました。それに関与する幕府や従者たる御家人の武士たちにとって、この制度は陸奥・出羽から夷島にいたる地理情報への関心を高めたことでしょう。

さらに円忠による『諏方大明神画詞』の記述を読んでみますと、「蝦夷が千島」現地の統治については、「根本は酋長もなかりしを、武家其濫吹を鎮護せんために、安藤太と云ふ者を蝦夷管領とす」と説明されています。「武家」つまり鎌倉幕府が安藤氏を蝦夷代官に任じて差配を委ねていたと解釈できます。

安藤氏は幕府の実権をにぎる北条氏得宗家の従者でした。鎌倉時代の陸奥・出羽には、北条氏得宗家の所領が数多く設定されて、得宗を主人と仰ぐ武士たちが現地支配の代官となって進出していました。十三世紀後半の時点で「えそかしま」を知っていた渋谷氏も得宗家に奉公し、ほかならぬ諏訪氏も、同じく得宗家をささえる有力な従者の家筋だったのです。

十三世紀後半から十四世紀前半にかけて、列島の北方では史料上に「蝦夷蜂起」と表現される緊張した情勢が続き、得宗家の率いる幕府にとって、反乱への対処が政治課題となります。北越後から陸奥・出羽の要所に、得宗家につらなる上級武士や吏僚たちが続々と所領を獲得していく現象も、「蝦夷蜂起」対策の一環である可能性があるでしょう。そもそも仁和寺蔵日本図の陸奥・出羽を描いた部分にも、「蝦夷蜂起」に関する情報が一三〇五年の同図書写以後に書き込まれているようです。

十四世紀の得宗家周辺には、蝦夷島や奥羽についてのさらなる関心の高まりと、安藤氏など現地の人びとからもたらされる独自な情報の蓄積があったはずです。得宗政権の一角をしめる諏訪氏に出自する円忠も、それに接することができたのではないでしょうか。

逆にいえば、蝦夷に関係する情報の回路は、支配階層のなかでみると、東日本の一隅に本拠を構える軍事エリートの中枢部に偏在していたのです。しかし、かれらによって、蝦夷島を独自に描き込むような日本図が作られた痕跡は残されていません。

じつは、蝦夷島とその周辺に関する諏訪円忠の得た地理的情報と親近性を有する日本図は、武人政権のルートとは別に、遅くとも十五世紀半ばまでには作られていました。朝鮮王朝で編纂された『海東諸国紀』のなかに収められた日本図です。

日本に伝えられた行基図とは異なり、蝦夷島とその周辺に関する新しい情報が加味され、朝鮮半島に渡った日本図は、いったい誰によって描かれたのでしょうか。

『海東諸国紀』は、朝鮮王朝に仕える申叔舟《シンスクチュ》が日本および琉球との外交に備えるべく、一四七一年に刊行しました。そこには行基図の系譜をひく日本図が収録されており、そのなかに「夷島」が描かれ

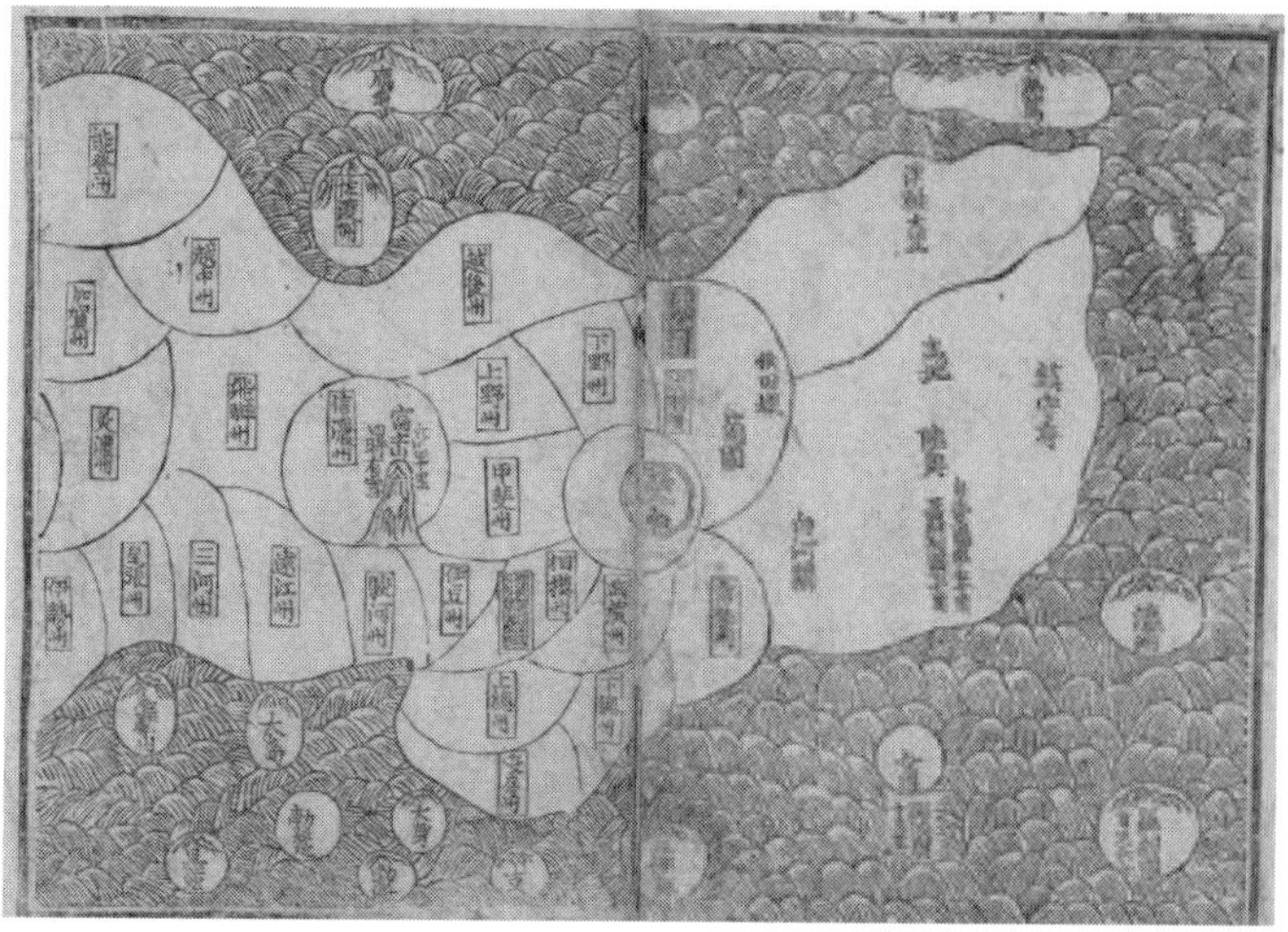

図４　『海東諸国紀』の「日本本国之図」（部分），東京大学史料編纂所蔵

ています（図４）。まるで『諏方大明神画詞』の記述と軌を一にするように、「夷島」の位置は陸奥などの東側ではなく、「津軽大里」の上、つまり北方にあたり、「国都」とされた京都からみると、まさに「東北」の方位に認識されていたことが看取できます。

　村井章介氏はこの「夷島」を「史上はじめて北海道が図上に明瞭な姿をあらわした」と評価したうえで、その描写に結実した情報源を津軽の安藤氏と接触した対馬や博多の勢力と推測しています。安藤氏を発信元とする蝦夷島の情報が海路をつたって、朝鮮で可視化されたことになります。

　朝鮮の地誌に収められた日本図に、対馬や博多の人びとが関わっているというのは、どういうことでしょうか。村井章介氏は、『海東諸国紀』の日本図がもつ特徴について、西日本を中心とした海図であることを読み取り、その情報が博多商人道安によって朝鮮にもたらされた地図から取り込まれたことを指摘しています。〈拾芥抄系〉の「大日本国図」などをベースマップとしつつも、実際の航海経験にもとづくとみられる描写は、博多商人の地図に依拠していたというのです。

もちろん、博多商人が作成に携わった中世日本の海図など、現在まったく残されていません。中世の文字テキストから抽出される日本の境界は、それが商人などの活動範囲とのかかわりで登場することから、社会意識として表象されていたともいわれます。しかし、現代日本に伝来する中世後期の日本図には、『海東諸国紀』の日本図に反映されたような、詳細かつローカルな情報が掬い上げられることはありませんでした。〈拾芥抄系〉の行基図をはじめとした中世の日本図が帯びる、このような階層差をともなった保守的な性格は確認しておく必要があるでしょう。

朝鮮で刊行された書物に目を向けることで、遅くとも十五世紀の日本では、東アジア海域を活動の場とする商人たちも実用的な地図を作っていた事実が浮かび上がり、その内容も類推することができるのです。日本列島の過去を知るための材料は、日本国内にのみ残されているわけではありません。

さて、ふたたび『海東諸国紀』の日本図を観察してみましょう。東日本の部分には海図としての情報が希薄で、さきにふれた「夷島」の登場を除くと、畿内以西に比べて簡略な描写になっていることが否めません。村井章介氏はこの理由を、朝鮮王朝に地図をもたらした博多商人の活動圏が、東日本におよんでいなかったからとみています。

いっぽう、村井氏によって『海東諸国紀』の日本図との関連が示唆される、もうひとつの「海を渡った行基図」には、興味深い描写が見受けられます。一四〇二年に朝鮮でつくられた『混一疆理歴代国都之図』(以下では『混一図』と略称)の一部をなす日本図がそれです。

『混一図』中の日本図（図5）は、村井章介氏によれば、日本の「国土」をとりまく海域に想像上の島々を描き加えた〈境外描写系〉に属します。ベースマップは、十四世紀末に朝鮮の通信使が大内氏の重臣から入手した日本図に対馬と壱岐が補われた図で、〈拾芥抄系〉行基図の特徴をも受け継ぐことが指摘されています。

こうした成立の経緯と類型的特徴をもつ『混一図』の日本図ですが、九州や中国地方を上にした妙な描写になっています。図中の国名や地域名を書く軸線も同様です。そのようになった理由は、九州や中国地方を上にして「国土」などを描く日本図がそのまま『混一図』に「はめこまれた」結果だろうと考えられます。一三〇五年前後の日本図とは異なり、西－東をタテ軸にしたタテ長の日本図（おもに行基図）は、確実な現存例では十五世紀以降に作られていきますが、その背景については後考を期したいと思います。

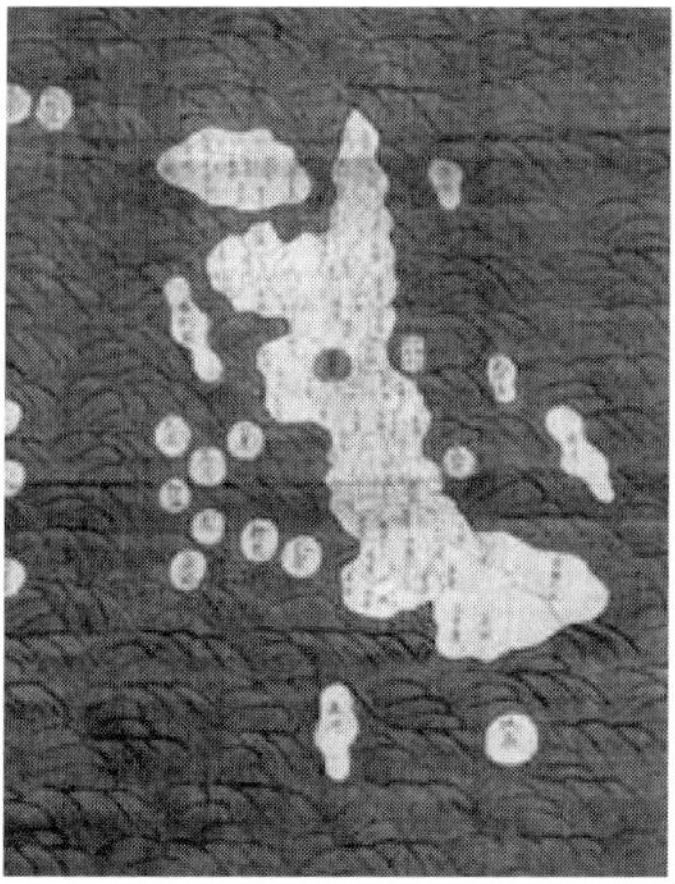
図5 『混一疆理歴代国都之図』の日本図（部分），龍谷大学大宮図書館蔵

『混一図』中の日本図にもどって、東日本の描き方

をみますと、それまでの〈拾芥抄系〉の行基図とは異なる形態になっていることに気づきます。すなわち、陸奥・出羽や「津軽大里」からなる現在の東北地方にあたるエリアが、東にのびているのではなく、まさに列島が東北に湾曲した描写になっているのです。

　歴史地理学者の青山宏夫氏は、現在の東北地方にあたる列島の一部が、中世の行基図などのように東にのびるのではなく、北に向かって起き上がっていくように描かれ、旧国境や地名などの地誌的事項の表記も現実的になる変化に注目しました。そして、この地図史上の一大トピックを列島の「メタモルフォーゼ」、つまり形態変化と表現して、それが十七世紀に顕著に進行したことを論じています（図6）。興味深いことに、『拾芥抄』の書写本における日本図の推移でも、一五四八年・一五八九年（図3）と一六〇七年（図7）とでは、たしかに青山氏が指摘するように、本州東部の北への立ち上がり方に変化が認められます。同じテキストを次々と書き写していながら、そのコンテンツのひとつである日本図の描写には、質的な変化をもたらすなんらかの要因が加わったことになります。

　十七世紀といえば江戸時代の前期にあたり、日本史上の時期区分としては近世に入ります。したがって、おもに東日本の描きかたに着目するならば、中世と近世の日本図には断絶面があるといえるでしょう。村井章介氏は、中世では本州の東北端から蝦夷島に東と北の方位観がオーバーラップするなかで、北よりも東で日本の境界を代表させる現象がおきた、と述べていますが、近世には絵図上で北が東から〈自立〉することになるわけです。

　ただ注意が必要なのは、日本図における列島の「メタモルフォーゼ」が、近世になると突如おこるわけではないことです。青山宏夫氏は、すでにふれた『海東諸国紀』や『混一図』、さらに十六世紀後半に中国で編纂された『日本一鑑』などに取り込まれた行基図をもとに、十五～十六世紀に海を渡った日本図における日本列島の描かれ方に着目して、本州東部に以下の二つのパターンがあることを指摘しました。すなわち、

① 東西にまっすぐ延びる形態
② 北へ立ち上がった形態

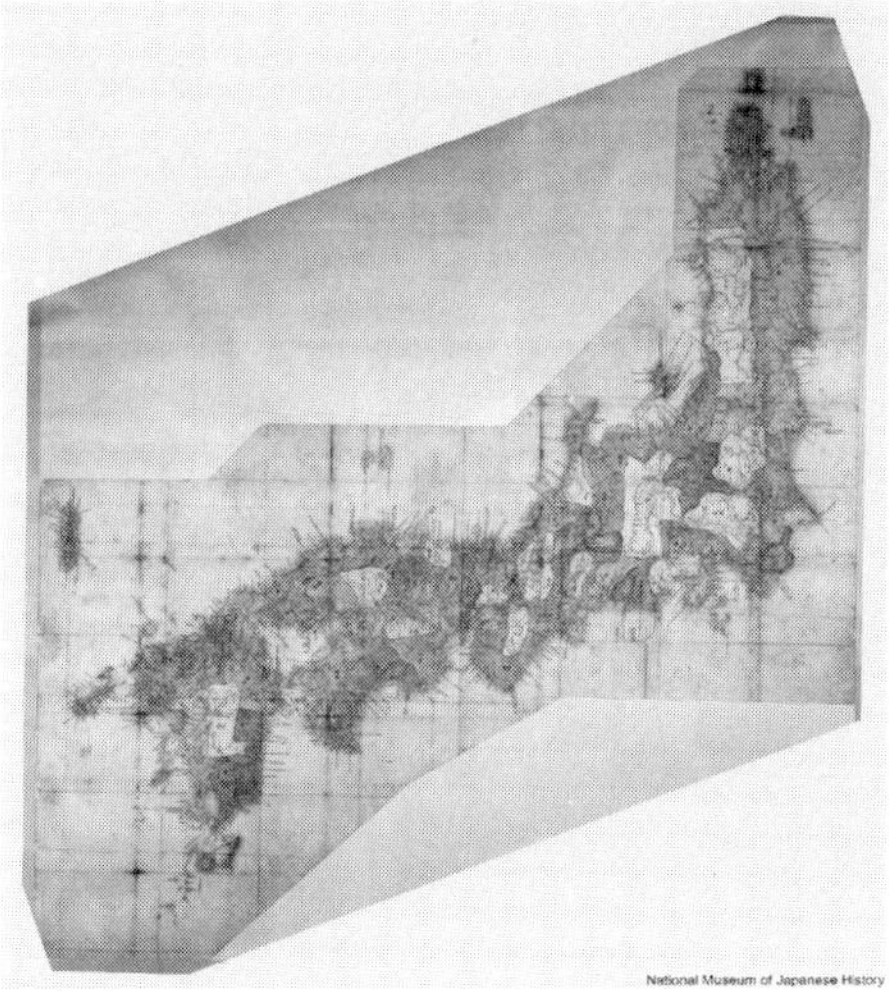

図6　国立歴史民俗博物館蔵「正保日本図」，17 世紀

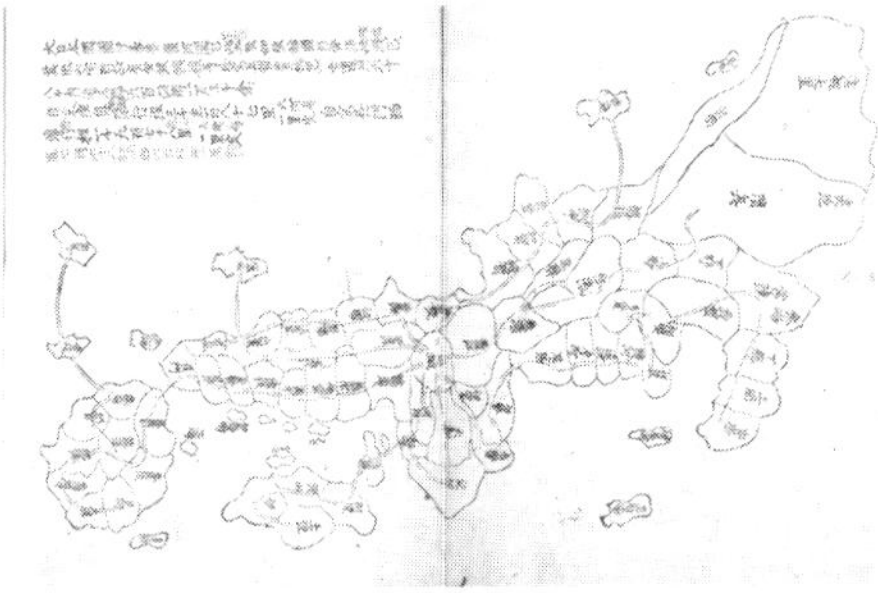
図7　慶長 12（1607）年版『拾芥抄』の「大日本国図」，国立歴史民俗博物館蔵

という二つの形態です。そして、十五〜十六世紀は①と②の新旧の地理像が併存する、過渡期的状況であったと評価したのです。

村井章介氏が〈境外描写系〉に分類した、行基図の系譜をひく日本図も同様の視点から注視してみますと、一四〇二年書写の「日本国図」（ハーヴァード大学蔵）では本州東部が東北軸に起き上がりはじめており、十六世紀半ばころの作成と考えられている「南瞻部洲大日本国正統図」（唐招提寺蔵）でも同様な描写のあり方を確認できます。こうしたことからも、行基図を中心とした日本図における「北の東からの自立」は、室町時代から戦国時代にあたる十五〜十六世紀を通じて、緩やかな変化のプロセスをたどったと考えてよいでしょう。

文献史学の研究では、中世や近世といった時期区分を前提とします。その線引きは簡単ではなく、移行期という考え方をおいて、大きな変化がどのように進んだのかを冷静に見極めようとします。さらに歴史地理学は、絵地図の歴史が情報史としての側面をもつことを強調します。その見方に立てば、日本図において列島の「メタモルフォーゼ」が徐々に進行したのは、現在の東北地方に関する地理的情報の刷新が中近世移行期の図に反映されてきた結果だということになります。

すでに古代においても、たとえば出羽のエミシを「北狄」と呼ぶ八世紀の史料があるように、列島の北方に関する地理的認識は存在していました。にもかかわらず、村井章介氏の事例収集にもとづく中世日本の境界地をみても、日本の北境はほぼ一貫して佐渡でした。

そのなかにあって、まさに佐渡を取り巻く北東日本海域の地理的情報をふまえた文字テキストが、青山宏夫氏のいう「過渡期的状況」のなかに出現していました。おおむね十五世紀以降の成立とされる『義経記』です。

論理にたかめる

『義経記』は中世の軍記物語に分類されますが、その内実は各地方でそれぞれに育まれた義経物語を集成した性格をもつ、とされます。なかでも、奥州の平泉をめざす義経主従の北国下りを描いた部分で、とくに地理的情報が詳しいことは、日本民俗学を立ち上げた柳田國男らによって、早くから指摘されていました。

　たとえば、十七世紀初めの元和古活字本の巻第七「直江の津にて笈探されし事」は、これ以前に本州東部のかなり正確な地理認識が存在したことを教えてくれます。

　ストーリーはつぎのとおりです。京都から奥州平泉へ落ちのびる途中の源義経ら一行は、ある夜、越後国西部の直江津（現在の新潟県上越市）にたどりつき、その湊で佐渡から渡ってきたままの船を見つけます。持ち主の姿はなく、櫓櫂などもあることから、この船に乗って日本海を移動することに思い至り、翌朝の強風をたよりに海上に漕ぎ出しました。

　船は直江津から米山を過ぎ、角田山が視界に入ると、義経らは天候の変化を気にしはじめます。船が進むのに不可欠な風の向きや強弱を予想するためです。物語の作者は、ここからの義経らの行動をつぎのように描写しています。

角田山の沖にある船上から「青島の北」を眺めた義経らは、強い「北風」に吹かれて海上を漂っていました。すると、その強風によって佐渡島の「加茂潟」に船を寄せようとしますが波高く叶わず、島内の「白山の嶽」から吹き下ろす強風を前に、佐渡島への着船をあきらめ、能登半島の先端西側にある珠洲岬を目指すことにしました（図8を参照）。

具体的な湊・山・島などの名前をともなった描写を読んできますと、その地理的感覚がきわめて正確であることに驚かされます。とくに注目されるのは、角田山の沖に漂う義経一行の船が、青島の北から吹く強風を受けて佐渡島の中央に退避しようとした、という内容です。

物語の作者は、日本海沿岸にそびえる角田山からみて、青島（現在の粟島）が佐渡島よりも北に位置する事実を共有していたことが読み取れるでしょう。ちなみに、一六〇〇年ころに豊臣秀吉の周辺で制作されたともいわれる日本図（浄得寺蔵・個人蔵）には、『義経記』での佐渡や青島を含む地理的知識とほぼ同様な描図がなされています（図9）。従来の日本図にはなかった奥羽山脈らしき山並みの描写もみられ、それが北東日本海域でのより正確な方位感覚の獲得にいかなる作用を及ぼしたのかも興味をそそられます。

さて、物語のなかでは能登半島の先端に向かった義経一行ですが、この日の夕方には半島付け根の石動山から吹く「西風」にまかせて船を「東」に進め、翌朝には見知らぬ陸地に近づきます。船を揚げて人に尋ねると、ここは「越後国寺泊」だと知らされます。寺泊は中世の越後国内でも有数の湊ですが、能登半島先端の珠洲からはちょうど真東にあたります。

能登半島以東の日本海沿岸部は、新潟県域に入るあたりから徐々に海岸線が北寄りに傾きはじめます。そして、米山、寺泊、角田山へと進むころには、海岸線が南南東から北北西にかけて走るようになります（図8を参照）。まさに能登半島から西風をうけて東に向かえば、この南北方向に近い海岸線のどこかにぶつかるわけです。

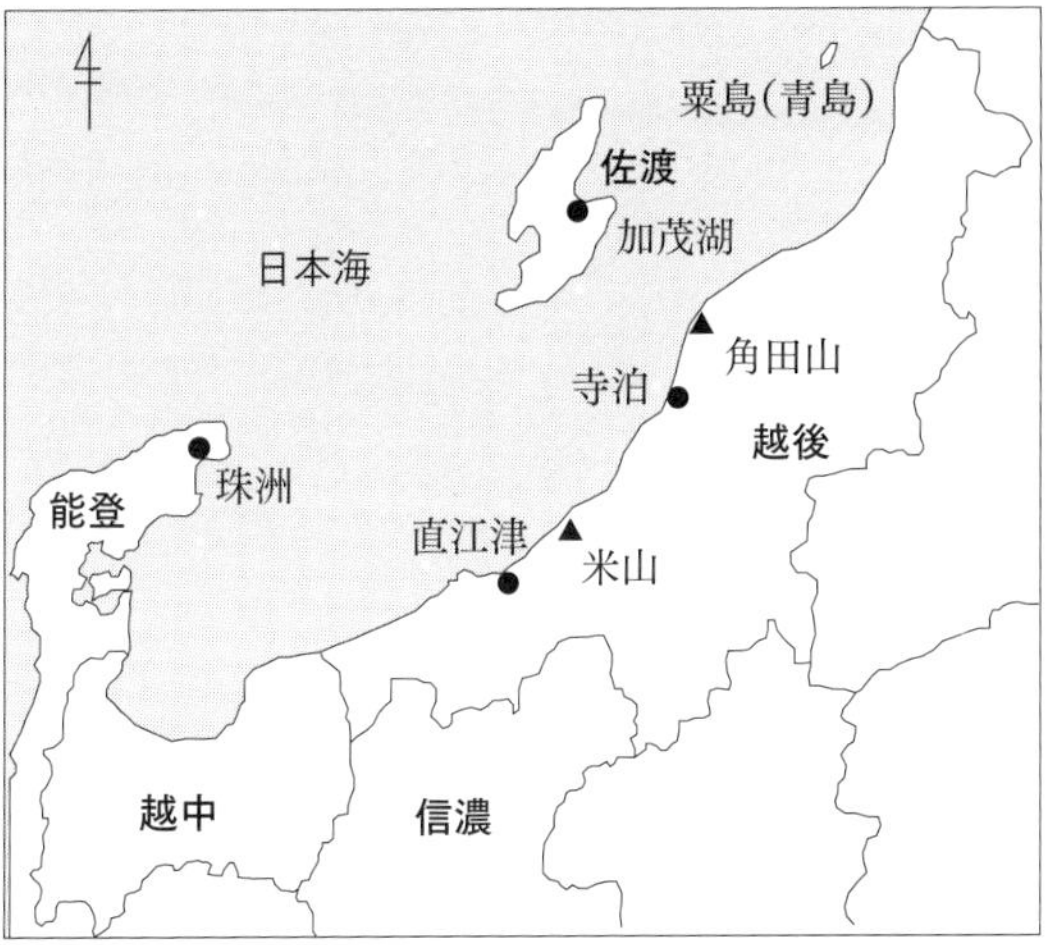

図8　元和版『義経記』北国下りに登場する地名（本章に関係するもののみ，筆者作図）

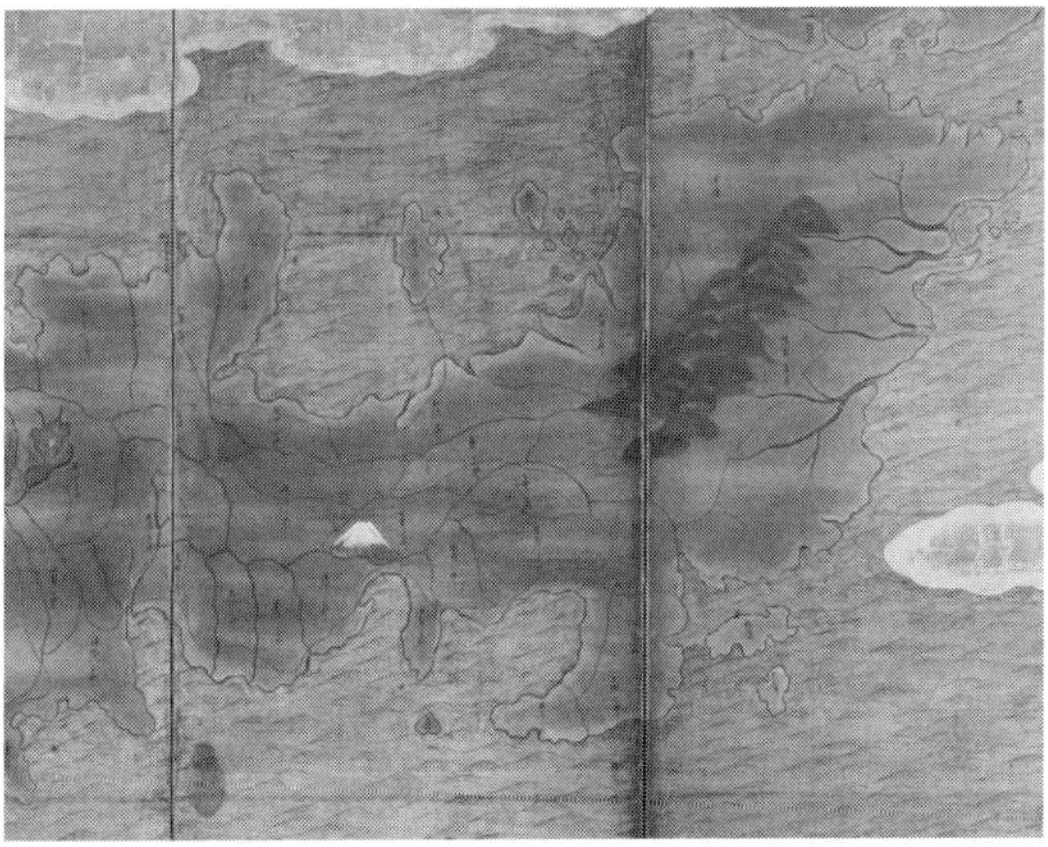

図9　浄得寺蔵「世界及日本図」のうち「日本図」（部分），16世紀末

室町時代に成立したとされる『義経記』には、『判官物語』系と『義経物語』系からなる、二つの写本系統があると考えられています。元和古活字本は前者の系譜をひく流布本にあたり、後者の善本とされる田中本の巻七と比べると、地名を含めて叙述が詳しくなっています。どちらが古態を示すのかは判然としません。が、かりに簡略な叙述の田中本が原作品に近いとするると、さきに紹介した元和古活字本は、原作成立後に吸収された詳細な地理情報を義経逃避行の描写に生かした、ということになるでしょう。

十五～十六世紀の文学作品のなかにいかんなく発揮された、現代にも通ずる青島（粟島）・佐渡・能登半島および越後国沿岸部の正確な方位感覚。それを培ったのは、物語中で義経一行の逃避行が船を移動手段として描かれていたように、少なくとも能登半島以東の海域を船で行き交う人びとの日常的な経験知であることは疑いありません。文献史学の成果からは、同じ時期に能登と越後とを商船が活発に往反する航路があったことを確認できます。

残念ながら、そうした現地の肌感覚に近い地理情報が、どのような社会的回路を通じて、『義経記』での表象に転化しえたのか、その具体相を詳《つまび》らかにすることは容易ではありません。ただ、『義経記』がもっぱら中央で創作・執筆されたのではなく、たとえば北国下りの部分ならば、その現地にあたる北陸地方で語り伝えられたらしい物語を取り込んだもの、というテキストの成り立ちを有することは、きわめて示唆的です。

一五〇〇年前後の能登と越後とを往来する商船の情報は、京都に集住する貴族の日記に文字化されていました。支配階層が地方から収奪するモノとのかかわりで、その動きに携わる人びとの口頭伝達が都と鄙《ひな》とのあいだを仲介したのです。『義経記』巻七の叙述に生かされた地理的知識も、現地での原物語を基点とするボトムアップ構造のもとに、地方から中央へと回収され、中央で伝存しうる条件を備えた文学テキストへと昇華することで、その後に生き残ることができたものと考えられます。

現存はしていませんが、十五〜十六世紀の日本には、北東日本海域を含む東日本についても、博多商人が朝鮮半島にもたらしたような絵図が作られていた可能性があることは否定できません。列島内外への絵図じたいの伝播もありえたでしょう。そうした地理的情報の蓄積に関心を寄せる人びとの空間や階層の差をまたいだ移動が、十五〜十六世紀の列島描写における「メタモルフォーゼ」の原動力となっていたのではないでしょうか。

エピローグ

過去の日本列島にかかわる史料のうち、中世の支配者や知識層の残した多様な情報のなかに、名もなき人びとの活動や認識の痕跡を探り当ててみたい。そのようなねらいのもとに、日本図という画像資料の描写に観察される変化をあとづけ、文書・記録や文学作品などの文字テキストの解析を組み合わせて、ある仮説にたどりつくことができました。

歴史学のダイナミズムは、このように先行する研究を批判的に吟味しつつ、史資料のオリジナルな分析から、過去の一段面を論理的に再構成する試みにほかなりません。

ところで、本章で取り組んだような、人間の心性や行為を律する社会的コンテクストを問う、という学問的営みは、もとより文献史学に固有の方法とはいえないでしょう。さらにいえば、過去に生成されたなんらかのモノとそれに付随する情報を解析しようとする態度は、おのずと時間軸のうえに変化をあとづける思考をともなっていることにもなります。過去の文字にこだわる文献史学は、それだけで自他を画する立ち位置を確保できるのか、少なからず不安に思えてきます。

むずかしい問いですが、しかし史料への沈潜を介して、私たちが有する経験のなかに、学問分野としての存立基盤を強めていくヒントはあるのではないでしょうか。たとえば、現在は失われていても、ある時点で生成・使用された史資料の存在を客観的に証明し、その内容を把握できれば、現存する既知の史資料との関連付けや比較検討を通じて、未知の歴史像が輪郭をあらわすかもしれません。『海東諸国紀』の日本図に関する村井章介氏の鋭い分析結果は、そのよいお手本といえるでしょう。

更新される情報の整理と解釈のフレームを組みかえる作業は、自然科学のように頻度は高くないにせよ、人文学にも必要不可欠なものです。新たなモノの発見が発掘のたびに期待されうる考古学は、それを日常的につよく意識しているでしょう。過去の事実を直截的に伝える文字情報の抽出にかぎらず、創作や表象も交えた多様な史資料分析の錬磨と論理化を実践していくなかで、文献史学もそうした研究の方法をより積極的に取り入れ、精度を高めていきたいところです。

本章ではこの点を意識しながら、中世から近世への移行を軸とした日本の地理認識にかかわる多様な史資料に目をむけ、あわせて当時の史資料をとりまく地域間や階層間の情報の移動やその視覚化の動態を考えてきました。すぐれた先学の成果に導かれることで、前近代の自国史を対象とした研究であるからこそ、グローバルとローカルとが共存する視点がとても有効であることも紹介できたかと思います。

とりわけ、列島描写の「メタモルフォーゼ」の助走期間をたどるための痕跡を伝えてくれる、十五〜十六世紀の日本図のほとんどが、朝鮮や中国、さらにはヨーロッパに渡り、現在まで残されてきたという歴史的事実も、あらためて認識しておくべきでしょう。中世から近世への移行プロセスに限らず、まさに私たちの過去を探求する素材へのまなざしは、世界に開かれなければならないのです。

［参考文献］

青山宏夫『前近代地図の空間と知』校倉書房、二〇〇七年。

応地利明『絵地図の世界像』岩波書店、一九九六年。

岡部精一「『義経記』に現れたる地理」『歴史地理』第二四巻第三号・四号・五号、一九一四年。

小口雅史「日本古代・中世における境界観念の変遷をめぐる覚書——古典籍・古文書に見える「北」と「東」」、皆川完一（編）『古代中世史料学研究』下巻、吉川弘文館、一九九八年。

梶原正昭（校注）『日本古典文学全集三一　義経記』小学館、一九七一年。

黒田日出男『龍の棲む日本』岩波書店、二〇〇三年。

酒井紀美『夢から探る中世』角川書店、二〇〇四年。

島津久基『義経伝説と文学』大学堂書店、一九三五年。

清水亮「鎌倉末期の東国所領と蝦夷問題」『地方史研究』三二三号、二〇〇六年。

高橋一樹「中世史料学の現在」、大津透他（編）『岩波講座日本歴史』第二十一巻史料論、岩波書店、二〇一五年。

高橋一樹「中世北東日本海の水運と湊津都市」、中世都市研究（編）『日本海交易と都市』山川出版社、二〇一六年。

ジェイソン・C・ハバード『世界の中の日本地図——十六世紀から十八世紀西洋の地図にみる日本』日暮雅通

訳、柏書房、二〇一八年。

村井章介「銀山と海賊――十六世紀後半のヨーロッパ製地図に描かれた日本列島周辺」『21世紀COEプログラム「グローバル化時代の多元的人文学の拠点形成」ニューズレター』第六号、二〇〇三年。

村井章介『日本中世境界史論』岩波書店、二〇一三年。

村井章介『境界史の構想』敬文舎、二〇一四年。

村井章介「内と外――対外観と自己像の形成」、苅部直他(編)『岩波講座日本の思想』第三巻、岩波書店、二〇一四年。

柳田國男「義経記成長の時代」『定本柳田国男集』七巻、筑摩書房、一九六八年)。

藪本勝治『義経記――権威と逸脱の力学』和泉書院、二〇一五年。

山下宏明「義経記」、『国史大辞典』第四巻、吉川弘文館、一九八三年。

米地文夫他「社会科教育と地域・地名――「奥羽」と「東北」の歴史的変遷を例に」『岩手大学教育学部附属教育実践研究指導センター研究紀要』第五号、一九九五年。

渡邉俊「中世前期の流刑と在京武士」『文藝と思想』第八〇号、福岡女子大学国際文理学部紀要、二〇一六年。

📖 読書案内

本章では絵地図や文学作品を取り上げましたが、前近代の文献史学は古文書や古記録をおもな研究素材としています。史料を丹念に読み込むなかで、歴史研究の厳しさや楽しさが実感できることを追体験させてくれる好著をいくつかご紹介しましょう。

比較的入手しやすい新書などで、日本の史料論にかかわる著作は意外と少ないのですが、古代では、平川南『**よみがえる古代文書——漆に封じ込められた日本社会**』（**岩波新書、一九九四年**）と丸山裕美子『**正倉院文書の世界——よみがえる天平の時代**』（**中公新書、二〇一〇年**）をお薦めします。後者は奇跡的に伝来した八世紀の一万数千点におよぶ文書や帳簿の実像に迫り、前者は漆容器のふた紙に再利用されたことで地中に残った断片史料から古代文書を復元しています。その鮮やかな手法には、ある種の感動さえおぼえることでしょう。

中世では、東海道とそれを行き交う人びとの姿を描いた榎原雅治『**中世の東海道をゆく——京から鎌倉へ、旅路の風景**』（**中公新書、二〇〇八年**）が、多様な文字史料を環境史や災害史の視点も加味して読み解くことの大切さを教えてくれます。また、馬部隆弘『**椿井文書——日本最大級の偽文書**』（**中公新書、二〇二〇年**）は、近世に偽作された大量の中世史料の存在を暴きだしながら、史料批判の大切さを改めて訴えかけるとともに、それらが偽作された当時の興味深い史料としても活用できることを実践しています。

最後に近世では、高橋敏『**江戸の訴訟——御宿村一件顛末**』（**岩波新書、一九九六年**）を挙げておきましょう。ある村役人の家に伝来した日記や周辺の史料をもちいて、江戸末期の幕府評定所で開かれた裁判とそれにかかわる人びとの動静が生々しく解明されていきます。驚異的な識字率を誇る近世日本の片隅で記された文字史料がいかに豊かな情報を持つのか、そこから社会全体にわたる歴史像が紡ぎだされる過程とともに、史料分析のダイナミズムを味わうことができるに違いありません。

10 人類の至宝!?――中国ムスリムの「ハン・キターブ」

黒岩高

中国ムスリム研究の楽しさ

ある高名な東洋学者は「中国ムスリムの存在は人類の宝である」と述べます。この言葉にはいくつもの受け止め方が考えられます。

一つには、同時期に中国に伝来した西方由来の宗教が全て姿を消すか、原型をとどめないほど変質してしまったのに対して、イスラームだけは生き残っているということがありそうです。イスラームが初めて伝来したのは六五一年ですから、中国では唐の時代です。この唐と、それに続く宋の時代には、ネストリウス派のキリスト教、ゾロアスター教、ユダヤ教、マニ教などの宗教が伝来し、それぞれが非常に多くの信徒を得た時期もあります。ところが、イスラーム以外の宗教は近代をまたずして、中国からはほぼ姿を消してしまいます。一体、何が他の宗教と違っていたのでしょうか。

ところで、イスラームの考え方では世界は大きく二つの部分に分かれています。世界の中で、イスラームが浸透し主たる社会的規範となっている部分をダール・アル＝イスラーム（dār al-Islām：イスラームの家）と呼び、そうでない部分をダール・アル＝ハルブ（dār al-Ḥarb：戦争の家）と呼びます。中国は当然、ダール・アル＝ハルブになりますね。このダール・アル＝ハルブに住まう中国のムスリムたちが中華社会に溶け込んでいくためには、中国社会・文化に寄り添い、対話を続けていく必要がありました。一方、イスラームを風化させてしまわないためには、「ムスリムとして正しく」あろうと模索し続けなければなりません。一見、両立は不可能に見えるこの「ジハード」を何世紀も続けていく中で、「奇跡のように」独特のムスリム社会・文化が現れたわけです。そこが素晴らしい、という見方も冒頭の言葉の受け止め方としてありそうです。とすると、この「奇跡のように現れた」ムスリム社会・文化がどのように中華的で、どのようにイスラーム的であるかに興味が湧くところです（図1）。

図1　甘粛省臨夏のスーフィー教団の修行堂。道教由来の八卦楼とイスラーム建築の折衷様式（筆者撮影）。

誤解を受けるといけませんので、「ジハード」について補足しておきましょう。「ジハード」はよく「聖戦」と訳されます。そのため、直接的に戦闘をイメージさせがちですが、

「教えのために努力すること」は全て「ジハード」だと言え、戦闘に限られるものではありません。

身近なところで例をあげますと、東日本大震災の際に大塚マスジドのムスリムが被災地への救援活動を熱心に行なったことはご存知でしょうか。実はこの時、大塚マスジドの人々は「今こそジハードに立ち上がるべきだ」と考えて救援活動を行なっているのです。困窮している者に手を差し伸べるのは、正しいムスリムの行為ですから「教えのために努力すること」につながります。また、救援活動を通じて日本社会の中でムスリムのコミュニティに対する認知を得ることは、イスラームを守ることになります。ゆえに、「救援活動＝ジハード」の図式が成り立っています。また、それと似たような意味で、中国ムスリムの社会・文化の形成は彼らの何世紀にもわたる「ジハード」の結晶とも言えるのです。

ある東洋学者の言葉を引き合いに出しつつ、中国ムスリムの社会・文化を考える上での大きな着眼点を述べてきました。これを背景、あるいは原動力として、私たちは個別の事象を分析していくわけですが、私が専門とする歴史学という手法は、「なぜか」という直接的な問いに対して、原因を求めていくことは不得手で、むしろ容態やプロセスから「間接的」にアプローチしていくことの方が得意なようです。ですので、回答に接近していく方法としては少し遠回りに感じるかもしれません。

だいぶ話が抽象的になってきました。次節からは少し具体的な事例に移り、中国ムスリム自身の言葉も見てみましょう。

異形の著作群——中国ムスリムのハン・キターブ

十七世紀中ごろになると、イスラームの神学、思想、儀礼などについて、伝統的な中国文を使って著された書物が続々と現れるようになります。これらの著作に対する決まった総称があるわけではありませんが、十九世紀の中国ムスリムたちの中には、ちょっと気の利いた呼び方を思いついた人たちもいます。「漢文で書かれたイスラーム経典」なので、漢語の［Han：漢］とアラビア語のキターブ［Kitāb：本］を組み合わせて「ハン・キターブ：Han Kitāb」という合成語を思いついたわけです。ただ、ちょっと「ケレン味」の強い呼び方でもあるので、最近では、「漢文イスラーム文献」、「漢語イスラーム文献」という呼び方が主流になってきているようです。

「ハン・キターブ」の中で、とりわけ高い評価を得ている著作として、『天方性理』という書物があります。「天方」というのは、西アジアなどイスラームの中核地域を漠然と指しています。「性理」というのが少し難しいのですが、「性」と「理」は中国伝統思想では森羅万象のおおもとになるものです。乱暴な言い方をすると「性」が生き物の根源、「理」が物の根源を表します。「人性」（人の性）、「物理」（物の理）と言った二字句にしてみるとイメージが湧きやすいかもしれません。ですから、この本の題名は「イスラームにおける天下の成り立ちの書」ということになりましょうか。この書物は言葉だけで書かれた本編五章とそれを図解入りで解説した図説五章の二つの部分からできていますが、本編の方の目次を見てみると、

第一章　総述大世界造化流行之次第
第二章　分述天地人物各具之功能
第三章　総述小世界身性顕著之由
第四章　分述小世界身心性命所蔵之用
第五章　総述大小両世界分合之妙義與天人渾化之極致

となっています。図説の内容と合わせて考えてみますと、宇宙（大世界：マクロコスモス）の生成と人間（小世界：ミクロコスモス）の生成や成り立ち、そして神、人、世界の全体的な構造と神への回帰などを述べていると考えられます（図2）。このような世界観はどこから来ているのでしょうか？

前近代のイスラーム社会で主流であったのはスーフィズム（イスラーム神秘主義）でした。スーフィズムの修行の大きな目標の一つは、ファナー（fanā᾿：消滅）の境地に至ること、つまり神との一体化の境地に至ることですから、そこに至る道筋が感じられたり、説明できたりしなければなりません。この「神に至る道」についてスーフィズムの修行者たちに明快なヴィジョンを与えてきたのが、「存在一性論」（Waḥdat al-Wujūd：存在の一なること）という考え方、世界観です。「存在一性論」について正確に述べようとすると、それこそ「夜が明けても終わり」ませんので、かいつまんでお話しておきましょう。

「存在一性論」は「流出論」の一種で、先天世界（形而上の世界、霊的世界）で「一なる真実在＝

神」から万物の霊的な根源が析出していき、その余った残り滓——精妙なる塵——から万物の実体が我々の住む現象界で生成されていくというものです。「一なる真実在」から流出したものなので、現象界の万物にも「真実在」は程度は違えども内在しており、その存在を感じることで神への回帰の手がかりとするという構図になるわけです。

『天方性理』が「存在一性論」を下敷きにしていることは、その内容からも明らかですし、著者の劉智《りゅうち》（一六六〇頃—一七三九年頃）は自らの情報源の確かさ（ここではイスラーム思想上の正統性と言ってもよいでしょう）を示すために参考文献目録を作っていますから、そちらからも裏付けることができます。

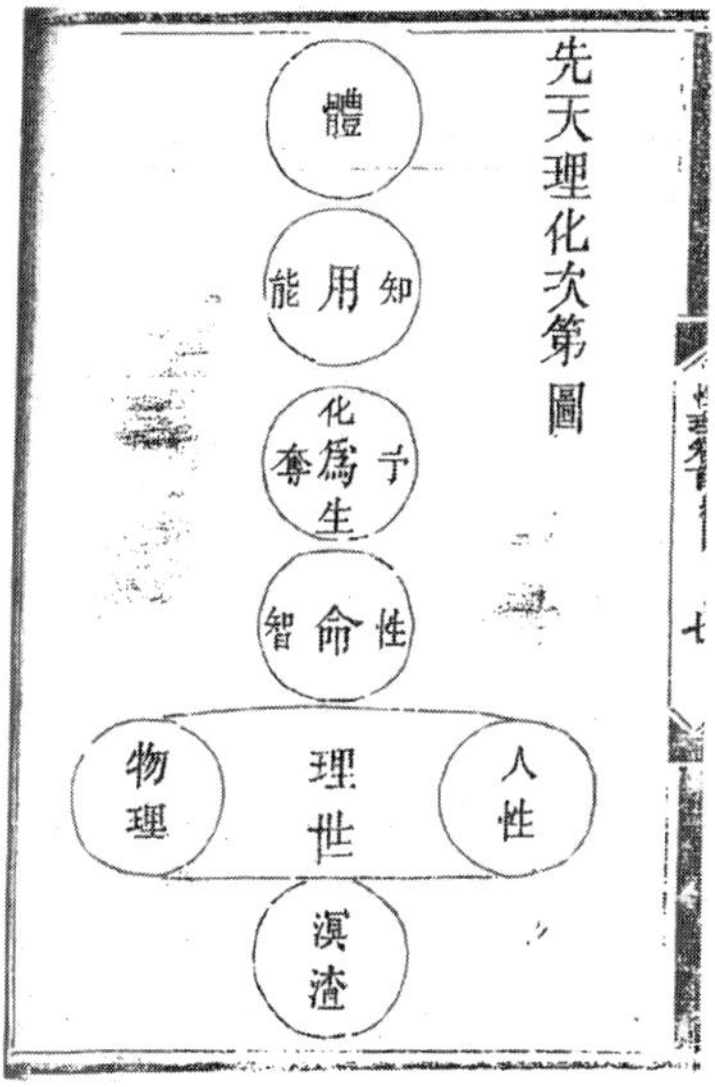

図2 『天方性理』の「先天理化次第図」。形而上の世界で，万物のおおもとである「性」と「理」が析出していくプロセス。

後ほど、もう少し具体的に取りあげますが、『天方性理』の思想は西アジア・イスラームの文献を下敷きにしながらも、中華との対話の中で研磨され、極めて精緻な「存在一性論」となっていました。そして、後にはアラビア語に翻訳され、イスラーム中核地域にも紹介されていきます（図3）。

さて、『天方性理』の著者である劉智は南京の出身で、若くしてイスラームの諸学、アラビア語、ペルシャ語、ラテン語を習得し、その後儒学や道教を学んだ人ですが、その劉智は『天方性理』の冒頭でこんなことを言っています。

突然、天方の経典は孔孟の教えとほぼ同じであることに気づいた（……）経典は天方の経典であっても理は天下の理である。天下の理であるからには、天下のすべての人に知らしめ、明らかにせねばならない（……）。（『天方性理』自序）

図3 『天方性理』をアラビア語で注釈した『性理微言注解』（1886年再版）の一部。

「孔孟の教え」とはもちろん儒学のことですから、何とイスラームと儒学は根本部分で通じるところがあり、ゆえにイスラームは普遍的であると述べているのです。

劉智の先輩にあたる雲南の馬注《ばちゅう》（一六四〇―一七一一年頃）というイスラーム思想家も『清真指南』という著作の中で、次のように述べています。

イスラームは儒学となんら変わるところはない。ただ、認、礼、斎、済、游の五常に少々輝かしいムスリム〔原文：回輝〕の気風があるばかりであり、あとは皆同じである。道士や僧が、婚姻を絶って人倫の道に悖《もと》り、剃髪して肉食を禁じるなど、親戚友人の間で対面をなくしたり、受け入れられない所が多少あるのとは異なる。

(『清真指南』巻九・教条)

ここでも、認(信仰告白:シャハーダ)、礼(礼拝:サラート)、斎(断食:サウム)、済(喜捨:ザカート)、游(巡礼:ハッジ)の五つの義務が特徴的であることを除けば、「なんら変わるところはない」と述べられ、イスラームと儒学の親和性が説かれています。また、「出家＝悪徳」として道教、仏教を批判する視点にも、家の存続を「徳」として重視する儒学的視点が出ていて面白い。もっとも、イスラームも男系血統の存続を重んじるアラブの習慣を受け継いでいるので、それ由来とも言えなくもないのですが、文脈から考えると微妙なところです。

この二つの記述からは、「ハン・キターブ」の著作者たちが、「身近にある優れたもの」として儒学を評価し、また中国社会と寄り添おうとする姿勢が窺えるのではないでしょうか。

一方、中国ムスリムの儒学に対するライバル意識のようなものを感じさせる発言も、「ハン・キターブ」の中には確認できます。

劉智、馬注の一世代先輩にあたるイスラーム思想家に王岱與《おうたいよ》(一五八四—一六七〇年頃)という人がいます。王岱與はその著書『正教真詮』でこんなことを言っています。

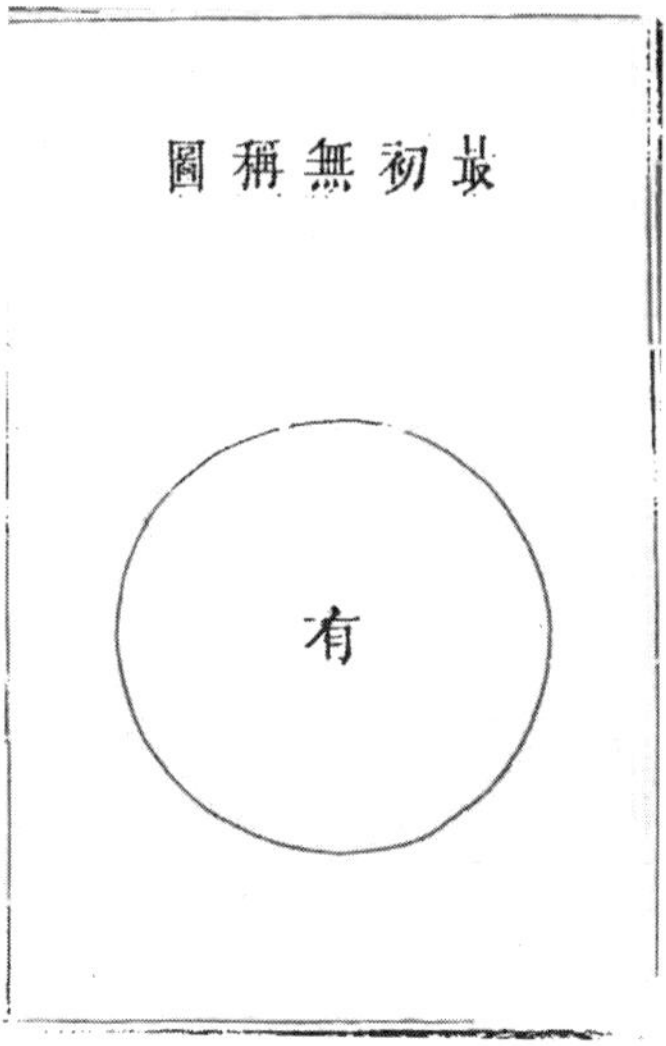

図4 『天方性理』の「最初無称図説」。「円」よりも「球体」として見た方が劉智の「存在」イメージに近い。

国には君主があり、府・州には長官があり、家には家長がおり、世界に主があるという道理は一つである。儒者はあれこれと議論して、結局のところは理と気で道理を語っているが、それは天下国家は君主がいなくても治まるといっているようなものだ。

（『正教真詮』問答紀言）

「万物を主宰するのは一つ」であるのだから、儒学のいう「理気の二つの根源」から世界の成り立ちを説明するのは不十分だという批判なのがわかります。しかし、現象世界の政治・社会のシステムに引きつけすぎていて、やや優雅さに欠ける印象もあります。後輩の劉智はもう少しスマートです。劉智は『天方性理』の中で、万物の根源の最初の段階について説明した第一章「最初無称図説」で次のように述べています（図4）。

宇宙の創造には初めというものがあり、その初めには必ず最初というものがある。万物は未だ形をとっていないが、全ての理はすでに具わっている。これが創造の初めである。まさに、それを名づけようとしても名づけようのない状態、それこそが究極の初めである。宇宙創造の起源は何らかの名称を以て言うことができない。歴代の諸家はこの無名称であることを以て「無」と言ってきたが、どうしてそんなことが言えようか。

ある人が言う、「この「無」というのは虚無という意味ではない。それは、本質はあっても、現象が無く、実体はあっても、その作用がないことを言っているのだ」。

答えて曰く、「本質が存在するからには、本質は「有」である。これをどうして「無」と言えようか。実体が存在するからには、実体は「有」なのである。それをどうして「無」と言えようか。それで聖人〔ムハンマド〕は「無」と言うのではなく「無称」と呼び、性理家はただ「有」とよぶだけでなく、「実有」と呼んだのである……」。

儒学に代表される中国伝統思想は先天世界における原初の段階として「無」を重んじます。これに対して劉智は、「本質があり、実体がある」のであれば、それは「無」ではなく、「有」さらには「実有」と呼ぶべきではないかという、「存在一性論」に土台をおいた批判を展開しているのです。なお、「性理家」と言うのは通常、いわゆる朱子学の思想家を指しますが、ここではそうではありません。「天方」の「性理家」、すなわちスーフィズムの思想家を指していると考えてよいでしょう。

少し角度を変えて考えてみる——ハン・キターブの読者たち

ところで、『天方性理』などの「ハン・キターブ」は書籍、つまり本ですから、「読み手」がいなければなりません。また、本の内容もある程度読者を想定したものになるはずですし、出版する際に「読み手」を考えないということはあまりなさそうです。どんな読者層が考えられるでしょうか?

先ほどの劉智『天方性理』の自序にあった「天下の理であるからには、天下のすべての人に知らしめ、明らかにせねばならない」では対象はあまりに漠然としていて「読み手」の姿は見えてきません。

一つの手がかりは、刊行の際に出版者が付した序文です。『天方性理』や『天方典礼』あるいは『正教真詮』と言った「名著」は時代と地域を超えて、何度も出版されます。当時の中国ではこれを「重刻《じゅうこく》」と呼びました。当時は木版印刷でしたので、版木を「再び(重ねて)刻む」わけです。

例えば、嘉慶六(一八〇一)年に出版された粤東城南重刻『正教真詮』の序文では、本書の刊刻によって「少なからず吾教に裨益がある」と述べられています。「吾教」とはイスラームとその信徒のことに違いないですから、読者としてムスリムが想定されているのは間違いなさそうです。

同治十(一八七一)年に重刻された『天方典礼』(霞漳絳帳堂本)の序文にはもう少し詳しく書かれていて、

> この書は乃ち吾人《わがひと》教を奉るの手引き〔原文:津梁〕にして、顛末備悉す。(……)大いに吾人を裨益する有りて、久しく世に伝わる。(……)茲《ここ》に同人を集め、冊に依りて全板を翻刻し、(……)遠近伝送すれば則ち教門幸甚にして、吾人も幸甚なり。

と述べられています。「教門」はイスラームを、「吾人」はムスリムを指すと考えられますから、この出版はムスリムを対象としていることがわかるでしょう。

しかし、対象がムスリムだと言っても、当時の識字率はとても低い。この点については、先ほどの粵東城南重刻『正教真詮』の序文では「経典（イスラーム経典）を識る者はみな漢文に精通できず、漢文を学ぶものはまた（ペルシャ語やアラビア語で書かれた）経典に知悉できないのである」と述べられていますから、こうした出版が「漢文を中心に学んできたために、イスラーム経典に対する知識が得られない」ムスリムたち、いわばムスリムの「漢字識字上層部」を対象としていることも見えてきます。

当時の中国ムスリムのコミュニティでは、宗教的秩序はイスラーム経典についての知識が豊富な宗教知識人が担っていました。アホンやイマームと呼ばれる人たちです。一方、非ムスリムとの対外交渉を含め、世俗面では、村の役人や文武の科挙資格の保持者、現役の文武官及びその経験者が「顔役」となって処理にあたっていました。彼らが、先ほどのムスリムの「漢字識字上層部」にあたります。ムスリムコミュニティの「顔役」を務める以上、彼にもある程度イスラーム経典に通じたいとする欲求や必要があったでしょう。また、非ムスリムの地方官僚などと接する場合、彼らの中にはイスラームについての知識が皆無な者も珍しくはなかったですから、自分たちの教えのことをしっかり説明できる必要もありました。

地方官僚といえば、「ハン・キタープ」が書かれ始めた時代は、官僚や知識人からイスラームに対する偏見と批判の嵐が吹き荒れた時代でもありました。この時代を代表する漢人知識人である顧炎武《こえんぶ》（一六一三―一六八二年）はこんなことを言っています。

回回だけはその〔西方各国の〕風俗を守って、決して変えようとはせず、徒党を組んで、民間に害を及ぼす。歴代王朝の徳化をもってしても、その頑獷《がんこう》な習性を戒められず（……）。

（顧炎武『日知録』巻二九、吐蕃回紇）

「回回」というのはイスラーム、もしくはムスリムのことですが、ちょっと漠然としていますね。「〔西方各国の〕風俗」というのは何のことを指しているのでしょうか。雍正帝（在位一七二二―三五年）の時代を代表する官僚である陳世倌《ちんせいかん》（一六八〇―一七五八年）は、次のように述べて、イスラームを厳禁する提案を皇帝に申し出ています。

左道惑衆は法で厳禁されております。回教を調べましたところ、天地を敬わず、神祇を祀らず、正朔を奉じず、節序に依らず、宗主を別に立て、私に歳年を定めております。また、豚肉を食することを禁忌とし、家畜を屠殺する際には密咒《みつじゅ》を用います。徒党を組んでは至るところに横行し、あらゆる悪事を為しております。回教を一律に禁止し、各地の礼拝寺、回回堂はすべて打ち毀す、或いは書院に改める等ご処置いただくようお願いいたします。

（雍正二年九月一二日、山東巡撫陳世倌奏『宮中檔雍正朝奏摺』（台北、国立故宮博物院）第三輯、一九七八年、一七七―一七八頁を要約）

「左道惑衆」とは邪《よこし》まな考えで大衆を誤った道に迷い込ませることですから、「邪教」の行いです。「邪教」への入信者は下手をすると族滅（一族皆殺し）にされてしまいますから、大変です。

より具体的に、何が問題とされているかを見ておくと、「正朔を奉じず、節序に依らず、私に歳年を定めて」というのは、ムスリムは別の暦を使っているということですね。一見、何ということもなさそうですが、当時の暦は「皇帝の徳」によって民衆に与えられるものですから、中国王朝では大問題です。「豚肉を食することを禁忌とし」はもちろん、食のハラーム（イスラーム法から見て違法）のことだと気がつくでしょう。「家畜を屠殺する際には密咒を用います」はイスラームでは屠殺の際にタクビール（アッラーフ・アクバル：アッラーは至大なり）を唱えて、一気に首をかき切ることが定められていることを指しているのは間違いありません。

もう一人の地方官の報告も見てみましょう。

閏月を設けず、三百六十日を一年とし、私に某日を年始と定め皆で祝っております。平素は早晩白帽をかぶり、礼拝清正等の名称の寺を立て、妄りに把斎〔ラマダーン〕を口実に法に背いて惑衆しております。回民に正朔を遵奉させ、礼拝等の寺は一律に禁止を命じくださるようお願いいたします。

（『世宗実録』巻九四、雍正八年五月甲戌署安徽安察使魯国華奏を要約）

ここでも、ムスリムが「イスラーム暦」を使っていることが問題となっています。しかし、もとを正せば当時の中国の暦のもとになっているものの一つが「イスラーム暦」ですから、「単に古い暦を昔から使っている」だけと言えなくもないのです。他には、ムスリム帽の着用とラマダーン（断食）が問題視されています。ラマダーンの際には日没以降、思い思いに集まって夜食の会、イフタールを行うことが多いので「夜聚暁散」（夜集まって、夜明けに別れる：これも「邪教」の行い）と見られたのでしょう。先ほどのタクビールや食のハラームもそうですが、これらもイスラームについての正しい知識を持っていれば、「邪まな行い」ではないことはすぐにわかるはずです。しかし、イスラームについて漢文で書かれた著作がほとんどなかったので、官僚たちは知識を欠いていたわけです。

ちょっと誤解されただけで、「邪教」扱いされ、皆殺しにされてはかないません。つまり、当時のハン・キターブの担い手たちには、官僚に代表される漢人の知識人にイスラームを正しく理解してもらう必要があったわけです。また、先述したようなイスラーム由来の習慣のために、ムスリムは漢人の知識人から「教養のない田舎者」と見られることも多かったので、自分たちが高度な思想・神学体系を持った「教養ある者たち」であることも示したいと考えていたに違いありません。

このあたりは、先ほどハン・キターブの序文や内容のところで見た、「儒学に寄り添いつつも、独自の優れた思想体系を持っているというプライドも示す」という姿勢と平仄《ひょうそく》があっているのがわかるでしょう。

彼らのこの狙いは、それなりに果たされたようです。数は少ないのですが、この後、ハン・キターブがムスリムの多い地域に赴任する地方官僚や幕友（地方官僚のブレーン）に活用された形跡も認められます。例えば、『秦隴回務紀略』ではイスラームに関するこんな知識が披露されています。

其の教、真宰を主となす。真宰は天を生み、地を生み、人を生み、物を生む。理数を綱維し、万有を宰制す。人の生命は皆、賦予さる所なり。生時は主宰を以って趨向し、没後は帰根復命し、仍りて主宰に還る。

（『秦隴回務紀略』巻一（『回民起義』Ⅳ、二一五頁）

先に紹介した、王岱輿や劉智の論じるイスラームの世界観について、かなり正確な知識を持っていたことが窺われます。

このように、少し視点を変えながら、複数の角度から眺めてみることで、ハン・キタープという「異形の著作群」の存在の持つ意味がいくつか見えてきたわけです。

おわりに

さて、ハン・キタープを主な題材に中国ムスリム研究の面白さを伝えようと、あれこれ述べてきましたが、紙面の都合もあり、いくぶん力が及ばなかったようです。

実は、かつてムスリムたちが中国社会に馴染んでいく過程で、中国のイスラームは消滅の危機に瀕したことがあります。十六世紀後半から十八世紀にかけて、中国各地で「イスラーム復興運動」が起こったおかげで、何とかその危機を免れて独特の中国ムスリム社会が形成されていったのですが、ハン・キタープはこの流れの中から現れてきたものです。そのあたりのお話もきちんとしなければならなかったのですが、それは別の機会に譲らなければなりません。

しかし、時として周りくどく、またある時は直截に、またある時は粘り強くと言った形で、多角的、複層的に対象を捉えることで、「わかってくるもの」、「見えてくるもの」があるのだということを、ちょっぴりお伝えできたのではないでしょうか。とすれば、この小文の「ねらい」はごくささやかにであれ、成功したのかもしれません。ある意味、そうしたやり方で「自分だけの」――これまで誰にも見つけられなかったと言う意味で――回答に接近して行くのが、歴史学の、ひいては人文学の醍醐味と言って良いと思うからです。

お手軽に「正解」を手に入れたい人たちには、面倒臭く、地味な手法に見えるかもしれませんが、「自分だけの回答＝新しい発見」を手にしたカタルシスには捨てがたいものがあります。また、気がつくと自分なりの思考スタイルが身についていると言う点で、なかなかお得な手法でもあります。

〔参考文献〕

黒岩高「『学』と『教』――回民蜂起に見る清代ムスリム社会の地域相」、『東洋学報』第八六巻三号、二〇〇四年。

黒岩高「清代中国社会に占める回儒の位置」、『中国――社会と文化』二〇号、二〇〇五年。

佐藤実「劉智の『天方典礼』と『天方性理』の版本について」、『東洋学報』第八二巻第三号、二〇〇二年。

佐藤実「馬注『清真指南』の五行思想」、『中国伊斯蘭思想研究』第二号、二〇〇六年。

佐藤実「イスラームと儒教の距離――王岱與、馬注、劉智」、『中国のイスラーム思想と文化』（『アジア遊学』一二九巻）、勉誠出版、二〇〇九年。

佐藤実・仁子寿晴（編）『訳注天方性理』（回儒の著作研究会訳注）、ＩＡＳ5班事務局、二〇〇二年。

中西竜也『中華と対話するイスラーム――十七〜十九世紀中国ムスリムの思想的営為』、京都大学学術出版会、二〇一三年。

Benite, Zvi Ben-Dor, *The Dao of Muhammad: A Cultural History of Muslims in Late Imperial China* (*Harvard East Asian Monographs*), Harvard University Asia Center 2005.

劉智『天方性理』京江談氏重刊敬畏堂本（同治五（一八六六）年）。

馬注『清真指南』郭璟等校注、西寧・青海人民出版社、一九八九年。

王岱與『正教真詮・清真大学・希真正答』余振貴点校、銀川・寧夏人民出版社、一九八七年。

余澍疇撰『秦隴回務紀略』（白寿彝編　中国近代史資料叢刊第四種『回民起義』Ⅳ、上海、神州国光社、一九五二年）。

読書案内

岸本美緒**『東アジアの近世』（山川出版社、一九九八年）**は、国際的な流通が一気に活性化した十六―十七世紀に、東アジアの流通の主役だった物品（銀、生糸、セーブル、人参等）が、東アジア世界をどのように動かしていったのかを解きほぐしていく本です。図版も多く、視覚を通じて理解が促されることでしょう。既知の歴史的事象が、少し視点を変えると「だまし絵」のように全く別の姿に見えてくるという、「発想の転換」の大切さを教えてくれます。

イブン・バットゥータ**『大旅行記』（一～八巻、東洋文庫、一九九六～二〇〇二年）**は、『三大陸周遊記』としても知られる旅行記の完訳です。北アフリカから中国まで東西各地のイスラーム社会の特色のほか、イスラーム商人やスーフィー教団のネットワークなど、当時のイスラーム世界を理解する上で示唆に富んでいます。ただ、本格的な史料としての訳注であるため、読みづらいかもしれません。準備として前嶋信次訳**『三大陸周遊記』（角川書店、一九八九年）**を、イスラームについての基礎知識の予習として東長靖**『イスラームのとらえ方』（山川出版社、一九九六年）**などを、読んでおくことを推奨します。

十九世紀は中国が低迷していた印象が強い時代です。しかし実は、中国社会とそれをめぐる環境が目まぐるしく変化する中で人々が躍動する、独特の魅力に富む時代でした。吉澤誠一郎**『清朝と近代世界　十九世紀』（岩波新書、二〇一〇年）**は、中国社会の転換点となった事件を当時の官僚の報告書や日記を豊富に引用しつつ、筆者ならではの観点から、この時代の「知的な面白さ」を伝えています。

11 子どもたちが記憶する第一次世界大戦——北フランスの占領とその後

舘 葉月

はじめに

戦争で目にした恐ろしい場面の数々のすべてを、僕は記憶にずっと留めておくつもりです。年を取ったら、若い人たちにそれらの話をします。僕たちの苦しみと希望を知ってもらうために、そして、覚えておいてもらうために。

（ジュール・ペイヨン、一九〇六年生まれ、一九二〇年当時トリト・サンレジェの男子校在学）

一九二〇年五月、フランス北部に位置するノール県（**図1**）の小学校・中学校・高校で、「戦争についてあなたが覚えていることを率直かつ簡潔に書きましょう。そして、自分の身に起こったこと、

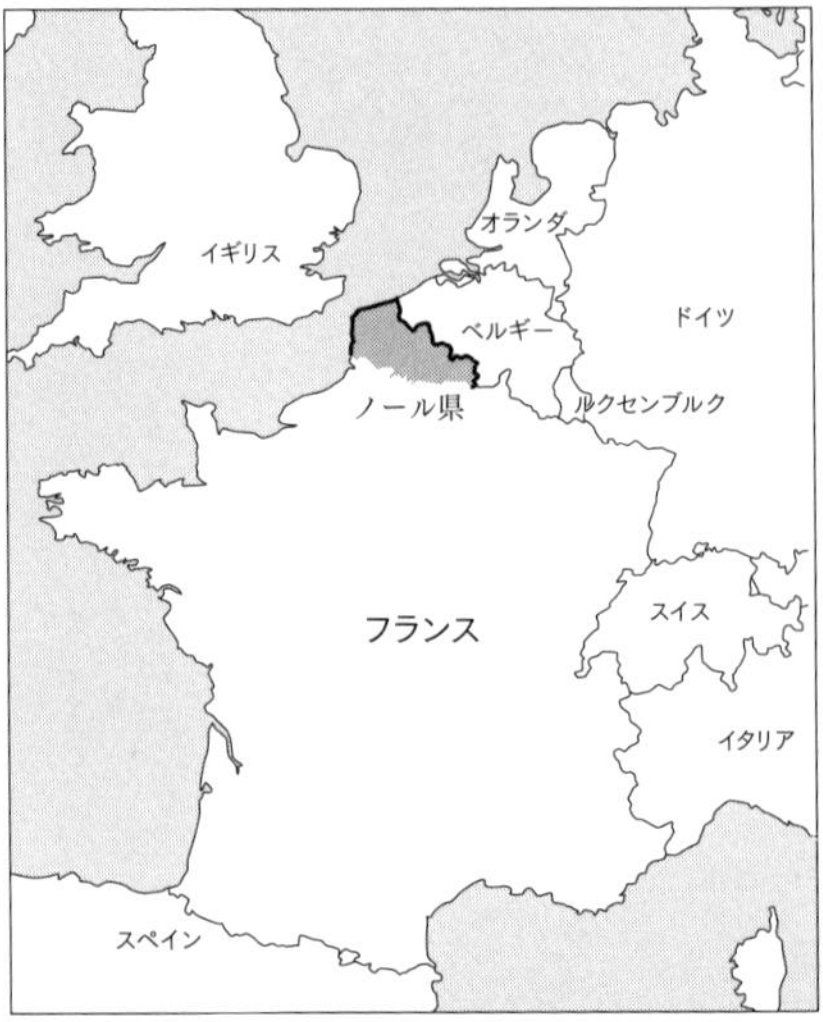

図1　フランスにおけるノール県の位置（筆者作図）

あるいは目撃したことのうち、最も印象的だった出来事について話しましょう」という宿題が出されました。第一次世界大戦が休戦を迎えてから一年半が過ぎようとする頃です。大戦中、この県の大半はドイツ軍に占領され、動員対象外の高齢者、女性、そして子どもを数多く含む住民たちは大きな制約と困難のなかで戦時を過ごしていました。

文書館に保存されていた百五十二の作文は、二〇二〇年、近現代フランスの教育史および地方史を専門とするリール大学准教授フィリップ・マルシャンによって資料集『戦争を語る――ノール県の生徒たちの思い出（一九二〇年）』として出版されました。こうして、百年前に出された宿題の作文がいま私たちの手元にあります。第一次世界大戦は、二十世紀の方向性を決定づけた出来事として歴史の教科書でも詳しい説明がなされていますが、ここでは教科書の大局的で時系列に即した記述を離れ、フランスの一地方の子どもたちが残した声から大戦の歴史を描くことを試みます。その際に、歴史学における時間の扱い方に注意したいと思います。私たちは歴史的事象を扱う書物を読んでいると、歴史とは過去から現在に至る直線的な時間の流れだと思いがちですが、能動的に歴史を描こう、もしくは理解しようとするとき、その行為は「いま」という地点から過去を振り返ることなのだと気づきます。リズムも長さも異なる無数の時間の流れのいくつかを自らの問いかけに基づいて選択し、目の前にある過去の痕跡を丹念に検証することによって、私たちは立体的で多面的な歴史を描くことができるのです。ここでは、(1)ノール県の子どもたちは大戦をどう生きたのか、(2)作文を書いた一九二〇年当時、彼らはどのような環境に置かれていたのか、(3)なぜ二〇二〇年になってこれらの資料が刊行されたのか、という三つの時間の流れに着目して、歴史的に考えることを実践してみましょう。

占領下を生きる子どもたち

一九一四年八月初め、ドイツ軍は中立国ベルギーを電光石火で侵攻・占領すると、その勢いのままフランス北部へ進軍しパリを目指しますが、九月上旬、マルヌでのフランス軍の必死の応戦の結果、パリ陥落は食い止められました。その後、スイス国境からフランス北東部を貫き北海に達する長大な塹壕が掘られます。双方が大規模な攻撃を仕掛けるも防御側に有利な塹壕戦では、戦線は膠着したまま犠牲だけが増えていくことになりました。とりわけ、ヴェルダンの戦い（一九一六年二月―十二月）、ソンムの戦い（一九一六年七月―十一月）では、両軍合わせてそれぞれ七十万人、百二十万人の死者が出ました。

この前線地域（**図2**）で起こっていたのは、武器を手にした兵士による戦闘だけではありません。

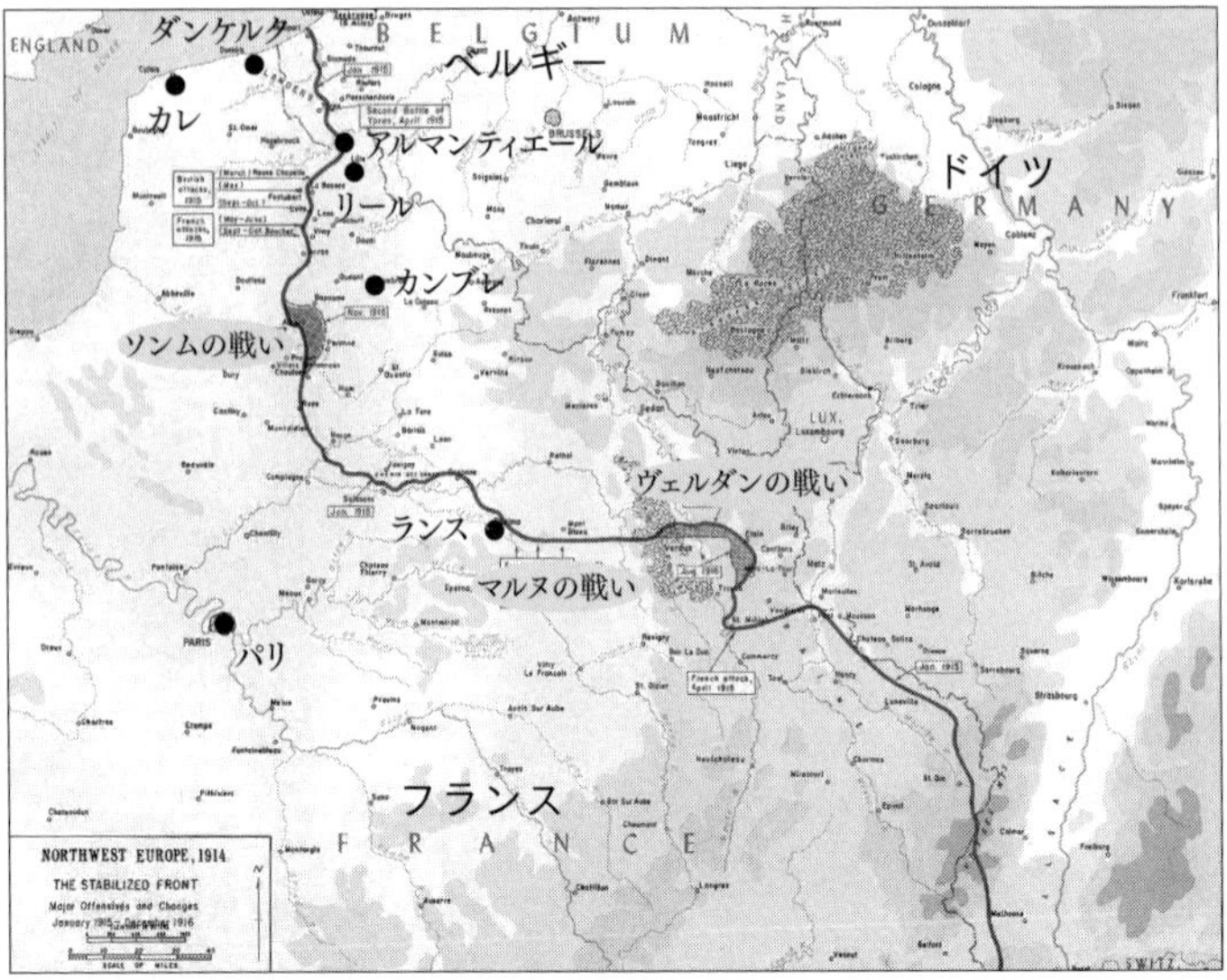

図2　前線地域の地図（1915-1916年の膠着ライン）

開戦当初のドイツ軍の怒涛の侵攻により、リールやカンブレなどの都市を含むフランス北部の東側地域は、休戦の年までドイツの占領下に置かれることになりました。また、ダンケルクやカレなどの港を擁する西側地域は、前線に近い後方陣地としてドイツ軍からの頻繁な爆撃にさらされる一方で、フランス軍だけでなくイギリス軍、そして一九一七年からはアメリカ軍が駐屯する連合国側の軍事拠点となったため、平時とは全く異なる様相を呈していました。一九二〇年に作文を書くことになるのは、こうした状況を生きた子どもたちです。

私はまだとても小さかったので、戦争の最初のころについてはあやふやな記憶しかありません。だけど、パパが出兵するときに自分が大泣きしたのは覚えています。自分も動揺していたのにそれを抑えて、パパは「そんなに長いこといなくならないよ。ひと月後にはみんなのところに戻ってくるよ」と、私に言ってくれました。だけど！　ひと月経っても数か月経ってもパパは戻ってきませんでした。

（マルセル・ポワリエ、一九〇八年生まれ、一九二〇年当時ダンケルクの女子校在学）

多くの生徒が、この作文のように、八月一日の総動員令によって父親や兄、おじなどの家族が出兵していく光景から作文を始めています。悲しむ暇もなくドイツ軍接近の報が届き、すでに占領されたベルギーを逃れてきた避難民が街にあふれるようになり、北フランスの住民の中にもこの時点で西や南へ避難する者が出てきました。続く侵攻の段階では、明らかな国際法違反である、ドイツ軍による民間人への暴力——殺害、略奪、放火、強姦など——が一部地域で起こります。そして、フランス時間よりも一時間早いドイツ時間のもと、四年にわたる占領下の生活が始まりました。占領体制がある程度確立した後は過度の暴力は減りましたが、住民たちは、物資の欠乏、強制労働、移動制限などに苦しみます。農村部では穀物、牛馬、家畜、燃料、布地とあらゆるものが徴発され、都市部では食料品が不足して小麦や肉の配給が困難になることもありました。前線のドイツ軍の維持負担が実質的に北フランスに課せられていたとも言えます。また、敵の戦争遂行に協力するような労働を強いられることもあり、祖国を裏切っているという精神的苦痛に苛まれました。さらに、夜間外出禁止令や居住地を離れる場合の身分証明書携帯の義務など、移動は著しく制限されました。無線電信網も伝書鳩もドイツ占領軍に押さえられたため、検閲を経たわずかな郵便のやり取りが許されるのみで残りのフランスとの関係はほぼ断絶され、北フランスの住民は敵国占領下で孤立を深めていくことになります。では、子どもたちの生活にはどのような変化があったのでしょうか。学校は継続されたのでしょうか。ラファエルとアルセーヌの作文を読んでみましょう。

彼らが四年もこの村に居座ることになるとは誰も想像していませんでした。（……）学校の建物は敵の厩舎にされて授業には使えなくなりました。それでも、先生たちは仮設の教室で教え続けました。石炭が不足したり、場所が必要になったドイツ人に追い払われたりといった理由で、時に長く学校が中断されることもありました。

（ラファエル・セネヴ、一九〇四年生まれ、一九二〇年当時ヌーヴィルアンフェランの男子校在学）

僕が大きくなると、ボッシュ〔ドイツ人の蔑称〕は、学校なんてお構いなく、僕を働かせるようになりました。初めは雑草を抜いて、それから小枝を集めたりイラクサを刈ることを任されました。でも、断言しますが、僕はそれらの仕事を熱心にやったりはしませんでした。なぜなら、何もしないこと、まずそれが小さなフランス人としての僕の義務だったから。それに僕はとてもお腹がすいていたのです。

（アルセーヌ・モロー、一九〇六年生まれ、一九二〇年当時フェルリの男子校在学）

二十代から四十代の男性教員の多くが徴兵され前線に送られていましたが、女性教員や引退していた教員が臨時で雇われ、「仮設の教室」を使うなど学校継続の努力はなされました。ドイツ占領軍も、子どもたちが日中暇を持て余す状況は避けたかったので、学校を全面的に閉鎖することはしませんでした。けれども、「時に長く学校が中断され」たり「学校なんてお構いなく」働かされたり、多くの制限を伴う学校生活であったことが、作文から読み取れます。一部の校舎は厩舎、武器や食料の保管庫もしくは捕虜収容所としてドイツ軍に徴用され、石炭などの燃料不足は冬季の校舎の使用を難しくしました。生徒たち自身が徴用され、ドイツ兵の監視下で畑仕事や食用草木の採取に従事させられることも頻繁にありました。学校が継続されていた場合でも、しばしばドイツ人将校の査察が入り、とりわけ歴史、地理、公民の授業内容は監視の対象となりました。カンブレのエドモンド・ルソー（一九〇三年生まれ、一九二〇年当時カンブレの女子師範学校在学）は、歴史の授業中、教科書に掲載されていた十八世紀のプロイセン王フリードリヒ二世の肖像画に悪戯心から青い太線を引いたところ、ドイツ兵に見つかり「これはよくないな、お嬢ちゃん、気をつけなさい！」と、怒られたと言います。また、一八七〇年の普仏戦争でドイツに割譲されて以降、フランスの地理の教科書でアルザス・ロレーヌ地方はドイツ領とは明記されず哀悼の意を込めて紫に塗られていたのですが、フェリシエンヌ・ヴァトリポン（一九〇六年生まれ、一九二〇年当時カンブレの学校在学）は、それを家に滞在するドイツ兵に見咎められました。「我々がフランスの主であり、ドイツはすべての上にある」と、このドイツ兵は彼女に言い「地図をまじまじと見つめ」、それは「地図が生き物だったら食べてしまう形相だった」と、フェリシエンヌは作文に書き残しています。

自由を制限され困窮を強いられた占領下の日々について、子どもたちは学校生活以外にも様々な角

図3　モラーヌ・ソルニエ社製の単葉戦闘機に乗るエース・パイロット，ロラン・ギャロス。彼は1913年に地中海横断を成功させている。

度から綴っていますが、最も印象的な出来事として幾人もの子どもたちが挙げているのが、空中戦も含む爆撃でした。十九世紀以降の科学技術の発展を受けて第一次世界大戦で実用化された飛行機や毒ガスなどの新兵器は、戦いの形や規模を大きく変えると同時に、戦闘員のみならず民間人をもしばしば巻き込みました。前線に近い被占領地域の子どもたちは新しい——そして、これ以降の戦争でより一般化する——暴力の出現を間近で目撃することになったのです。

上空での飛行機の戦闘光景を暇があれば眺めに行っていたポール・ヴァイヤン（一九〇六年生まれ、戦時中エーヌ県ボアン在住）は、ある日「わずか十メートル先に爆弾が落ちて」震え上がり、それ以来もう見物はしなくなったと作文に書いています。また、「僕の冒険を誰にも話さなかった」とも言っているので、周りの大人から禁止されていたにもかかわらず、こっそり見に行っていたのかもしれません。戦前から、イギリス海峡横断（一九〇九年）、地中海横断（一九一三年）といった飛行機がなす偉業に人々は熱狂しており、戦時にあっても、泥臭く危険な塹壕戦との対比で、空中戦やエースパイロットは子どもたちの憧れでした（図3）。しかし、北フランスの子どもたちにとって、飛行機は、浪漫を掻き立てる空想では済まない、現実に空襲という脅威をもたらすものとなりました。被占領地域を爆撃したのは連合国軍のイギリスです。標的はドイツ軍の駐屯地や武器庫でしたが、夜間の空襲は民間人の死傷者や家屋の被害を生み、その恐怖を多くの子どもたちが書き残しています。一方で、連合国軍が多数駐屯していた北フランスの西側地域は、ドイツ軍に空爆されました。前述のマルセルはダンケルクに住んでいましたが、一九一五年から「絶え間なく、私たちはボッシュに大砲を撃ち込まれ、爆撃されました。火災、爆弾、魚雷、なにもかもがあり、昼も夜も危険でした。海からも空からも爆弾が降ってきました。一日中空襲警報が鳴りっぱなしでした」と、述べています。ダンケルクの街は、戦時を通じて二百回の爆撃を受け、六百人の死者と千百人のけが人を出し、市中のおよそ八分の一にあたる四百の建物に損害を受けました。

作文に書かれた子どもたちの言葉は、長期化、総力戦化、甚大な犠牲、新兵器の登場といった教科書で説明される大戦の特徴について、それを生きた人々が実際にどのように体験し感じたのかを教えてくれると同時に、北フランスの占領という、より個別的で語られることの少ない大戦の一幕を検証し理解するための糸口も与えてくれるものです。一九一八年夏から連合国軍が攻勢に転じ、前線は少しずつ東側に移動し、フランス北部は順々に解放されていきました。中心都市リールが解放されたのは休戦のおよそ一か月前、十月十七日でした。

解放直後の子どもたちの言葉をどう読むか

休戦協定が結ばれドイツ人は去りました。私たちにとって幸せなことでした。占領は徹底的な破壊でした。こんな災厄が二度と起こりませんように。フランスが元の姿に再建されるには数年が必要でしょう。（エドガール・ルクレ、出生年不明、一九二〇年当時リールの男子校在学）

多くの作文が、一九一八年の休戦とフランスの勝利を喜び、ドイツは自らの「蛮行」の報いを受けるべきだという文章で結ばれています。同時に、「フランスが元の姿に再建されるには数年が必要でしょう」とエドガールが悲観的に述べるように、復興への道は険しいことが予測されました。四年間の戦闘と占領、両陣営からの空爆、ドイツ軍撤退時の破壊行為などによって、ノール県では十八の市町村が全壊し（図4）、六十五が半壊し、五百二十六が何らかの損害を受けており、全く被害を受けなかったのは五十九の市町村だけでした。北フランス全体では、全壊した市町村の数だけでも六百二十に上ります。また、街と街を繋ぐ道路、線路、橋なども甚大な被害を受けました。戦後、被占領地域は「解放地域」と呼称を変え、避難民の帰還、被災者への住居提供、街の再建、被害への補償などが始まりますが、フランス全体が戦争で疲弊していたため、復興は期待されていたほどのスピードでは進みませんでした。また、人間関係の再建、戦死者の追悼、帰還兵のトラウマなど、他の地域と同様の精神的試練も長く続くことになります。休戦協定によって戦時から平時へと時代が即座に切り替わったのではなく、そこを契機に「戦争からの脱却」が始まり、それは政治、経済、社会、家族といったそれぞれの領域で漸次的に進んだことを、近年の研究は強調しています。

それでは、子どもたちにとっての戦後はどのようなものだったのでしょうか。大戦によるフランスの人的被害は戦死者百四十万人、傷病兵四百二十万人を数え、その結果、百十万人が孤児に、七十万人が寡婦になりました。子どもにとって重要な家族の再建は個人差が大きい領域ですが、障害やトラウマを抱えた父親の帰還、それに伴う両親の関係の変化、もしくは父親の戦死と奮闘する母親の姿など、多くの子どもたちが環境の変化を経験し周囲の大人の苦労や苦しみを目の当たりにします。その上、北フランスの子どもたちは占領という過酷な経験をしており、それはなにより彼ら自身の健康を損なっていました。リールの一万八千人の子どもを対象とした戦後直後の調査では、約三十%が栄養失調、八%が発育不全、三%が結核の疑いと診断され、「問題なし」とされたのは全体の二十五%だけでした。また、空襲をはじめとする戦時の経験が子どもたちの記憶に深く刻まれ、悪夢やパニック症候群など精神的な不安定さをもたらしたとの医師の証言もあります。そ

図4　1918年に撮影されたアルマンティエールの街中。前線近くに位置し，ドイツ軍退却時に都市は壊滅的被害を受けた。Gallica/BnF

れゆえ、学校再開にあたっては、子どもたちの健康回復と維持が重要な課題となり、給食やおやつの提供、体育科目の普及、臨海学校の実施などが積極的に進められました。より高い衛生基準を満たした校舎や遊戯場の設置など学校環境の近代化も構想されましたが、復興予算の不足からなかなか難しいのが実情でした。実際のところ、破壊された校舎の修復や戦時中に徴用されていた建物の原状復帰には時間がかかり、戦死した、あるいは復員が遅れている教員の代理採用も容易ではなく、場合によっては仮設校舎での授業が長引きました。疎開していた子どもたちもすぐに戻ってはこなかったので、在校生の数が戦前の水準に戻るには相当の年数が必要でした。解放地域の生徒の学習進度が他地域と比べて遅れていたことも、視察官によって指摘されています。

フランスの学事暦は九月に始まり翌年六月に終わりますから、作文の宿題が課された一九二〇年五月は、平和を取り戻した、しかし困難に満ちた一年目が終わりを迎える頃ということになります。課題は、この地域の学区長ジョルジュ・リヨンの依頼によるものでした。リールで同年「解放地域再生のための国際博覧会」の開催が予定されており、北フランスの戦争経験を印象づけるために戦時の証言を広範に集めようとしたのです。全ての学校から作文が提出されたわけではなく、戦時中の勉強の遅れから生徒たちが作文を書く能力をまだ身につけておらず宿題を実施できないとの教師からの報告も一定数ありました。したがって、作文を提出したのは、戦後の再開が比較的順調に進み、教師が課題の実施に積極的だった学校の生徒ということになります。

ところで、私たちはここまで見てきたような子どもたちの作文の内容をそのまま受け取っていいのでしょうか。彼らはどれくらい自由に作文を書いたのでしょうか。教師が課題の意図をどの程度生徒に説明していたかは分かりませんが、同一学校内のほぼ全員が同じ内容に触れている場合は、何らかの指示があったと考えられます。また、生徒が自発的に書いた場合でも、ドイツの見方や戦争観には多くの「大人の言い回し」が出てきます。戦前の教育で教わった内容や戦時中に頻繁に使われていた表現を、子どもたちはよく聞いて覚えていたのです。一八七〇年の普仏戦争での敗北以降、ドイツへの憎しみとその残虐なイメージがフランスの教育現場や児童書を通じて醸成されてきました。その結果、子どもたちは作文の中で当然のようにドイツ兵に対して「非人間的」「野蛮人」といった言葉を使っています。また、前節で引用したアルセーヌの「小さなフランス人としての僕の義務」という言葉にも、戦前からの愛国教育の影響を見ることができます。戦時には、両陣営で参戦を正当化し自らを正義とする言説が流布しましたが、国際法で認められていたベルギーの中立を侵害したドイツを「非文明的」と見なし、「法による平和」を目指す連合国側と対置させるのもそのひとつでした。「彼らのところ（ドイツ）では、しばしば力が法を凌駕する」（ジャンヌ・カイヨ、出生年不明、一九二〇年当時

図5　G・マレショーによる『勝利の絵本』(1919年)の中の「1918年10月17日リール奪還」。フランスの象徴である自由の女神マリアンヌが国旗を掲げている。Gallica/BnF

リールの女子校在学）という子どもが使うにはいささか専門的すぎる表現も周りの大人たちの会話を聞いてのことでしょう。作文に出てくる表現は、子どもたち自身の経験や感情だけでなく、彼らの受けた教育や置かれた環境を広く反映しているのです（図5）。

他方で、子どもたちは宿題で指示されたように何もかも「率直に」書いたわけではないかもしれません。占領期、宿泊場所の不足からドイツ兵を泊まらせていた家も多く、両者のあいだに親愛の情が生まれることもありましたし、ドイツ兵と接してこれまでのステレオタイプ的なドイツ観を改める人もいました。ドイツ兵と現地の人々のあいだに友好的な交流が全くなかったわけではないのです。占領軍のドイツ兵と現地のフランス人女性の恋愛関係ともなるとスキャンダルになり非難を受けましたが、そのような例はいくつもありました。教員の記録によれば、学校を訪れたドイツ人視察官の多くは子どもたちに適切に接し、パンやお菓子を与えることもあり、子どもたちは占領下の生活の中でドイツ語の簡単な単語を自然に覚えました。宿泊していたドイツ兵に不在の父親の代わりを見出し、ドイツ兵もまた故郷の自分の子どもを思い、双方に親愛の情が生まれていた例も多少なりともあったようです。しかし、そうした思い出は一九二〇年に書かれた作文にはほとんど出てきません。戦時中、ユニオン・サクレと呼ばれる挙国一致内閣の下、フランス人が一丸となって戦争を戦い抜くよう鼓舞されましたが、長引く戦争の中で実際には置かれた立場の違いによってフランス内部にさまざまな亀裂が生じ、それが戦後になって表に出てくることもありました。占領中にドイツ兵と商売をしたり、性的関係を持ったりした人々は、戦後、処罰の対象になりました。また、被占領地域に住むフランス人全般が、その他のフランス人たちから「北のボッシュ」と呼ばれて偏見や差別の目で見られることもありました。村に滞在していたドイツ兵との交流経験があったとしても、大戦が終わって間もないこの時期、子どもたちは、それを口にしないようにし、ましてや公開される可能性のある作文に書くことは避けたのかもしれません。つまり、書かれていないことに目を向けることも重要です。

「占領とその危険を体験していない地域のフランスの子どもたちに、私たちが感じた不安を想像することはできないでしょう」とジャンヌ・キュソー（一九〇六年生まれ、一九二〇年当時リールの学校在学）が書いたように、物理的な断絶が解消されても北フランスが受けた傷と孤立感は簡単には癒えませんでした。作文を読み解く際には、「戦争の重み」が強くのしかかる時期に書かれたこと、子どもたちの言葉は戦争や敵国についての大人の説明の仕方を反映していること、そして、子どもたちにも言いづらいことがあったであろうことを、十分に意識する必要があります。

現在にとどまる過去の痕跡

最後に、北フランスの占領がその後どのように記憶されたのか、また、どのように歴史学で扱われてきたのかを考えてみましょう。それは、なぜ、私たちが今、大戦直後の北フランスの子どもたちの声を聞くことができているのかを問うことにもなります。

ダンケルクに住むシモーヌは、北フランスの解放後に父親に連れられ前線だった地域を訪れます。眼前に広がる光景は、自身が体験した空爆の恐怖よりも彼女に衝撃を与えました。

私にとって最も衝撃的だったのは、パパが汽車でアルマンティエール周辺に連れて行ってくれた時に見たドイツ軍の砲弾による破壊の跡でした。そのあたりにはもう立っている家はありません。砲弾で穴が開いた壁がいくつか残っているだけでした。駅は木材で作り直されていました。かわいそうな住人たちは汽車の車両の中で暮らしていました。砲弾による穴がありすぎて畑はもう耕すことができない状態でした。

（シモーヌ・ジョアシャン、一九〇七年生まれ、一九二〇年当時ダンケルクの女子校在学）

原形を留めていない家屋や回復不可能な耕地という「ドイツ軍の砲弾による破壊の跡」を目の当たりにしたシモーヌは、「私たちがどんなに苦しまされたか思い知らせるような重い条件を彼ら〔ドイツ人〕に課すべき」と父親に言います。実は、こうした戦争跡地の訪問はこの時期珍しいことではありません。ドイツ軍による破壊の有様は、新聞紙面の写真やポストカードを通じて、戦時中であっても広く共有され、対ドイツ戦争へのフランス国民の感情面での動員を強く促していました。戦争が終わると、爆撃を受けたランスの大聖堂、ヴェルダンなどの激戦地跡や破壊された村などを多くの人が訪れるようになります。歴史家エマニュエル・ドンシャンは、戦争によって生じた廃墟は、戦死した兵士や傷ついた祖国の寓意《アレゴリー》であり、自分たちの犠牲と苦しみを体現するものとして国民に受け止められたと論じています。家族を失った者やかつてこの地で戦った復員兵にとっては「巡礼」とも言えるものでした。シモーヌは父親と訪れましたが、教育の一環で学校が集団見学を行うこともありました。けれども、休戦から数年経つと、廃墟や戦地跡が持っていた意味は急速に失われていき、その跡を歴史的遺跡として保存するよりも、復興や近代化に力が注がれるようになっていきます。

北フランスの復興事業は一九三〇年代におおよその完成を見ましたが、第二次世界大戦期、この地はまたもドイツに占領されました。国境地帯であることからほかの地域よりも過酷な占領体制が敷かれ再び苦難を味わったものの、新たな戦争による物理的破壊は第一次世界大戦期よりは小規模に留まりました。戦後、パリを含む広範な地域が占領された第二次世界大戦の衝撃の陰に、第一次世界大戦期の占領の記憶は埋もれていきました。一方で、フランスではとりわけ一九八〇年代頃から、歴史上の災厄とその犠牲に関して、忘却や隠蔽に抗い、集合的記憶として公的に記念するべきという「記憶の義務」が盛んに表明されるようになります。この動きは、ホロコーストやヴィシー政権といった第二次世界大戦時の出来事の問い直しを契機としていますが、その対象は徐々に第一次世界大戦を含む近現代の惨劇全般へと広がりました。その結果、過去の痕跡の保存がツーリズムとも結びつき、北フランスに点在する第一次世界大戦の戦場跡は観光地化され再び訪問者を集め、記念行事が開催されたり、新たな記念碑が建立されたりしています（図6）。ただし、現

図6　ソンムの戦いの激戦地ティブヴァルに英仏連合軍を顕彰するために両大戦間期に建てられた記念碑と陸軍墓地。2000年代にソンムの戦いのすべての犠牲者を悼み記念するための博物館に改修され，2016年に開館した。

在の大戦の記憶やその記念（コメモラシオン）は、一九一八年の休戦直後のそれとは異なります。二十世紀後半に進んだドイツとの和解は、両国の記憶の接近ないし共有を促し、ヨーロッパ統合の進展がその傾向を一層加速させました。現在、第一次世界大戦の記憶は、とりわけそれが公的な場で表明されるとき、敵味方に分かれての憎しみや責任の所在よりも、各交戦国がいずれも払った大きな犠牲や大戦が広くヨーロッパ社会に与えた影響など共通体験を強調するものになっています。

こうした大戦の記憶をめぐる政治的・社会的状況と相互に影響を与え合いながら、その歴史の描かれ方もまた時間の流れの中で変化してきました。フランスでは、「英雄」と顕彰されてきた前線の兵士たちが長らく大戦の歴史研究の中心にありましたが、戦争が社会・文化全般に与えた影響への関心が高まるにつれ、研究対象はさまざまなカテゴリーの戦争体験へと拡大しました。戦争を生きた子どもたちへの視点は、一九九〇年代のステファヌ・オドワン＝ルゾーによる問題提起を皮切りに、近年では、ジェンダー、社会階層、出身地による経験の差を考慮した、より精緻な研究を生み出していきます。それまでほとんど忘れられていた北フランスの占領に関する本格的な研究が始まったのもこの時期です。また、大戦を解き明かす手がかりとなる史料も多様化しました。公的文書だけでなく、口述も含む多様な証言が集められ、北フランスの地で発掘された遺物や遺体も考古資料として検証されるようになっています。こうした流れの中で、それまでは歴史の、ましてや戦争の歴史のアクターとは見なされてこなかった子どもたちの作文も史料的価値を持つものと考えられるようになりました。同時に、学校の宿題という形で子どもたち自身の手による文章がまとまって残っていたこと自体も興味深い点です。フランスでは十九世紀後半からの義務教育の普及に伴い識字率が向上しました。大戦より前の戦争ではこのような形の子どもの証言はほとんどないでしょう。

百周年を迎えた二〇一四年から二〇一八年のあいだに様々な記念行事やシンポジウムが執り行われ、それが過ぎた現在でも大戦研究はなお活発です。大戦の開戦原因を論じた歴史家クリストファー・クラークが「議論が古くから続いてきたものの、主題はなおも新鮮である——実際のところ、二十年前、三十年前よりも今の方がより新鮮で、より現代に関わるものになっている」と、その「剥き出しの現代性」を強調するように、多くの研究者が第一次世界大戦を研究することの意義を依然として感じているということでしょう。現在の研究傾向としては、関心の地理的拡大と時間的拡大を指摘することができます。大戦期の交戦国による植民地の利用や日本を含むアジア諸国の関わり方といったテーマは、現代世界のグローバル化を反映しています。開戦原因を時代を遡って探ったり、それ以前の戦争と比較対照する研究は、大戦のような未曽有の事態を必然だったと捉えるのではなく、そこに至る複雑な経緯や背景、選択やありえた他の可能性を説明すること、そしてなぜ防げなかったのかということに関心を持っています。他方で、そうして起こった戦争が長期にわたり社会に直接・間接に影響を与え続けることについても多くの研究がなされています。破壊された都市はどうなったか、戦争は家族の形をどう変えたか、子どもや女性や若者にどのような社会的・経済的・心理的影響を与えたのか。こうした関心は第一次世界大戦で民間人がこれまでにない規模で巻き込まれたことにも由来しますが、実際のところ、戦争がもたらす民間人の犠牲は二十一世紀の今に至るまで続いている現代的な事象です。さらに、とりわけフランスでは、大戦を舞台にした小説、映画やバンドデシネ（漫画）が多く発表されており、これは大戦への関心が研究の世界を超えてより広範な社会で共有されていることの証左と言えます。

むすび

冒頭で引用したジュール・ペルンが「覚えておいて」ほしいと願ったとおり大戦期の北フランスの苦難は忘却を免れましたが、これまで見てきたようにそれは自明ではありませんでした。社会の中での戦争の記憶のされ方や歴史の描かれ方は、折々の時代状況に大きく左右されました。今では直接の記憶を持つ人々がほとんどいなくなりましたが、残された言葉、文書、場所、物質をもとに、時代に応じた関心に基づいて研究は継続され、形を変えながら社会に記憶されていくでしょう。

一九二〇年に書かれた子どもたちの作文は、彼らの戦争体験だけでなく、なぜ百年前の戦争が今も私たちの関心を引くのか、そして、子どもたちの声を掬い取ることで何が分かるのかというところまで思考を広げてくれました。過去の出来事を現在の物差しで考えてしまう時代錯誤《アナクロニズム》は歴史学において避けなければならないことの一つですが、一方で、現在と切り離して懐古的に振り返るだけでは歴史的に考えることにはなりません。歴史学の書籍や論文を読むとき、その研究が明らかにする当時の出来事や社会の在り方だけでなく、そのような歴史が描かれることになった経緯や方法といった研究の跡にまで注意を向けてみてください。過去の出来事が私たちの「いま」とどのように繋がっているのか、より多層的に歴史をとらえることができると思います。

[参考文献]

天野知恵子「第一次世界大戦とフランスの子どもたち」『愛知県立大学紀要　地域研究・国際学編』四二巻、二〇一〇年、五一―七一頁。

フランソワ・アルトーグ『「歴史」の体制――現在主義と時間経験』伊藤綾訳、藤原書店、二〇〇三年。

クリストファー・クラーク『夢遊病者たち――第一次世界大戦はいかにして始まったか』小原淳訳、みすず書房、二〇一七年。

舘葉月「考古学からみえる第一次世界大戦――フランス北東部の経験と記憶」『歴史学研究』九九七号、二〇二〇年、三五―四七頁。

アンリ・ルソー『過去と向き合う――現代の記憶についての試論』剣持久木・末次圭介・南祐三訳、岩波書店、二〇二〇年。

Stéphane Audoin-Rouzeau, *La guerre des enfants 1914-1918 : essai d'histoire culturelle*, Paris : Armand Colin, 1993.

Jean-François Condette（dir.）, *La Guerre des cartables 1914-1918 : Elèves, étudiants et enseignants dans la Grande Guerre en Nord-Pas-de-Calais*, Villeneuve d'Ascq : Presses universitaires du Septentrion, 2018.

Emmanuelle Danchin, *Le temps des ruines 1941-1921*, Rennes : Presses universitaires de Rennes, 2015.

Dominique Fouchard, *Le poids de la guerre : les poilus et leur famille après 1918*, Rennes : Presses universitaires de Rennes, 2013.

Laurent Jalabert, Reiner Marcowitz, Arndt Weinrich（dir.）, *La longue mémoire de la Grande Guerre : Regards croisés franco-allemands de 1918 à nos jours*, Villeneuve d'Ascq : Presses universitaires du Septentrion, 2017.

Phillipe Marchand（éd.）, *Raconter la guerre : Souvenir des élèves du département du Nord*（*1920*）, Villeneuve d'Ascq : Presses universitaires du Septentrion, 2020.

Philippe Nivet, *La France occupée, 1914-1918*, Paris : Armand Colin, 2011.
Philippe Salson, *L'Aisne occupée : Les civils dans la Grande Guerre*, Rennes : Presses universitaires de Rennes, 2015.
図２：https://commons.wikimedia.org/wiki/File:Western_front_1915-16.jpg
図３：https://commons.wikimedia.org/wiki/File:Morane-Saulnier_Type_N.jpg
図６：Amanda Slater, from Coventry（England） https://commons.wikimedia.org/wiki/File:Thiepval_cimetière_derrière_mémorial_1.jpg　https://creativecommons.org/licenses/by-sa/2.0/legalcode

読書案内

大戦を生きた人びとの声をもっと聞きたくなったら、大橋尚泰『**フランス人の第一次世界大戦——戦時下の手紙は語る**』（**えにし書房、二〇一八年**）を手にとってみてください。塹壕の兵士の絵葉書から銃後の女性労働者の手紙まで、現物の写真とともに読むことができます。

とはいえ、実は歴史家が扱うのは、こうしてまとめられ刊行された資料集だけではありません。むしろ、文書館に足を運び、誰も扱ったことのない史料の山に分け入ることが、歴史家の仕事であり醍醐味でもあります。そうした史料を収める文書館とはどのような場所なのか、なぜ記録は捨てずに保存される必要があるのか、ブリュノ・ガラン『**アーカイヴズ——記録の保存・管理の歴史と実践**』（**文庫クセジュ、二〇二一年**）が史料論の入門書としてお勧めです。タラ・ザーラ『**失わ**

れた子どもたち――第二次世界大戦後のヨーロッパの家族再建』（**みすず書房、二〇一九年**）は、第二次世界大戦後のヨーロッパで子どもたちを待ち受けていたさまざまな運命を論じた大著ですが、これは彼女が七か国の複数の文書館で外交や福祉に関する大規模な史料収集をした成果です。一方、槇原茂編著『**個人の語りがひらく歴史――ナラティヴ／エゴ・ドキュメント／シティズンシップ**』（**ミネルヴァ書房、二〇一四年**）に収められている論文は、日記や回想録など私語りをするミクロな史料を扱って、十九世紀後半から二十世紀前半のさまざまな「境界」を生きる個人――ユダヤ人女性と結婚したドイツ人作家からメキシコの農村教師まで――が社会や政治とどう向き合ったかを描こうとする試みです。

けれども、人間社会の営みすべてが文字で表現され、残されるわけではありません。そうした過去は消えていくしかないのでしょうか。ジェラール・ノワリエル『**ショコラ――歴史から消し去られたある黒人芸人の数奇な生涯**』（**集英社インターナショナル、二〇一七年**）では、十九世紀末のパリでその場限りの舞台芸術ともいえるサーカスを中心に活躍した奴隷出身の黒人芸人ショコラという、文字に残りにくい世界に生きた男の人生について、筆者が些細な痕跡まで粘り強く探し当てる過程を含めて味わえます。

12 歴史と記憶違い――フロイトの場合

小森謙一郎

無意識について

晩年の一九三六年一月、ジークムント・フロイトは、親交のあったフランス人作家ロマン・ロランの生誕七十年を祝う公開書簡を執筆しています。ロランはかつて第一次世界大戦に反対した数少ない人物のうちのひとりでした。

その公開書簡のなかに、次のような一節があります。

スペインのムーア人の有名な悲歌「ああ、わがアラーマ（Ay de mi Alhama）」をご存知ですね。王ボアブディルが自分の町アラーマ陥落の知らせを受け取る様子を伝えた歌です。王はこの損失が支配の終わりを意味することを予感します。ところが王にはこれを「真実とみなす」つもりがなく、知らせは「届かなかった（non arrivé）」ものとして扱われます。当の詩行は次の通りです。

文書がいくつかやって来た、
アラーマが落ちたのだ。
王は文書をみな火にくべて
それから使者を殺したのだ。

容易にわかることですが、王のこの振舞いには自分の無力感と戦おうとする欲求が関与しています。手紙を焼き、使者を殺させることで、王はその絶対的権力をなお誇示しようとしているのです。

（Freud, 255-256／三二一―三二二；二六九）

旧友の誕生日を祝う手紙としては奇妙です。

フロイトは精神分析という学問を打ち立てた人物です。その影響は今日の心理学全般に広く認められます。最初の主著『夢解釈』（一九〇〇年）は、まさに夢の意味を探求する本でした。夜中に見る夢にも意義や法則があり、そこから深層心理に迫れるはずだ、とフロイトは考えたのです。

深層心理とは、つまり無意識のことです。日中、人々には意識があります。正常な意識をもっていることが、日常生活の前提でさえあります。しかし、睡眠中に意識を保つことはできません。だとすれば、私たちが夢を見るのは無意識の活動の結果であり、人間の心において無意識が占める領域はかなり大きいのではないか、とフロイトはさらに考えました。

のみならず、無意識はじつは日中にも働いていて、日常生活では理性によって活動が制限されているにすぎない、日中かわりに働いているのは意識だが、しかし理性はときに失われる——そう思い至ったとき、フロイトは深層心理学の扉を開いたのです。つまり人間の意識は完璧には程遠く、理性によるコントロールも不完全、それどころか無意識の活動にたえずさらされていて、かろうじて自我を保っているにすぎない、というわけです。

そして自我をうまく保つことができなくなるとき、人は異常をきたすことになります。精神病です（フロイト自身は精神病とは別に神経症というカテゴリーを考えていました）。症状は人によってさまざま、普段は問題なくても突発的に発作が出ることもあります。フロイトは精神分析医として生涯そうした患者たちと向き合ったのでした。

他方、自我が保たれているからといって、無意識がなくなるわけではありません。いわゆる健常者もまた無意識の活動に突き動かされていて、その徴候はいたるところに見てとれる。そう考えたフロイトは、ちょっとした言い間違いや失念など、ごくありふれた錯誤行為に着目しました。誰もがなしうる錯誤行為が無意識の活動の結果であるのなら、精神分析の理論もたしかに首尾一貫したものになるでしょう。

二つの例

ところで、最初にふれたロラン宛書簡には、「アクロポリスでの想起障害」というサブタイトルが付けられています。語られているのは一九〇四年夏のギリシア旅行でフロイト自身が経験した「想起障害」のことです。『夢解釈』から約五年後、初期フロイトの理論がまさに整えられようとしていた頃の出来事です。

首都アテネのアクロポリスには、パルテノン神殿をはじめとする古代ギリシア文明の最高傑作が揃っています（図1）。そうした風景を目にした際、普通なら感嘆の念を抱きそうなものなのに、「これらは本当に学校で学んだ通りに存在しているのだろうか」という疑念が浮かんできたというのです。

現に目にしているのに信じられない、という心情自体はごくありふれたものです。誰もが経験しうるそうした心情の奥底に何があるのかを探求するのが精神分析です。フロイトの手紙の大半も、アクロポリスで抱いた疑念の自己分析で占められています。

手紙の最後の部分で、フロイトはこうまとめています。学生だった時分に、アテネに赴くことなど夢にも思えなかった。長らく過ごしてきたウィーンの生活圏を思えば、なんと出世したことか。父親は平凡なユダヤ商人だったし、さほど教育も受けておらず、古代ギリシア文明に縁はなかった。だが自分は今やそうした境遇から抜け出し、現にアクロポリスの丘に立っている。ここには父親に対する優越という隠された感情があって、これが「想起障害」をもたらしたのだ、と。

図1　アクロポリスの丘（アテネ）

つまりアテネの偉大な作品群を目の前にしたとき、父親を凌駕したという思いがフロイトの無意識をよぎった。一介の商人だった父親にとって、アテネの風景にさして意味があるはずもなかった。だが父親を上回ることは一種のタブー、昔から禁じられた行為であり、だからこそ現に目にしている古代遺産への感嘆の念が「それらはかつて教わった通りに存在しているのだろうか」という奇妙な疑念に置き換えられた――このようにフロイトは自分の心情の背景を解釈しているわけです。

そしてフロイトは、こうした心的現象を一般化して「疎外現象（Entfremdungsphänomen）」と呼び、二つの特徴をあげています。第一に「すべて防衛に役立つ、つまり何かを自我から遠ざけ、否定しようとする」という特徴です。第二に「過去への依拠、つまり自我の思い出の集積とかつての辛い諸体験に依拠している」という特徴です。フロイト自身の説明からすれば、アクロポリスで抱かれた心情は、これら二つの特徴を実際に示しています。

他方、冒頭で引用したボアブディル王のエピソードは、第一の特徴に結びつけられています。つまりイスラム王が「手紙を焼き、使者を殺させる」のは、「アラーマ陥落の知らせ」を「自我から遠ざけ、否定しようとする」心の動きゆえだということです。「疎外」はここで「すべて防衛に役立つ」

のであり、現実に対する不安要素を取り除いた王は、かくして「その絶対的権力をなお誇示しようとしている」ことになります。

こうしてみると、フロイトはたしかに客観的で科学的な議論を展開していると言えるでしょう。しかし、もしその内容に間違いがあるとしたら、どうなるでしょうか？

記憶違い

「スペインのムーア人」から、あらためて歴史を遡って考えてみましょう。

ここでいうムーア人とは、イスラム教徒のことです。七世紀に興ったイスラム教は、中近東から地中海沿岸にかけて、急速に版図を広げていきます。八世紀初頭にはイベリア半島にも進出、支配圏を拡大しました。

これに対するキリスト教側からの反応がレコンキスタ、文字通りに訳せば「再征服」です。イベリア半島をイスラム教徒の手から取り戻すということです。世界史の教科書などでは「国土回復運動」とされています。

そして、このレコンキスタが完了するのが八百年近く後の一四九二年です。年頭の一月二日、ムーア人の王ボアブディルは、アルハンブラ宮殿から追われます（**図2**）。イスラム勢力として最後に残っていたグラナダ王国の陥落です。これによりヨーロッパにおけるイスラム王朝は断絶、今日にいたるキリスト教的ヨーロッパが形成されていくことになります。

図2　アルハンブラ宮殿, 裁きの門(グラナダ)

フロイトが引用した「悲歌」に出てくるアラーマは、交通の要衝でした。その町が「落ちた」というのは、都のグラナダが危険にさらされることを意味します。だから「王は文書をみな火にくべて／それから使者を殺した」のです。フロイトの解釈にしたがうなら、知らせを受けたボアブディル王は、この敗北を「真実とみなす」ことを避け、手紙を「届かなかった」ものとして扱ったのです。要するに、アラーマ陥落という致命的な出来事を無視して、なかったことにしようとしたわけです。

しかし、ここで歴史を確認してみるなら、アラーマ陥落は一四八二年二月末、グラナダ陥落に先立つ十年も前のことでした。しかも当時のイスラム王はボアブディルではなく、その父親だったのです（ただ、ボアブディルは父親と対立しており、同年七月に王位奪取を図ります。付言すれば、こちらの方がフロイト向きのテーマです）。

したがって、アラーマ陥落を知らせる手紙を受けとったのは、ボアブディルではなかったということになります。仮にボアブディルもまた同様の知らせを受けとっていたとしても、そのとき彼は王ではなかったし、「絶対的権力」をもってはいなかったのです。

こうした史実は、フロイトが手紙を書いた一九三六年の時点で、少なくとも歴史学的には知られていました。レコンキスタの最終局面であるグラナダ戦争はアラーマ陥落からはじまり、イスラム王朝内部の父子対立はキリスト教勢力にとって有利に働いた。フロイトもまた調べようと思えば調べることができたはずの流れです。

ということは、「ムーア人の有名な悲歌」と「王ボアブディル」を結びつけたとき、フロイトは記憶違いをしていたことになります。そして歴史書を確認しなかったために、間違った記述をしてしまったのです。

このことの代償は軽くありません。アラーマ陥落時にボアブディルは王権を「なお誇示しよう」とすることなどできなかったわけですし、手紙の焼却と使者の殺害という「防衛に役立つ」疎外の例を彼のうちに見ることも難しくなります（なお一四八二年七月に王位奪取に成功したボアブディルは、翌八三年四月にキリスト教側に捕えられて失脚、八七年にようやく王位に返り咲きます）。

たしかに、ボアブディルの名を父親の名に訂正すれば、歴史学的正確さは回復されるかもしれません。その場合にはしかし、ヨーロッパ最後のイスラム王の名は失われ、「有名」には程遠い父親の名が挿入されることになります。

しかも、この父親はアラーマを取り戻そうと三度も攻撃を試みるのですから、フロイトが述べていたように陥落時に「支配の終わり」を予感していたのかどうか、疑問を抱かざるをえないでしょう。

事実とは何か

だからといって、フロイトの不手際を非難することが、ここでの目的ではありません。
事実的正確さ、明らかな証拠《エヴィデンス》を確保することは、歴史学の基礎です。隠蔽や改竄が公権力によって日常茶飯事のように行われている今日、このことの重要性はあらためて確認しておかなければなりません。かつては自主的に行われて当然だった作業が、今ではそうではなくなっています。近代的世界が発展していった結果、中世的権力が回帰してきたかのようです。

他方、必ずしも事実性には還元できない問題もあります。個々の事実とは、時間的・空間的に限定されるものです。いつ・どこでという物理的条件がつねに付随します。しかし、そうした条件を免れるような問題、つまり時間的・空間的な計測可能性を超えた問題もあるのです。

こうした観点からすると、フロイトの記憶違いを責めるかわりに、次のように問う必要があることがわかります。

「ムーア人の有名な悲歌」と「王ボアブディル」はなぜ結びつけられたのか。この結びつき、この記憶違いには、どのような原因があるのか、と。

これらの問いは、外的事実ではなく、フロイト個人の内面を問題としているだけに、精神分析的アプローチを必要とします。つまりフロイト自身の無意識を考慮に入れなければならないということです。

とはいえ、このことは歴史学的アプローチを捨て去ることを意味するわけではありません。なぜなら、「自我の思い出の集積」に迫るためには、依然として個々の事実を知らなければならないからです。「思い出」は限定された時間と空間のなかで作られます。物理的に確定可能な事件や出来事と深く結びついているのです。

フロイトがロマン・ロランに手紙を書いたのは、一九三六年一月のことでした。オーストリアのウィーンに長らく住んでおり、父親がユダヤ商人だったこともすでに述べました。

ところで、隣国のドイツでは、一九三三年にヒトラーの独裁体制が確立されています。公然と反ユダヤ主義を掲げたナチス・ドイツの誕生です。

同年五月末までに、フロイトの著作はドイツの大学で焚書とされました。ベルリンの精神分析研究所のメンバーも相次いで出国、三年後には研究所自体が消滅します。関係者の大半はユダヤ人でした。その間の一九三五年には、ユダヤ人を明確に差別したニュルンベルク法も制定・施行されています。

こうしたなか、フロイトは生前最後の著作となる『モーセと一神教』に着手しています。最初の原稿が書かれたのはロラン宛の手紙の約一年半前、一九三四年八月です。

その狙いは、ユダヤ人に対する憎しみがどのようにして生まれてきたのか、またそもそもユダヤ人とはいかなる民族なのか、歴史学と精神分析を組み合わせて考察することにありました。ナチスの掲げる反ユダヤ主義を目のあたりにしながらのことです。

フロイトはこの本を一九三九年に刊行し、ほどなくしてロンドンで亡くなります。ウィーンでないのは、一九三八年三月にナチス・ドイツがオーストリアを併合したため、八十年近く住んだ都市を離れて亡命せざるをえなかったからです（図3）。

こうしてみると、フロイトは『モーセと一神教』に五年かけ、その途中でナチスの脅威と反ユダヤ主義の高揚を身近に感じつつ、ロラン宛の手紙を書いていることがわかります。「アクロポリスでの想起障害」はもちろん個別の論考で、『モーセと一神教』と直接関係があるわけではありません。

しかし、無意識を考慮に入れるのなら、まったく無関係とも言い切れなくなるはずです。私たちはフロイトの記憶違い、つまりひとつの錯誤行為を問題にしているのです。一九三六年に、「ムーア人の有名な悲歌」と「王ボアブディル」が連れ立って想起されたのはなぜでしょうか？

図3　フロイト博物館（ウィーン）

まずもって言っておかなければならないのは、「スペインのムーア人」やイスラム教徒にフロイトが言及するのは、かなり稀なことだという点です。こうしたテーマは頻繁に想起されるものではなく、フロイトの全著作を見渡しても例外的です。

つまり、ほかならぬ一九三六年に想起されたということが重要なのです。このとき隣国ドイツでは、精神分析はほとんど死滅していました。そして当時フロイトの念頭にあった最重要課題は、反ユダヤ主義だったという事実も無視されるべきではありません。
ここでふたたび歴史を遡る必要があります。

災厄の歴史

ボアブディル王がアルハンブラ宮殿を去ってから約三か月後の一四九二年三月三十一日、イサベルとフェルナンドの両王は、ユダヤ人追放令を出します。七月三十一日までにユダヤ人はスペインから退去せよ、さもなければ財産没収の上で死刑に処す、というのです。

この追放令の実際上の目的は、強制改宗にあったと言われています。キリスト教に改宗しさえすれば、「ユダヤ人」とはみなされなかったからです。改宗したユダヤ人は「改宗者《コンベルソ》」と呼ばれ、改宗しないユダヤ人と区別されていました。

しかし、コンベルソたちはつねに疑いの目をかけられることになります。ひそかにユダヤ教を信仰していないかどうか、その教義や儀式を隠れて実践していないかどうか、たえず監視されていたのです。

監視していたのは、異端審問所でした。スペインでは、一四七八年に設立されています。追放令以前から、経済的・社会的目的で改宗するユダヤ人は多かったのですが、そうしたコンベルソが少しでも怪しい素振りをみせれば「異端」とみなされます。

そして「異端」とみなされた者は、財産を没収され、火刑に処されたのです。異端審問所の取り調べは一方的で、抗弁の余地はほとんどありませんでした（図4）。実際にユダヤ教的生活様式を秘密裏に保持している改宗者もいたため、住民から密告されることもありました。コンベルソたちはいつしか豚を意味する「マラーノ」という蔑称で呼ばれるようになります。

以上の過程は、ポルトガルでも繰り返されます。一四九二年の時点で改宗を拒み、スペインを退去したユダヤ人も少なからずいました。彼らの多くが向かった先は、隣国のポルトガルです。しかし、そのポルトガルでも、やがて退去か改宗かという二者択一を迫られ、改宗を選ぶと異端審問所が待っているのでした。

こうしてイベリア半島のユダヤ人、一般的にスファラディームと呼ばれるスペインとポルトガルのユダヤ人は、一四九二年以後、独特な歴史をもつことになります。迫害の歴史、離散の歴史、そしてマラーノの歴史です（余談ですが、それは大航海時代とも無縁ではなく、日本にきた南蛮船がポルトガル由来だったのも偶然ではありません。また鎖国時代に通商関係を保ったのがオランダだったこととも結びついています。イベリア半島のユダヤ人はやがてアムステルダムに拠点を持つことになるからです）。

したがって、一九三三年のナチス・ドイツ成立以後、当時のユダヤ人たちが先祖の歴史を想起した

図4　フランシスコ・デ・ゴヤ《異端審問》（1812-1819年）

のも不思議ではありません。ドイツ語圏にはアシュケナージムと呼ばれるユダヤ人が多く住んでいましたが、かつてのイベリア半島での災厄もユダヤ人の歴史の一部であることに変わりはありませんでした。

しかも、今回は改宗という選択肢が残されていないだけに、事態はいっそう深刻です。たとえ改宗しようとユダヤ人であることから逃れることはできず、人種差別的社会体制に絡めとられてしまうのです。逃れるためには亡命しかありませんでした（少なからぬ人々が選んだのがニューヨーク、つまりかつてのニューアムステルダムだったことは歴史の有限性を示しているように思われます）。

そして一九三八年十一月九日には、ドイツ全土でユダヤ人の商店やシナゴーグが打ち壊される「水晶の夜」という事件が発生します。逃れなかった人々への襲撃が本格化したのです。ヒトラーは翌一九三九年九月一日にポーランドに侵攻、三日にイギリスとフランスが宣戦布告して第二次世界大戦が勃発します。次第に占領地域を拡大したドイツは、同時に数多くのユダヤ人を支配下に置くことになりました。一九四二年初頭には、大陸ヨーロッパのほぼ全域を手中に収めます（皮肉なことにイベリア半島は除いてです）。

そうしたなかで進むのがホロコースト、「最終解決」の名で知られるユダヤ人絶滅計画と大量虐殺です。無数のマイノリティが抹殺されたのに加えて、アウシュヴィッツをはじめとする強制収容所などで六百万とも言われるユダヤ人が殺害されました。当時の全ユダヤ人口の三分の一に相当します。

そのため、今日でもユダヤ人たちのあいだでは、一九四二年は大きな災厄を示す年として記憶されています。しかも、それは一四九二年という災厄の年と同じ数字から成り立っているだけに、きわめて象徴的なのです。

さらなる問いへ

フロイトが没したのは一九三九年九月二十三日、ホロコーストが激化する前でした。しかしロランの手紙を書いた一九三六年においてすでに、一四九二年を想起しうる状況になっています。というより、まだ退去が可能だったという点で、後年よりも想起しやすい時期だったと言えるでしょう。

いずれにせよ、「ムーア人の有名な悲歌」と「王ボアブディル」の延長線上には、ユダヤ人追放という出来事がありました。細部まで覚えてはいなくとも、この歴史的事実をフロイトが知らなかったはずがありません。ナチ体制成立後、知識人に限らず多くのユダヤ人が、一四九二年の災厄を思い浮かべていたからです。家庭なり、学校なり、どこかで想起する機会があったのです。

こうしてみると、「疎外」の第一の特徴、すなわち「すべて防衛に役立つ、つまり何かを自我から遠ざけ、否定しようとする」という特徴は、フロイト自身の記憶違いのうちにも認められるように思われます。

つまり、フロイトもまた無意識のうちに「何か」を遠ざけ否定しており、そのために記憶違いが生じているのではないか、ということです。そしてその「何か」とは、目の前で繰り広げられているナチスの反ユダヤ主義的蛮行にほかならず、そこから想起される中世のユダヤ人追放令であるように思われる、ということです。

事実、ロラン宛の公開書簡には、こうした事実に関するいかなる直接的な記述も見られません。フロイトには精神分析をめぐるドイツでの出来事を「真実とみなす」つもりがなく、反ユダヤ主義的ないかなるニュースも「届かなかった」ものとしているかのようです。その頑強な姿勢の根底には「自分の無力感と戦おうとする欲求」があるのかもしれません。

とすれば、「ムーア人の有名な悲歌」と「王ボアブディル」は、隣国ドイツで進行中の事態とユダヤ人が受けた迫害の歴史に対する「防衛」のために想起され、これをなかったことにするために役立っていると言えるのではないでしょうか。無意識によって史実上の正確さは等閑視され、それゆえフロイトもまた歴史書を確認する必要性を感じなかった、ということになるのではないでしょうか。

もちろん、これは仮説にすぎません。とはいえ、そう考えてみると、さまざまな点で辻褄があうように思えてきます。アラーマ陥落の知らせを受けとる王ボアブディルとは、一種のフィクションにほかなりません（事実それはカトリック統治下のスペインで生まれ、長らく力を持っていたフィクションです）。しかし隣国ドイツで精神分析が死滅したことを知った創始者フロイトは、そのフィクション性にまったく疑いを抱いていないのです。

同様に、「この損失が支配の終わりを意味することを予感」しながら、「その絶対的権力をなお誇示しようとしている」のも、晩年のフロイト自身であるかのようです（当時まもなく八十歳、前述のように二年後にウィーンからロンドンへ亡命します）。

というのも、ギリシア旅行には十歳下の弟が同行しており、この弟がロランと同年齢であることをフロイトは注記しているからです。アクロポリスで父親を凌駕したという思いが「想起障害」をもたらし、それは「疎外」の第二の特徴をも示しているのでした。「過去への依拠、つまり自我の思い出の集積とかつての辛い諸体験に依拠している」という特徴です。

ここには精神分析の基礎理論とユダヤ人フロイトの「過去」そのものが賭けられています。だとすれば、精神分析の創始者はその絶対的権能を弟に仮託されたロランに示そうとしている、あるいはむしろロランを含めたすべての読者に「なお誇示しようとしている」と読めなくもないでしょう。実際、公開書簡の冒頭部で、フロイトは自分自身の「想起障害」をとりあげることを伝えながら、次のように書いています。

そこで当然のことながら、私の個人的な生活からなるこの報告に、いつも以上の注意を払ってくださるよう、お願いしなければなりません。
(Freud, 250／三二四；二六三)

フロイトの「個人的な生活」が読むべく与えられているのだとしたら、記憶違いという錯誤行為にもまた「いつも以上の注意」を払う必要があるのです。「ムーア人の有名な悲歌」と「王ボアブディル」は、まさにその事例の一つではないでしょうか。

しかしながら、名だたる数多くのフロイト研究者のうち、ほとんど誰もこうした記憶違いに着目してきませんでした。それは一体なぜなのか、さらなる問いとして考えてみることもできるでしょう。

そして、それはもはや歴史学や精神分析といった個別の学問分野ではなく、人文学全体をフィールドとしてはじめて答えられるような問いなのです。

［参考文献］

ジャック・アタリ『１４９２――西欧文明の世界支配』斎藤広信訳、ちくま学芸文庫、二〇〇九年。

ヨセフ・ハイーム・イェルシャルミ『フロイトのモーセ――終わりのあるユダヤ教と終わりのないユダヤ教』小森謙一郎訳、岩波書店、二〇一四年。

J・H・エリオット『スペイン帝国の興亡――一四六九―一七一六』藤田一成訳、岩波書店、一九八二年。

黒田祐我『レコンキスタの実像――中世後期カスティーリャ・グラナダ間における戦争と平和』刀水書房、二〇一六年。

小岸昭『スペインを追われたユダヤ人――マラーノの足跡を訪ねて』筑摩書房、一九九六年。

Sigmund Freud, » Eine Erinnerungsstörung auf der Akropolis: Brief an Romain Rolland « (1936), in *Gesammelte Werke*, Bd. 16, Frankfurt am Main: S. Fischer, 1981.（「ロマン・ロラン宛書簡――アクロポリスでのある想起障害」福田覚訳、『フロイト全集』第二一巻、岩波書店、二〇一一年；「ロマン・ロランへの手紙――アクロポリスでのある記憶障害」佐藤正樹訳、『フロイト著作集』第一一巻、人文書院、一九八四年）

Risto Fried, *Freud on the Acropolis: A Detective Story*, Helsinki: Therapeia Foundation, 2004.
L. P. Harvey, *Islamic Spain, 1250 to 1500*, Chicago, Ill.: University of Chicago Press, 1990.
Henri Vermorel, Madeleine Vermorel, *Sigmund Freud et Romain Rolland: correspondance 1923-1936 : De la sensation océanique au Trouble du souvenir sur l'Acropole*, Paris: Presses universitaires de France, 1993.

図１：A. Savin（Wikimedia Commons. WikiPhotoSpace）, https://commons.wikimedia.org/wiki/File:Attica_06-13_Athens_36_View_from_Lycabettus.jpg　https://creativecommons.org/licenses/by/4.0/leglcode
図２：José Luis Filpo Cabana, https://commons.wikimedia.org/wiki/File:Puerta_de_la_Justicia,_o_Bab_al-Shari%27a_(la_

Alhambra).jpg　https://creativecommons.org/licenses/by-sa/3.0/leglcode
図３：Griffindor, https://commons.wikimedia.org/wiki/File:Berggasse_Vienna_March_2007_002.jpg　https://creativecommons.org/licenses/by-sa/3.0/leglcode
図４：https://commons.wikimedia.org/wiki/File:Francisco_de_Goya_-_Escena_de_Inquisición_-_Google_Art_Project.jpg

読書案内

レコンキスタとボアブディルの顛末について、ワシントン・アーヴィング**『アルハンブラ物語』（岩波文庫、一九九七年）**をあげたいと思います。史書ではありませんが、史料批判に基づいて書かれた物語です。アルハンブラ宮殿では、世界の各言語への翻訳が売られています。単純に楽しく、美しい本でもあります。

フロイトとロランについては、**『幻想の未来／文化への不満』（光文社古典新訳文庫、二〇〇七年）**があります。宗教をめぐる両者の見解の違い、そして精神分析の立場がよくわかるはずです。予備知識がなくても、理解できるでしょう。本章の背景になっています。

一四九二年と一九四二年の連関については、ジョルジョ・アガンベン**『アウシュヴィッツの残りのもの――アルシーヴと証人』（月曜社、二〇〇一年）**が重要です。強制収容所に送られたユダヤ人のなかで、「回教徒《ムーゼルマン》」と呼ばれた人々に着目した本です。本格的な思想書ですが、ホロコーストと歴史の意味について考えてみる必要があります。

現代につながる反イスラム感情《イスラモフォビア》に関しては、エドワード・W・サイード**『イスラム報道』（みすず書房、二〇一八年）**が基礎文献になります。イスラエル建国とナクバ、そしてパレスチナ問題にも、関心を広げていってください。人文学という観点からは、サイードの著作はすべて重要です。

最後に、サルマン・ルシュディ**『ムーア人の最後のため息』（河出書房新社、二〇一一年）**をあげておきます。世界文学という名にふさわしい現代の芸術作品です。今あげたすべての作家や学者を軸に、この本に取り組むことが私自身の目標の一つでもあります。

おわりに

あんたはまだ何も聞いちゃいない（You ain't heard nothin' yet）。

（映画『ジャズ・シンガー』より）

右の台詞は世界初の長編トーキー（音声つき）映画『ジャズ・シンガー』（一九二七）で、主演のアル・ジョルソンが初めて口にした台詞です。これ以前の映画というのはサイレント（無音）映画で、技術的に音が出せず、声を出して話す台詞がありませんでした。ジョルソンは『ジャズ・シンガー』ではこの台詞の前に歌を歌いますし、短編のトーキー映画というのは作られていたのですが、一応、長編映画で最初に音声で発された英語の台詞ということになっています。日本語では「お楽しみはこれからだ」と訳されることが多いですね。

なぜこの台詞を最後に持ってきたかというと、皆さんはまだ何も聞いてはいないし、お楽しみはこれからだからです。これだけいろいろなトピックをカバーした長い本を読んできて何も聞いていないとは何事か……と思うかもしれませんが、この本で紹介したのは人文学のほんのさわり、イントロの試聴にすぎません。「はじめに」には「文学、芸術、歴史は、人文学のいわば代表曲」と書かれていましたが、皆さんは代表曲のイントロをひととおり聞き終わっただけで、実はまだほとんど何も聞いていないも同然です。シェイクスピアとか、ドイツ文学とか、中世日本の古文書とか、いろいろなものに少しずつ触れたと思いますが、どれも序奏にすぎません。本腰を入れて取り組もうとすると、どの分野でも山のように知るべきこと、考えるべきことが出てきます。

また、この本でカバーされていない人文学のトピックもたくさんあります。たとえば、この文章の最初の段落に出てきたジャズやサイレント映画についてはこの本でテーマになっていませんね。現代の人文学では古文書からヒップホップまであらゆるものを探求することができます。もしあなたが、この本に出てきたようなアプローチで他のものを探求できないのか……？と思ったとしたら、たいていの場合は「できます」というお答えになります。「はじめに」にあったように、「人間を対象とし、意味を追求する」ものであれば、どんな関心の対象だろうと人文学で探求することができます。

何を探求するかという選択は皆さんにかかっています。音楽が盛り上がるところはまだまだこれから先にあり、それは自分で見つけるものです。人文学を学ぶ人は大学生だろうがそうでなかろうが、ちょっとした序奏から面白いと思ったところを見つけて、自分の力でプレイリストを作らないといけません。

もし皆さんがまだ高校生とか大学の一年生だとしたら、自分の力でプレイリストを作るのは大変だと思うかもしれません。大学での研究に限らず、学問というのはものすごく不親切な配信サービスみたいなもので、無限の選択肢の中から自分でテーマを選んで方向性を決め、探求しなければならないのです。イントロの後をどう展開するかは皆さん次第です。

しかしながら、見方を変えるとこれは皆さんが大変な力を持っているということでもあります。シェイクスピアの喜劇『夏の夜の夢』では、アテネの領主シーシアスとアマゾン女王ヒッポリタの結婚式のためにたくさんの出し物が用意され、シーシアスがその中から主賓として好きなショーを選びます。皆さんの立場はシーシアスと同じで、自分に提供された無数の選択肢の中から一番面白そうだと思えるものを選べます。まあ、シーシアスはアテネの職人たちが作ったとんでもないアマチュア芝居（第二部の片山幹生さんのレッスンで解説されているものとは比べものにならないようなひどい内容です）を見せられることになるのですが、そういう失敗も、かけがえのない自由な選択の結果として存在するのです。

ある意味で、学問を探究する人というのはアテネの領主よりも強いパワーを持っていると言えるかもしれません。シェイクスピア劇ではよく起こることですが、領主はクーデターで引きずり下ろすことができます。お金だっていつなくなるかわかりません。人間関係には裏切りがつきものなので、友達は去っていくかもしれません。学問で得た知識と、それを得るために経験したつらくも楽しくもあるプロセスは奪うことができません。知というのは暴力で奪えないパワーです。

この本を読み終わった皆さんにとっては、お楽しみはこれからです。皆さんが楽しく自由に自分のプレイリストを作り、たやすく奪えないパワーを手にできるよう、お祈り申し上げます。我々もできるかぎりはそのお手伝いをするつもりです。

北村紗衣

質問箱——Q&A

Q　大学の自己紹介などで、よく興味や関心を聞かれるのですが、「文化」としか言えません。この本を読めば、もうちょっと具体的に言えるでしょうか？

A　この本の個々の「レッスン」がどんな対象を扱っているかに注目して是非読んでみてください。タイトルや冒頭で立てられている問題提起もヒントになるかなと思います。一つ一つの「レッスン」は、ある具体的な対象を分析したり、何らかの「問い」を立てています。その対象や問いの狭め方が、興味や関心を探るヒントになると思います。（戸塚）

Q　本を読みましょうとよく言われますが、そもそもなぜ本を読まなければならないのですか？

A　「本を読まなければならない」よりはむしろ「信頼できる本を読んだほうが絶対に将来、得になる」と言ったほうがいいでしょう。変化の多い社会ではいろいろな情報の中から信憑性のあるものを選り分け、生き抜くために必要な知識を手にする必要があります。本の中でもとくによく書けたもの、信頼できそうなものを読むことで、自分だけでは思いつかないような考え方を知り、物事をいろいろな角度から分析できるようになります。また、知識が増えることを楽しむやり方を身につけることもできます。

（北村）

Q 人文学部での勉強は、社会に出たときにあまり役に立たないと聞きました。人文学は役に立ちますか？

A もちろんです。「役に立つ」というのは、多くの場合「お金になる」ということです。しかし、金銭があっても使う時間や才覚がなければ意味がありません。他方、金銭も時間もないのは最悪ですが、これが現代日本社会のスタンダードになりつつあります。人文学を軽視してきたことの結果です。こうした社会のなかで、金銭にも時間にも困らない豊かな人生を送るには、人文学的才覚が不可欠です。学んだことを意味ある仕方で役立たせようとする心意気も大切です（本書はそうした心意気から成り立っています）。

（小森）

Q 自分が興味があるのは美術です。この本は最初から読まなくても大丈夫ですか？

A 第二部の、美術を扱った章（小森）から読むとよいと思います。さらに扉裏の文章や読書案内に目を通し、関連する本へ読書を広げてもよいですし、舞台芸術を扱った第二部の他の章や、文学と美術の関係に触れた第一部の論考（福田）に広げてもよいかと思います。他の章は、関連する事柄（大学の授業科目等）を学ぶ機会に合わせて読むといった方法も考えられます。読みやすい順でも大丈夫です。
（戸塚）

Q 読書案内で本が紹介されていますが、図書館で読むべきでしょうか？　それとも買うべきでしょうか？　また、ほかにどんな本を読めばよいでしょうか？

A 図書館は知識の宝庫なので、まずは図書館に行きましょう！　と言いたいところですが、お住まいの地域の近くに大きな図書館がなく、読みたい本の所蔵がないということもあるかと思います。そういう場合でも、図書館で相談すれば他の図書館から貸し出してもらえることもあります。どんな勉強をするにも、まずは図書館を使いこなせるようになることが大事です。
また、図書館や図書室に司書さんがいれば、どんな本を読めばいいかわからない時は司書の方に聞きましょう。司書さんがいない場合は学校の先生か、また近所に雰囲気のいい個人書店がある場合はその店員さんに聞いてみましょう。本を薦めるというのはそれだけで専門のお仕事になるくらい訓練が必要な技術です。ここはプロを頼りましょう。
（北村）

Q この本をちょっと読んでみたのですが、内容が難しくてよくわかりませんでした。どうすればいいでしょうか?

A まず、心配しないことですね。「難しい」と思った瞬間から、わからなくなります。メンタルが非常に大切です。難しく感じたときには、落ち着いて「何が難しいのか」を考えてみてください。たいていの場合は、文章の論理をうまく捉えられていないはずです。それなら「ここは理解できる」と思える箇所を軸にして、全体として何が言われているのかを考えてみるのが一番です。ジグソーパズルのようなものです。ひとつひとつ繋ぎ合わせていけば、最後には絵がわかるでしょう。
（小森）

謝辞

『人文学のレッスン』とはいささか大仰なタイトルに見えるかもしれません。私たちが普段大学で研究し、あるいは授業で教えているのは、人文学に包括される一つ一つの学問分野の、そのさらに一部でしかないからです。たとえば私の場合は日本の近代文学、それも一九二〇年代〜三〇年代の小説を専門にしています。大学の人文学部という組織に所属していながら、普段は自身が研究し、そして学生に教えている学問が人文学であるということはそんなに意識していないかもしれません。

ですが今回、十二人の人文学の研究者は、個々の立場や視点から、やはり「人文学のレッスン」を繰り広げていると言えます。展開されているのは個々の学問分野の、それも時に非常にマニアックな事柄に関する「レッスン」なのですが、それらは人文学の研究方法や、あるいは人文学に対する執筆者の矜持《きょうじ》や熱量を伝えるものになっていると思います。研究論文を書いていると、どうしても自分の専門分野に近い内容の論文や著作を読む機会が多くなるのですが、この書物を編集していて、他の学問分野に触れることは私たち編者自身にとっても大きな楽しみと喜びとなりました。

こうした種の分野横断的な編著は、しばしば互いの書いたものの内容へは言及せず、いささか遠慮がちな距離が生じてしまいがちです。ですが、本書の性質から、今回は互いの「レッスン」や読書案内の原稿に目を通し、コメントをする機会が比較的多くありました。そうした注文にも快く応じ、ご協力くださった執筆者の方々にまずは感謝申し上げます。また行きつ戻りつした編集作業の全過程に粘り強く付き合って頂いた水声社の井戸亮氏、さらに図版の提供・許諾にご協力いただいた関係者の皆様に、この場を借りて深く感謝申し上げます（なお、すべてのＵＲＬは校了時点で有効なことを確認の上、記載させていただいております）。

そして、誰よりも読者の方々に、この書物を手にとって下さったことへの感謝を伝えたいと思います。是非本書の中から人文学の海の中へ漕ぎ出していくためのヒントをくみ取って頂ければ幸いです。「はじめに」でも詳しく書いたように、現在は人文学という学問の意義が先鋭に問われている時代だと思います。人文学という学問分野の研究の成果は、即効性が見えにくい代わりに息が長く、また危機の時代にあってこそ重要な処方箋となる場合があります。この書物もまた、少しでも長らえ、多くの人の手にわたり、そこから新たな人文学の芽を生み出していくことを願ってやみません。

二〇二二年一月十一日

編者を代表して　戸塚学

編者・執筆者について――

小森謙一郎（こもりけんいちろう）　武蔵大学人文学部教授（ヨーロッパ思想史）。著書に、『アーレント　最後の言葉』（講談社選書メチエ、二〇一七年）、『デリダの政治経済学』（御茶の水書房、二〇〇四年）、訳書に、イェルシャルミ『フロイトのモーセ』（岩波書店、二〇一四年）などがある。

戸塚　学（とつかまなぶ）　武蔵大学人文学部准教授（日本近現代文学）。編著に、『世界文学アンソロジー』（共編、三省堂、二〇一九年）などがある。

北村紗衣（きたむらさえ）　武蔵大学人文学部准教授（英文学）。著書に、『シェイクスピア劇を楽しんだ女性たち』（白水社、二〇一八年）、『批評の教室』（筑摩書房、二〇二一年）などがある。

＊

桂　元嗣（かつらもとつぐ）　武蔵大学人文学部教授（ドイツ文学）。著書に、『中央ヨーロッパ――歴史と文学』（春風社、二〇二〇年）、『ドイツ文学の道しるべ』（共著、ミネルヴァ書房、二〇二一年）などがある。

福田美雪（ふくだみゆき）　青山学院大学文学部准教授（フランス文学）。編著に、『世界文学アンソロジー』（共編、三省堂、二〇一九年）、訳書に、アモン『イマジュリー』（共訳、水声社、二〇一九年）などがある。

リンジー・モリソン（Lindsay Morrison）　武蔵大学人文学部専任講師（日本文化論）。論文に、「万葉集における「ふるさと」――都の面影、万葉びとの原風景」（『現代思想』、二〇一九年八月臨時増刊号所収）などがある。

小森真樹（こもりまさき）　武蔵大学人文学部准教授（アメリカ文化・ミュージアム研究）。論文に、「遺体が芸術になるとき」（『民族藝術学会誌 ars/』、二〇二一年所収）、「デジタル・ミュージアム・研究」（『立教アメリカンスタディーズ』、二〇一八年所収）などがある。

片山幹生（かたやまみきお）　武蔵大学ほか非常勤講師（フランス文学）。訳書に、トリオ／ビエ『演劇学の教科書』（共訳、国書刊行会、二〇〇九年）などがある。

嶋内博愛（しまうちひろえ）　武蔵大学人文学部教授（文化人類学）。著書に、『「燃える人」伝承と西洋の死生観』（言叢社、二〇一二年）、『人形の文化史』（共著、水声社、二〇一六年）などがある

高橋一樹（たかはしかずき）　明治大学文学部教授（日本中世史）。著書に、『東国武士団と鎌倉幕府』（吉川弘文館、二〇一三年）、『中世荘園制と鎌倉幕府』（塙書房、二〇〇四年）などがある。

黒岩　高（くろいわたかし）　武蔵大学人文学部教授（中国ムスリム社会史）。著書に、『中国ムスリムを知るための60章』（共著、明石書店、二〇一二年）、『イスラームとは何か』（共編著、新書館、二〇〇三年）などがある。

舘　葉月（たてはづき）　武蔵大学人文学部准教授（フランス近現代史）。著書に、『新しく学ぶフランス史』（共著、ミネルヴァ書房、二〇一九年）、訳書に、ノワリエル『ショコラ』（集英社インターナショナル、二〇一七年）などがある。

装幀——滝澤和子

人文学のレッスン――文学・芸術・歴史

二〇二二年二月一〇日第一版第一刷印刷　二〇二二年二月二〇日第一版第一刷発行
編者――小森謙一郎・戸塚学・北村紗衣
発行者――鈴木宏
発行所――株式会社水声社
東京都文京区小石川二―七―五　郵便番号一一二―〇〇〇二
電話〇三―三八一八―六〇四〇　FAX〇三―三八一八―二四三七
［編集部］横浜市港北区新吉田東一―七七―一七　郵便番号二二三―〇〇五八
電話〇四五―七一七―五三五六　FAX〇四五―七一七―五三五七
郵便振替〇〇一八〇―四―六五四一〇〇
URL : http://www.suiseisha.net
印刷・製本――モリモト印刷
ISBN978-4-8010-0605-8